C.J. Box

Jachtseizoen

the house of books

Oorspronkelijke titel
Back of Beyond
Uitgave
St. Martin's Minotaur, New York
Copyright © 2011 by C.J. Box
Copyright voor het Nederlandse taalgebied © 2012 by The House of Books,
Vianen/Antwerpen

Vertaling
Rob van Moppes
Omslagontwerp
Studio Jan de Boer BNO, Amsterdam
Omslagfoto
Yolande De Kort/Trevillion Images
Foto auteur
© Roger Carey/Dove Studios
Opmaak binnenwerk
ZetSpiegel, Best

ISBN 978 90 443 3254 4
D/2012/8899/40
NUR 332

www.thehouseofbooks.com

Voor de scherprechters (Jeff, Brian, Ken)
... en Laurie, altijd

Die meende God slechts liefde te zijn
En liefde Scheppings hoogst' gebod
Doch de Natuur, bloeddorstig vol venijn,
Is 't die zijn wet weerstreeft, bespot

– Canto 56, Alfred Lord Tennyson
In Memoriam A.H.H., 1850

Deel 1

Montana

1

DE AVOND VOORDAT Cody Hoyt de districtslijkschouwer neerschoot, had hij doelloos in zijn Ford Expedition rondgereden, zoals hij dat de laatste tijd wel vaker deed. Hij was geërgerd en rusteloos en rookte de ene sigaret na de andere, tot zijn keel rauw was en zeer deed. Hij reed vlak langs de dorpskroegen waar hij vroeger stamgast was, maar ging niet naar binnen. Toen ontving hij op zijn mobieltje een bericht van de meldkamer: rugzaktoeristen beweerden een uitgebrande blokhut te hebben aangetroffen in de Big Belt Mountains in het noordoosten, met wellicht een dode tussen de resten.

Hoewel het tegen het einde van juni liep, was het weer abnormaal koud en in het dal regende het drie dagen aan één stuk. Die avond, voordat de bewolking eindelijk verdween en de zon onderging, had hij een dun laagje sneeuw gezien op de toppen van de Big Belts in het noorden en de Elkhorn Mountains in het zuiden. *Sneeuw*.

'Er is een patrouille naartoe gestuurd,' zei Edna van de meldkamer. Hij had een zwak voor Edna, ook al had ze zichzelf opgeworpen als zijn surrogaatmoeder en gaf ze hem pasteien en braadschotels en probeerde ze hem te koppelen aan gescheiden vrouwen uit Helena. Ze zei: 'Volgens mijn rooster ben jij vanavond telefonisch oproepbaar.'

'Ja,' zei hij. Cody was als rechercheur verbonden aan het bureau van de sheriff van het district Lewis and Clark. Rechercheurs werden automatisch opgeroepen om een onderzoek in te stellen naar elk 'onverwacht sterfgeval', waaronder ongelukken, zelfmoorden of, in een zeldzaam geval, moorden.

'Ach, je hebt toch niets beters te doen,' zei ze schertsend.

'Geen ene moer,' zei hij, bloedserieus.

'Ben je thuis?'

'Ja,' loog hij. 'Ik kijk naar de wedstrijd op televisie. Wacht even, dan pak ik iets om op te schrijven.' Hij wist dat Edna, als ze dat wilde, op het scherm in de meldkamer zou kunnen zien waar zijn auto zich precies bevond, vanwege de GPS-apparatuur die onder de voorbumper van zijn auto was aangebracht. Vroeger had ze dat tenminste kunnen doen, voordat hij het apparaatje vorige maand onklaar had gemaakt, omdat hij niet wilde dat iedereen wist waar hij was geweest of dat hij de avonden waarop hij vrij was in het wilde weg rondrijdend doorbracht.

Hij parkeerde langs de kant van de weg op het hobbelige parkeerterrein tegenover de Gem State Bar, waarbij de banden ploffende geluiden maakten op het natte grind. Eén enkele kwiklamp op een paal wierp donkere schaduwen over het parkeerterrein. Plassen stilstaand water van de recente regen weerspiegelden het licht en de paar sterren die tussen de donderwolken waren opgedoken. Er stonden nog vijf andere auto's voor de bar geparkeerd, allemaal pick-up trucks. Zijn pen lag ergens in het asbakje, dat uitpuilde van de peuken. Toen hij die eruit haalde, zag hij dat de plastic schacht van de pen ruw was van de schroeiplekken.

'Oké,' zei hij.

'De blokhut ligt voorbij de Vigilante Campground aan Highway 280, op twaalf kilometer afstand van Trout Creek aan Country Road 124. Volgens de kaart is dat in Helena National Forest, maar misschien is daar ook een particuliere stek.'

Hij nam de telefoon weg van zijn oor, ging achterover zitten en sloot zijn ogen, zonder iets op te schrijven. Door het zijraampje aan de bestuurderskant zag hij twee mannen met honkbalpetten op in vuile spijkerbroeken en jacks met capuchons door de deur van de bar naar buiten komen. Hij zag dat het saffiermijnwerkers waren. De saffiermijnbouw was een kleine bedrijfstak in het gebied en er waren massa's een- en tweepersoonsclaims die al jarenlang actief waren en nog steeds resultaat boekten. De mijnwerker met de grijze capuchon was bijna net zo breed als hij lang was. De man met de gele capuchon was broodmager, met ogen die diep in hun kassen verzonken lagen. Ze lachten en stoeiden met elkaar. De gele capuchon had een pak van twaalf blikjes Coors Light onder zijn arm voor onderweg en hij zou zonder twijfel helemaal tot aan zijn eenmansmijntje in de Big Belts een spoor van lege blikjes langs de weg achterlaten. Ze keken op en zagen hem geparkeerd staan, maar rechtten hun rug niet en deden geen enkele moeite een nuchtere indruk te maken. In hun ogen was hij gewoon een gozer in een modderige, niet als politievoertuig herkenbare SUV. Zelfs de nummerplaten verrieden hem niet want het waren wisselplaten. Als iemand ze wilde controleren zou hij op een nietbestaand adres en een niet-bestaande bedrijfsnaam stuiten.

'Cody?' zei Edna.

'Hier ben ik.'

'Heb je het genoteerd?'

'Ja.'

'De getuigen hebben opgebeld vanuit de York Bar. Ze hebben beloofd daar te blijven tot de politie er was, zodat ze die de .

blokhut konden wijzen. Agent Dougherty is ernaartoe om hun verklaring op te nemen. Moet ik ze vragen daar te blijven tot jij er bent?'

'Niet nodig,' zei hij. 'Ik weet die blokhut te vinden. Zeg maar tegen Dougherty dat hij gewoon door kan gaan – ik zie hem daar wel. Wat zeiden ze over een lijk?'

'Eigenlijk niet veel. Ze zeiden dat het zo te zien een oud gebouw was en ze hebben binnen een beetje rondgesnuffeld. Ze zeiden dat ze dachten dat er een lijk lag, vanwege de geur en iets wat eruitzag als een menselijke hand, maar het lijk zelf hebben ze niet gezien. Ze zeiden dat het hard regende en donker begon te worden en wilden er zo snel mogelijk wegwezen.'

'Een mannelijk of een vrouwelijk lijk?'

'Dat weten ze niet. Ze zeiden dat de hand ook een handschoen of de arm van een pop kon zijn, want hij zag er niet erg levensecht uit.'

Hij knikte in zichzelf. Vuur veranderde menselijke lichamen in sekseloze karikaturen. Hij had wel eens een lijk gezien dat aan zo'n vreselijke hitte was blootgesteld dat de spieren van armen en benen waren gekookt en geroosterd en het lichaam hadden verkrampt tot een vechthouding: de armen gebogen tegen de borst en de knieën gebogen, als een bokser in de ring. En de geur deed denken aan verkoold varkensvlees...

Buiten op het parkeerterrein zetten de twee mijnwerkers het pak bierblikjes op de motorkap van de truck en maakten er twee open. Het bier dat uit een van de blikjes spoot raakte de dikke Grijze Capuchon in zijn gezicht en hij brulde het uit van het lachen toen hij het blikje aan zijn mond zette.

'Oké,' zei Cody tegen Edna.

' Edna,' zei hij, 'bel Larry op. Zeg hem dat ik hem nodig heb.'

Larry Olson, de enige andere rechercheur in de vijf man tellende Criminele Opsporingseenheid die volgens Cody zijn vak verstond. Olson was klein, stevig gebouwd en kaal; Larry Olson was een vleeskleurige brandkraan die een kamer betrad als een stil uitroepteken en een levende legende in Montana. Hij loste misdrijven op door geduldige observatie en diepgravend onderzoek. Hij putte verdachten uit. Hij putte zijn collega-rechercheurs uit. Als ergens in de staat een misdaad te lang onopgelost bleef, kwam het verzoek of ze Larry Olson daar een poosje mochten 'lenen'. Het gerucht ging dat de enige reden dat hij in Helena bleef in plaats van over te stappen naar de staats- of de federale politie was dat hij in de buurt van zijn drie zoons wilde blijven die in de stad bij hun moeder woonden.

'Larry is vanavond niet oproepbaar,' zei Edna.

Ze wachtte op een reactie van hem, maar die bleef uit.

Na een poosje zei ze: 'Cody?'

Hij hield de telefoon op armlengte afstand van zijn oor en maakte een hees rochelend geluid achter in zijn keel dat deed denken aan een atmosferische storing. Hij zei: 'De verbinding wordt steeds slechter. Bel Larry. Ik bel terug zodra de verbinding weer wat beter is,' en toen klapte hij de telefoon dicht en gooide die op de stoel naast zich. Overvallen door een golf van misselijkheid en snakkend naar frisse lucht, opende hij het portier en stapte uit de auto, waarbij zijn laars ver wegzakte in een diepe plas.

'Knap werk,' zei de magere Gele Capuchon lachend, 'Midden in de roos.'

Cody negeerde hem, boog zich naar voren en legde zijn handen op zijn knieën. Hij ademde de vochtige berglucht in die zich vermengde met de rook. De tranen sprongen in zijn ogen en hij veegde ze af aan zijn mouw. Koud water stroomde over de rand van zijn lage laarzen en doorweekte zijn sokken. Hij wou dat hij zijn cowboylaarzen aan had gehad.

'Gaat het een beetje?' vroeg de Gele Capuchon.

'Prima.'

'Wil je nog een biertje? Daar zul je nu wel behoefte aan hebben.'

'Nee,' zei hij. Ze namen aan dat hij gedronken had. Of misschien herkenden ze hem uit de tijd dat hij de kroegen afstroopte.

'Wat een kloteregen, hè? Dag in, dag uit. Mijn pa zei dat je nooit moest kankeren op het weer in Montana, en dat heb ik nooit gedaan. Maar dit is verdomme *gekkenwerk*. El Niño of zoiets. Ik hoorde dat de weerman het "De zomer zonder zomer" noemde.'

Cody kreunde.

'Wil je een hijsje?' vroeg de dikke Grijze Capuchon met een stem waarin doorklonk dat hij zijn adem inhield en Cody merkte dat hij een joint tussen zijn vingers klemde. Cody moest de lachlust van de mijnwerker hebben opgewekt, want hij proestte het uit en liet de marihuanarook in een wolk ontsnappen.

'Jezus Christus,' zei de magere mijnwerker tegen Cody. 'Trek je van hem naar niks aan.'

'Ik probeer alleen maar aardig te zijn,' zei de tweede mijnwerker, terwijl hij de joint weer in zijn mond stak.

Cody Hoyt was achtendertig jaar oud, maar werd vaak aangezien voor een man van achter in de veertig. Hij had warrig, rossig haar, een vierkante kaak, hoge jukbeenderen, een gebroken neus, bruine ogen met gouden of rode vlekjes, afhankelijk van de omstandigheden, die vaak werden beschreven als 'gemeen' of 'doods,' en een mond die zich, zelfs als hij dat niet wilde, plooide tot een spottende grijns. Hij droeg een spijkerbroek, laarzen en een overhemd met wijde mouwen. Rechercheurs droegen geen uniform maar kleding die zorgde dat ze niet opvielen in de burgermaatschappij. Hij stak zijn handen omlaag en tilde de zoom van zijn hemd op, zodat ze de zevenpuntige politiepenning op zijn riem konden zien.

'Ik heb hier een vergunning voor,' zei de rokende mijnwerker haastig, terwijl hij met een beweging van zijn hoofd op de joint duidde.

Ongeveer iedere saffiermijnwerker in de streek had een door een dokter getekend attest voor marihuanagebruik op medische indicatie, had Cody ondervonden. En velen van hen kweekten veel meer planten dan ze voor eigen gebruik nodig konden hebben. Het was geen toeval dat de mijnwerkers grotendeels dezelfde instrumenten gebruikten – weegschalen, kleine gereedschappen, honderden kleine plastic zakjes – waar drugsdealers gebruik van maakten.

Cody pakte zijn .40 Sig Sauer en nam de schiethouding aan.

'Nou zeg,' zei de dikke Grijze Capuchon, terwijl hij een stap achteruit deed en de joint liet vallen, die met een sissend geluid tussen zijn voeten in de modder uitdoofde. 'Jezus, ik heb een attest, hoor. Dat kan ik je laten zien. Shit, ik weet dat ik in de openbare ruimte eigenlijk niet mag blowen, maar godver, mijn rug speelde op...'

'Geef mij de rest van je bier,' zei Cody.

Beide mijnwerkers verstijfden en keken elkaar aan.

'Wil je het bier? Dat kun je krijgen,' zei de Gele Capuchon.

'Waarom wil je verdomme mijn bier? Wat voor jut pikt me nou verdomme mijn *bier* af?'

'Ik niet,' zei Cody, met een maffe grijns. Hij stak zijn vuurwapen in de holster en stapte weer in zijn Ford. Hij scheurde weg, terwijl hij bedacht dat hij op dat moment zozeer snakte naar dat bier dat hij ze er allebei voor had kunnen vermoorden.

Nadat ze drie maanden om elkaar heen hadden gedraaid had hij van Larry een paar grondregels uitgelegd gekregen. Larry was op een middag toen er niemand in het kantoor was bij zijn bureau stil blijven staan, had zich naar voren gebogen tot zijn mond op maar een paar centimeter afstand van zijn oor was en had gezegd:

'Ik weet dat jij een gevierde rechercheur in Colorado was en ik weet ook dat jij bekendstaat als een zuipschuit en een onruststoker. Ik heb het een en ander gehoord over wat jij allemaal hebt geflikt toen je hier opgroeide en over je geschifte moordlustige pleurisfamilie. Ik heb persoonlijk twee van je ooms gearresteerd en eentje naar de gevangenis van Deer Lodge gestuurd. Ik schrok me rot toen je terug hierheen verhuisde en ik schrok nog meer toen de sheriff je in dienst nam. Ik kan alleen maar vermoeden dat je iets zo gewichtigs en akeligs van hem weet dat hij niet anders kon.'

Cody zei niets, maar keek Larry zo vuil mogelijk aan en weigerde met zijn ogen te knipperen.

Larry zei: 'Als dat zo is, dan ben ik blij voor je. Goed gedaan, jochie. Maar omdat we moeten samenwerken heb ik een paar oude maten in Denver opgebeld. Ze zeiden dat jij krankzinnig, gewelddadig en onvoorspelbaar was. Ze zeiden dat jij een ongeleid projectiel was en dat je tekeerging als een olifant in een porseleinkast. Maar ze zeiden ook dat je een verdomd goede politieman was en dat je je op elk onderzoek stortte als een bionische pitbull die nooit opgeeft. Dat je met één klap een kinderpornokoning en een zittende districtsrechter aan de schandpaal hebt genageld. Maar ze zeiden dat ze liever nooit meer met jou wilden samenwerken omdat ze hun baan wilden houden en niet de helft van hun tijd bezig wilden zijn met zichzelf verdedigen tegenover Interne Zaken en de burgemeester. Ik geef je het voordeel van de twijfel,' zei Larry. 'Maar haal geen streken met me uit en breng me nooit in een positie waarin ik niet wil zijn. Doe gewoon je werk en speel open kaart met me, dan zul je zien dat ik te vertrouwen ben. Maar je zult mijn vertrouwen moeten *verdienen,* want je hebt een hoop ballast met je meegetorst naar Montana.'

Cody zei niets.

Larry vervolgde: 'Er zijn vier dingen die je over deze plek moet weten. Ten eerste, we hebben hooguit één moord per jaar. Maar dat is geen voordeel, dat is een nadeel. En dat is een nadeel omdat die flapdrollen hier,' hij knikte in de richting van de deur om zowel de mannen van de sheriff als de lui van de districtspolitie daartegenover in de gang aan te duiden, 'nooit genoeg ervaring opdoen om een deugdelijk moordonderzoek uit te kunnen voeren. Als de moord een beetje ingewikkeld en geen rechttoe rechtaan huiselijk geweld of een kroegruzie betreft, is het voor de meesten van hen steeds de eerste keer. Zij zijn opgegroeid met CSI en politieseries op televisie en ze veranderen meteen in acteurs op het scherm in plaats van dat ze doen wat ze in de opleiding hebben geleerd.

Ten tweede is elke dag weer de belangrijkste vraag voor hen waar ze zullen gaan schaften. Je zult ondervinden dat dat onderwerp vaker wordt besproken dan wat dan ook.

Ten derde, slechte dingen gebeuren altijd op een vrijdag en bijna altijd als je dienst erop zit. Dus als je vrij hebt maar kunt worden opgeroepen, dan zou ik het maar niet op een zuipen zetten zoals jij naar horen zeggen gewend bent te doen.

Ten vierde, en dat is het allerbelangrijkste, zorg altijd dat je eet en schijt wanneer je daartoe de kans hebt, want dit gebied is ruim negenduizend vierkante kilometer en een derde daarvan kent geen wegen.'

Daarna stormde Larry Olson de kamer uit.

Cody dacht aan de derde en de vierde stelregel toen hij de bergen in reed. Het was weer beginnen te regenen en dikke druppels spatten tegen de voorruit alsof ze zelfmoord pleegden. De tweebaansweg was donker en glad. Canyon Ferry Lake – zo genoemd omdat ze een dam hadden gebouwd om te voorkomen dat de Missouri de historische rivierkruising onder water zou zetten – pruttelde vanwege de regen als een stoofpot op een laag vuurtje. Links van hem rees de donkere beboste ravijnwand op. Hij realiseerde zich dat hij honger had omdat hij het avondeten had overgeslagen. Hij had het vage plan gehad om naar York te gaan en daar een hamburger te eten, maar een hamburger zonder een biertje leek hem een onmogelijke opgave.

En hij moest eigenlijk ook naar de plee. Er stonden privaathuisjes bij Two Camp Vista en ook nog een bij Devil's Elbow. Hij had de pest aan privaathuisjes omdat hij onwillekeurig altijd in de pot moest kijken – waarbij hij soms zelfs zijn zaklantaarn gebruikte – om te zien wat daarin ronddreef. Dat herinnerde hem aan te veel dingen.

Het mogelijke lijk in de blokhut voorbij de Vigilante Campground deed Cody's hart in zijn keel bonzen en maakte zijn handen om het stuur ijskoud. Hij dacht koortsachtig na en liet allerlei scenario's de revue passeren. Hij vreesde meteen het ergste.

Hij haalde zijn mobieltje tevoorschijn en belde Edna in de meldkamer.

'Komt Larry eraan?' vroeg hij.

'Hij is er niet blij mee.'

'Dat kan ik hem niet kwalijk nemen.'

'En hou op met te doen alsof je een slechte ontvangst op je mobieltje hebt als daar niets van waar is.'

Hij zuchtte. 'Oké.'

Na een korte pauze vroeg ze: 'Moet ik Scooter waarschuwen?'

De districtslijkschouwer, Skeeter Caldwell, had een beetje al te veel plezier in zijn werk en werd als een ramp beschouwd om mee samen te werken sinds hij erachter was gekomen dat hij de enige gekozen functionaris was die het recht had om de sheriff aan te houden. Daarbij kwam dat er over vijf maanden verkiezingen waren en dat hij een wit voetje wilde halen bij de plaatselijke pers. Er mocht niets met een lijk worden gedaan totdat de lijkschouwer was gearriveerd. Hij was heer en meester over alle lijken in Lewis and Clark County en zonder zijn toestemming mochten ze niet worden aangeraakt of verplaatst.

'Nou nee, ik bel hem wel als het echt moet,' zei Cody. 'Ik wil eerst zeker weten of er een lijk is. Die backpackers kunnen van alles hebben gezien. Massa's dingen lijken op een hand.'

'En dat telefoontje dat ik zojuist heb gekregen van een dronken mijnwerker die beweert dat iemand van het bureau van de sheriff voor de deur van een kroeg zijn bier heeft proberen te pikken moet ik zeker negeren?'

'Ja, daar zou ik geen aandacht aan besteden.'

Hij hield zich nog net aan de maximumsnelheid en scheurde door de bochten en overschreed bij elke bocht de dubbele streep in het midden. Er zaten geen zwaailichten op de Ford en dus speelde hij met de schakelaar van zijn koplampen, zodat de lichtkegels psychedelisch flitsten over de natte ravijnwanden en naaldbomen, en maakten dat twee vrouwtjeselanden die op de weg liepen stokstijf stil bleven staan.

Cody vloekte en week uit naar links, zijn banden schoven van de rijbaan de modderige greppel in, maar hij was niet snel genoeg. Een van de elanden sprong om onverklaarbare redenen met haar kop naar voren voor zijn auto en een fractie van een seconde keken ze elkaar aan, voordat hij haar schouder met het rechterspatbord van de SUV frontaal raakte. Door de klap begon de Ford te slingeren. Als de rechtervoorband geen grip op het wegdek had gehouden zou hij de rij bomen links van de weg hebben geramd. Cody gaf een ruk aan het stuur en de Ford stuiterde de greppel uit.

Hij stopte midden op de weg en hijgde, wetende dat hij, als zijn remmen hadden gehaperd, pardoes over de rand van de berg het Canyon Ferry Lake in zou zijn gekiept. Eén enkele koplamp scheen het duister tegemoet en verlichtte alleen maar de regendruppels die in de kegel van licht omlaagvielen. Hij controleerde zijn zijspiegels. In de rode gloed van zijn achterlichten zag hij de ene eland wegvluchten tegen de helling van het ravijn op, maar de andere eland die hij had geraakt, lag spartelend en met zijn kop schokkend op de grond.

'Godverdomme!'

Hij haalde zijn voet van de rem en reed langzaam een stukje vooruit om zich ervan te verzekeren dat hij nog verder kon. De Ford schoof een kleine meter na voren en bleef toen weer stilstaan. Hij moest de schade opnemen. En hij kon haar geen pijn laten lijden.

'Godver-de-godver-de-godver-de-godver...' Hij stapte uit en liep in de regen terug over het natte asfalt, trok zijn Sig Sauer en schoot haar door haar kop. Het stuiptrekken verhevigde heel even en hield toen volkomen op. Hij kon het beeld van haar ogen die zich, vlak voordat hij haar raakte, in de zijne boorden niet van zich afschudden, zelfs niet toen hij ze sloot. Hij nam vijf minuten de tijd om haar naar de zijkant van de weg te slepen. Ze was zwaar, nat en rook naar muskus en warm bloed.

Hij wierp een vluchtige blik op zijn bumper. Zijn rechterkoplamp was kapot en tussen de grill zag hij plukken elandhaar. Er bevond zich een vijftien centimeter groot gat tussen het chassis en de motorkap. Hij rook de doordringende geur van verschroeid haar en vlees op de hete onderdelen van de motor. Hij had een paar duizend dollar schade en jaren vol flauwe grappen van de jongens van de onderhoudsdienst en van zijn collega's in het vooruitzicht. Maar de Ford reed nog.

'*Godver-de-godver-de-godver-de-godver...*'
En nu kon hij weer achter het stuur van de Ford klimmen om vervolgens een stoffelijk overschot te gaan bezichtigen in een uitgebrande blokhut.

'*Godver-de-godver-de-godver-de-godver...*'
Een stoffelijk overschot dat, naar alle waarschijnlijkheid, toebehoorde aan iemand die hij kende en vertrouwde en die hem aan één enkel gerafeld draadje had teruggevoerd naar een min of meer normaal leven. En hij voelde hoe dat draadje het langzaam begon te begeven.

2

TEGEN DE TIJD dat Cody Hoyt over de Vigilante Campground reed en zijn weg langs de Trout Creek vervolgde, was de bodem in een modderpoel veranderd. De verkeersagent die voor hem uit reed was gemakkelijk te volgen, dankzij de diepe, verse sporen in het chocoladekleurige, smalle modderpad. Zijn ene koplamp leek de koude, dikke regendruppels te verlichten en midden in de lucht te verstillen.

Hij kon het kampeerterrein – dat door het bureau van de sheriff van L&C voor dagelijks beheer was toevertrouwd aan het Amerikaanse Staatsbosbeheer – nooit betreden zonder terug te denken aan de bierfuiven waar hij bij was geweest toen hij op de middelbare school zat. Hij wist dat het toen was begonnen. Toen hij erachter kwam dat hij zich Superman voelde als hij dronk. Zijn kracht en zijn zelfvertrouwen groeiden en zijn terughoudendheid en gezonde verstand deden een stapje opzij. Hij dacht terug aan een gevecht met honkbalknuppels en herinnerde zich het holle, misselijkmakende geluid toen zijn zeventig centimeter lange esdoornhouten knuppel in aanraking kwam met het voorhoofd van Trevor McCamber. Hij herinnerde zich de lelieblanke dijen van Jenny Thompson in de blauwgroene gloed van zijn dashboardverlichting... voordat haar buik dik werd omdat ze zwanger was van zijn zoon en hij tijdens een dronken en haastige ceremonie met haar trouwde op een hoeve buiten de stad. Zijn getuigen waren Jack McGuane en Brian Winters, net als hij eindexamenleerlingen op Helena High School en zijn beste vrienden. Brian vond de bruiloft een giller. Jack probeerde te doen alsof het dat niet was. Jacks ouders schudden tijdens de bruiloft voortdurend hun hoofden en keken regelmatig naar de weg om te zien of Cody's vader en oom Jeter nog kwamen opdagen. Maar tevergeefs.

Na hun eindexamen verhuisden Cody en Jenny regelmatig, totdat hij uiteindelijk zonder haar en zijn zoon terugkeerde naar Montana.

Cody Hoyt reed onder de knoestige, hoog boven hem uittorenende naaldbomengalerij door en over een oude houten brug die maar nauwelijks boven de vervaarlijk schuimende, door overvloedig regenwater gestegen Trout Creek uitrees. Nog een bocht door het bos en daar was de blokhut en opeens waren daar ook de lichten in het volslagen duister: de koplampen van een politiewagen, gericht op de verkoolde resten van het bouwsel en één rond, cycloopachtig oog van een dienstzaklantaarn dat zijn kant op zwenkte en hem verblindde.

Dit was de plaats delict, dat kon niet missen.

Cody parkeerde naast de SUV van de politie. In het voertuig ernaast, beschenen door de interieurverlichting, zaten twee burgers dicht tegen elkaar aan op de achterbank. Een man van in de veertig en een vrouw die even in de twintig leek. Ze maakten een verkleumde en vermoeide indruk, vond hij. De man moest zich nodig scheren. De vrouw was toe aan een warme douche. Hij knikte naar hen door de twee raampjes en ze knikten terug.

De politieagent, Ryan Dougherty, dook op aan zijn kant van

de auto en tikte met zijn zaklantaarn tegen het glas. Al doende verblindde hij Cody opnieuw.

Cody draaide zijn raampje open en zei: 'Wil je nou ophouden met dat kloteding in mijn ogen te schijnen?'

'O, sorry.' De politieman, die korter deel uitmaakte van de eenheid dan Cody, was blond en had een babyface met een bijgeknipt borstelsnorretje, dat zei: *Hier komt een diender!* en ogen die nog niet genoeg hadden gezien. Eigenlijk leek het of Dougherty bloosde, dacht Cody, ondanks het weer.

'Wat is er met je voorkant gebeurd?' vroeg Dougherty.

'Een eland geraakt,' zei Cody.

'Op weg hierheen?'

'Ja.'

'Mannetje of vrouwtje?'

Cody aarzelde. 'Vrouwtje.'

Cody wist wat Dougherty vervolgens ging zeggen. 'Heb je een jachtvergunning?' vroeg hij grinnikend.

'Ha ha,' zei Cody, zonder een spier te vertrekken.

'Ik denk dat je dat nog heel wat keren zult horen.'

'Dat denk ik ook,' zei Cody, terwijl hij knikte in de richting van de politiewagen. 'Zijn dat de twee backpackers die de blokhut hebben ontdekt?'

'Ja. Ik heb ze in de York Bar ontmoet en zij hebben me de weg hierheen gewezen. Hier, ik heb hun namen…' Dougherty graaide onder zijn regenjas naar het notitieboekje in zijn borstzak. Hij was in uniform: bruin overhemd met lichtbruine zakken en epauletten. Dat was de reden dat de junkies hen de 'L&C County Fascisten' noemden.

'Ik hoef hun namen niet te weten,' zei Cody. 'Tenzij je denkt dat zij de daders zijn.'

'O nee. Helemaal niet.'

'Hebben ze overal door de plaats delict lopen grasduinen?'

'Een beetje maar,' zei Dougherty. 'Het is moeilijk te zeggen wat ze hebben aangeraakt.'

'Waarom vraag je het ze niet?' zei Cody.

'Dat zou ik kunnen doen.'

'Goed, zet één van hen in dit voertuig en ondervraag ze afzonderlijk. Laat ze allebei vertellen wat ze precies hebben gedaan, vanaf het moment dat ze de blokhut voor het eerst in de gaten kregen. Probeer erachter te komen uit welke richting ze kwamen en wat ze binnen hebben uitgespookt. Zoek uit wat ze hebben aangeraakt en vraag of ze iets hebben meegenomen. Het is verbazingwekkend hoe vaak burgers souvenirs meenemen van een plaats delict. Als er iets verdacht klinkt of hun verhalen niet met elkaar overeenstemmen, dan moet je me waarschuwen.'

'Komt voor elkaar,' zei Dougherty. De blos was van zijn wangen verdwenen. Cody kon zien dat hij zichzelf wel voor zijn kop kon slaan omdat hij hun verhaal voor zoete koek had geslikt.

'Ik ga maar eens een kijkje nemen,' zei Cody.

'Het is zeik- en zeiknat,' zei Dougherty. 'De as van het vuur heeft alles veranderd in... in één grote soepzooi.'

Cody keek hem kwaad aan. 'Ben *jij* op de plaats delict geweest?'

Dougherty wendde heel even zijn blik af en zei, toen hij hem weer aankeek: 'Heel even maar.'

'Cody's stem klonk als ijs. 'Hoelang is heel even, verdomme?'

Lang genoeg om te concluderen dat er een lijk ligt. Een groot, dik lijk.'

Cody haalde diep adem.

'Je slingert me toch niet op rapport, hè?' vroeg Dougherty. 'Jezus, ik dacht dat die persoon misschien nog wel in leven zou kunnen zijn.'

'Lieg niet.' Hij herhaalde een op het politiebureau veel gehanteerd cliché: 'Wie liegt is een smiecht, Dougherty. Jij wilde gewoon een opgebrand lijk zien. Iedereen wil een dode zien, totdat ze er eentje hebben gezien. Heb je nou je zin?'

'Godallemachtig,' zei Dougherty hoofdschuddend. 'Dat *ding* vergeet ik nooit meer.'

'Ga eens opzij, dan kan ik mijn regenspullen pakken,' zei Cody.

Zijn slechteweersuitrusting zat in een zware plastic doos achter in zijn SUV en daar kon hij van binnenuit nooit bijkomen, dus pakte hij zijn honkbalpet van de Colorado Rockies, zette die op en opende het portier. De koude regen prikte toen die zijn onbedekte gezicht en handen raakte. Hij kon zich slechts één andere keer herinneren dat hij zijn regenuitrusting nodig had gehad. Dat was het afgelopen voorjaar toen hij naar een boerderij werd geroepen omdat de ploegbaas dacht dat hij terroristen uit het Midden-Oosten een militaire lanceerinstallatie had zien fotograferen. Later bleek dat de fotografen landbouwers uit India waren, die op uitnodiging van de staat Montana een agrarische studiereis maakten en die geïnteresseerd waren in graansilo's en niet in lanceerinstallaties. Maar het regende zo zelden in Montana, dacht Cody, dat het bijna dwaasheid leek om regenspullen in te pakken. Hij kende bijvoorbeeld niemand die een paraplu bezat.

Hij boog zich over de Expedition terwijl hij met de doos worstelde. Hij stond geklemd tegen de achterbank en hij moest hem over de rest van zijn gereedschappen tillen – zijn lange geweerfoedraal, de doos met zijn forensische uitrusting, zijn canvas tent met twee kogelvrije vesten, een noodrantsoen dat ze van de sheriff altijd bij zich moesten hebben, met daarin een slaapzak, kaarsen, voedsel en water. Terwijl hij met de dozen in de weer was en die met zijn plaats delict-kleding vond, voelde hij hoe de regen de achterkant van zijn overhemd en spijkerbroek doorweekte. Zijn laarzen waren al nat van de plas op het parkeerterrein. Hoewel het met de seconde zinlozer werd, trok hij zijn regenbroek aan en deed de plastic kappen over zijn natte laarzen. In plaats van een regenjas trok hij een lange Australische oliejekker aan. De regendruppels vormden onmiddellijk talloze pareltjes op de stof.

Zijn mobieltje ging. Hij haalde het tevoorschijn en zag dat het zijn zoon Justin was. Justin was voor Cody een anomalie – wonderbaarlijk genoeg was hij de enige waarachtig goede mens die hij kende. Hij was vriendelijk, onzelfzuchtig en bewonderenswaardig. Bovendien zag hij er leuk uit en had hij een zachtmoedig karakter. Cody had geen idee hoe hij zo'n kind kon hebben voortgebracht, zijn eigen tekortkomingen en zijn lange rij uitsluitend uit *white trash* bestaande voorouders in aanmerking genomen. Elke keer als Cody zijn zoon zag, zocht hij naar symptomen van zijn eigen obsessies en slechte eigenschappen, maar tot dusver had hij er nog niets van kunnen ontdekken. Justin was een verdomd mirakel op zijn zeventiende, dacht Cody.

'Hé,' zei Cody. 'Dat komt nu even slecht uit.'

'Ha die pap, sorry, hoor, maar ik wilde je wat vragen.'

'Ik ben op een plaats delict,' zei Cody. 'Kan ik je later terugbellen?'

'Ja, maar doe het snel. Ik ga er voor een poosje tussenuit.'

'Waarheen?'

'Heeft mam het je niet verteld?'

'Ik heb haar niet gesproken.'

'O.'

'Luister, Justin, het komt nu echt heel slecht uit.'

'Dat zei je al,' zei zijn zoon, zonder zijn teleurstelling te verdoezelen. 'Ik wil je vragen of ik iets van je mag lenen...'

'Van mij mag je alles lenen wat je wilt,' zei Cody. 'Dat is geen enkel probleem. Ik moet ervandoor. Tot later.'

Hij klapte het mobieltje dicht en stopte het in zijn zak, terwijl hij zich schuldig voelde en boos op zichzelf was omdat hij zo kortaf was geweest tegen Justin.

Cody pakte zijn digitale camera en zijn lichtstatief en zijn favoriete zaklantaarn, een Maglite met een steel die plaats bood aan zes batterijen en waar je mee kon uithalen alsof het een zware loden pijp was, met hetzelfde resultaat. Het was een beter wapen dan die zeventig centimeter lange esdoornhouten honkbalknuppel. De lange zaklantaarns waren bij de meeste politieeenheden afgeschaft, wat Cody beschouwde als het zoveelste teken van overheidsverloedering. Hij keerde zich in de richting van de afgebrande blokhut.

Terwijl Dougherty de vrouwelijke backpacker naar Cody's SUV begeleidde, zei hij: 'Moet je jezelf nu eens zien. Je lijkt wel een revolverheld in die jas. Zo eentje moet ik ook op de kop zien te tikken. *Cool.*'

Cody zuchtte.

Toen hij de blokhut naderde, probeerde hij alles uit zijn hoofd te zetten, Justins telefoontje incluis, om met een schone lei te kunnen beginnen. Hij wilde de situatie met absolute onbevooroordeelde helderheid in ogenschouw nemen. Hij wist dat dit zijn enige kans was om de plaats delict te onderzoeken zonder dat iemand hem voor de voeten liep. Als er een lijk was, dan zou het hier binnen een uur krioelen van de mensen. Skeeter, de lijkschouwer, zou er zijn met zijn assistent en misschien met een verslaggever van Helena's *Independent Record.* Skeeter zou doen alsof zijn neus bloedde wat de aanwezigheid van de verslaggever betreft, maar iedereen zou weten dat hij die zelf had opgebeld voor hij van huis ging. Misschien zou er zelfs een ploegje zijn van een van de locale televisiestations, hoewel hij wist dat zij in de weekends meestal niet erg actief waren. En sheriff Tub Tubman, die ook in aanmerking kwam voor herverkiezing, zou ongetwijfeld arriveren in zijn Suburban, met hulpsheriff Cliff Bodean in zijn kielzog. Mike Sanders, de andere rechercheur die kon worden opgeroepen, zou hem kunnen verrassen met zijn aanwezigheid omdat de sheriff er was, die ongetwijfeld de smoor in zou hebben dat niemand hem had gebeld. Het forensische team dat de politieafdeling van Helena met elkaar deelde, zou present zijn, evenals het districtsteam van de technische recherche. Dus totdat de plaats delict een chaos werd, was dit dé kans om die in zijn oorspronkelijke staat te bekijken. Hij kon niets veranderen aan het feit dat de backpackers hadden verklaard een hand te hebben gezien, maar hij probeerde dat ook te veronachtzamen. Hij wilde de hand zien alsof hij daar bij toeval op was gestuit.

Dat wil zeggen, als er een hand was.

Als er een lijk was.

Want als er een lijk was en als dat toebehoorde aan degene die hij vermoedde, en als de bewijzen zouden duiden op moord, dan zou hij zelf als een dolle hond achter de dader aangaan tot hij hem te pakken had. En hij dacht niet aan Deer Lodge, Montana, waar de staatsgevangenis zich bevond. Hij dacht aan een gruwelijk einde. En dat kon wat hem betreft overal zijn.

Cody deed zijn Maglite aan toen hij over het betegelde voetpad de blokhut naderde. Hij bewoog langzaam en keek niet alleen naar de blokhut, maar naar alles van enige betekenis op het pad, dat de enige toegangsweg was vanaf een met grind bedekt parkeerterrein. Hij speurde naar alles wat daar niet thuishoorde: een papiertje, een sigarettenpeuk, een patroonhuls. Hij zag niets ongewoons.

De blokhut was gebouwd in de jaren twintig van de vorige eeuw aan de rand van een weiland dat glooiend afliep naar Trout Creek. De acht hectare bosland die erbij hoorde werd aan drie kanten begrensd door het Helena National Forest. Jaren tevoren was er een overeenkomst gesloten met Staatsbosbeheer betreffende een algemeen geldend recht van overpad naar de paden in de Big Belts. Zo waren de backpackers daar verzeild geraakt.

De hut was gebouwd van boomstammen en had aan de achterkant een terras dat uitkeek op het weiland en aan de voorkant een overdekte veranda. Aan drie kanten rond de blokhut rezen naaldbomen hoog op. Hoewel het huisje in de jaren zeventig in verval was geraakt, was het uitgebreid gerenoveerd en hersteld. Voordat het afbrandde, tenminste.

Van de hut was simpelweg nog ongeveer de helft over. De linkerkant was tot de grond toe afgebrand, met uitzondering van een zwarte houtkachel en een schoorsteen die vervaarlijk overhelde in de richting van de kreek. De rechterkant was nog geheel intact. Hij keek eerst naar de rechterkant, waar de slaapkamer en de keuken zich bevonden. Regenwater droop langs bronskleurige houtblokken omlaag en er hing kanten vitrage voor de ramen. Bij de voordeur hing een bordje met de tekst LAAT JE SORES BUITEN VOORDAT JE BINNENKOMT. Hij glimlachte verbitterd.

Hij liep langzaam, zijn zaklantaarn op de grond gericht, om de blokhut heen en trok een denkbeeldige grens die hij later met geel plastic plaats delict-lint zou afbakenen om de pers en andere belangstellenden op afstand te houden. De grond was drassig. Elke kuil stond vol met water. Het gras was lang en al een tijd lang niet gemaaid. Lange sprieten bogen diep door alsof ze gedeprimeerd waren, met aan elk puntje een dikke druppel. Overal waar het gras even plaatsmaakte voor aarde zocht hij naar voetafdrukken. Hij zag er geen, met uitzondering van de twee paren afdrukken gemaakt door de bergschoenen van de backpackers. Hij maakte foto's van de afdrukken en keek op het schermpje aan de achterzijde van zijn camera of ze goed gelukt waren. Hij wist waar ze vandaan kwamen en keek achterom naar het parkeerterrein. Dougherty had de man in de Ford inmiddels verhoord en was verhuisd naar de politiewagen waar de vrouw gevraagd was te wachten.

Toen naderde hij omzichtig het uitgebrande deel van de blokhut en versmalde en verscherpte de lichtbundel van zijn Maglite. De vloer van de uitgebrande kamers was bedekt met een zwart, nat, teerachtig slijk, as vermengd met regenwater. Het leek net nat, zwart cement. Neergestorte plafond- en draagbalken staken uit de prut omhoog. Evenals de houtkachel, een zwartgeblakerd metalen bureau met een zwarte doos daar bovenop en het metalen skelet van een leunstoel, een opklapbed en een wapenkluis.

Alles stonk naar houtskool, rook, regen en nattigheid. En nog iets anders: gebraden varkensvlees.

Een paar houten balken en hoeksteunen waren neergekomen op het metalen skelet van de bank. Maar uit die wirwar stak een opgezwollen en wasachtig uitziende arm. Aan het einde van die arm was een uitgestrekte menselijke hand, de vingers gespreid alsof hij *Halt!* wilde zeggen. De hand was zo opgezwollen dat hij nauwelijks de glinstering van een gouden trouwring aan de middelvinger kon zien. De huid van de onderarm zag er krokant en zwart uit, als de verschroeide buitenkant van een marshmallow. Cody maakte de lichtbundel nog smaller om er dieper mee in de lading verbrand hout door te kunnen dringen. Een naakte dij, de huid verbrand en opengespleten, zodat je neonoranje vet kon onderscheiden als van een varken of een gans.

Cody sloot zijn ogen, nam zijn pet af en liet de regen neerdalen op zijn gezicht.

Larry Olson arriveerde een halfuur later. Cody had inmiddels de plaats delict uitgebreid gefotografeerd. Hij had plastic nummers geplaatst bij het stoffelijk overschot, de kachel, het bureau en de bank. Hij had zijn lichtstatief opgesteld dat de ruimte verlichtte alsof het overdag was. De foto's die hij op zijn schermpje zag waren scherp en gedetailleerd. Hij probeerde niet na te denken over wat hij precies aan het fotograferen was of aan wie het lijk toebehoorde. Hij sloot zijn geest af van giswerk en vergewiste zich ervan dat alles vanuit verschillende hoeken digitaal was vastgelegd. Hij liep geen enkele keer door de uitgebrande kamers, maar maakte al zijn opnames van afstand. Terwijl hij daarmee bezig was, vond hij andere belangwekkende voorwerpen: een metalen koffertje dat in de zwarte prut dreef, het frame van een Winchester geweer, waarvan de kolf en de lade waren weggebrand, een zwartgeblakerde flessenvorm die hij zo goed kende en die hem zo van streek maakte dat het leek alsof iemand hem een stomp in zijn maag had gegeven.

Hij keek op en zag de lichtbundel uit Larry's zaklantaarn over het pad hobbelend naderbij komen en ten slotte omhoogkruipen om hem te beschijnen.

Larry zei: 'Leuke regenjas. Reis je vanavond nog af naar de OK Corral? Jij en de gebroeders Earp en Doc Holliday?'

'Ja. Ik heb nog een appeltje te schillen met Ike Clanton, die klootzak.'

Daar moest Larry zowaar om lachen. 'Zelfmoord? Vertel me alsjeblieft dat het zelfmoord is.'

'Ik vertel je helemaal niets,' zei Cody. 'Ik ga terug naar mijn wagen en steek een saffie op. Ik zal je niet voor de oeten lopen. Daarna kom ik terug om te horen wat jouw eerste indrukken zijn. Ik heb de plaats delict bekeken en ik heb er meer dan genoeg foto's van gemaakt. En ik heb er zo mijn eigen ideeën over, maar ik wil jouw oordeel op geen enkele manier beïnvloeden.'

Omdat het donker was, kon Cody niet zien wat er in Larry omging.

'Ben je al in het niet-verbrande deel geweest?' vroeg Larry.

'Nog niet.'

'Mooi zo. Laten we dat samen doen.'

'Mij best.'

'Wat een klotenacht voor zoiets,' zei Larry. 'Je moet wel een gloeiende hekel aan mij hebben dat je me met zulk weer laat opdraven.'

'Ik heb helemaal geen hekel aan je, Larry. Ik wil alleen weten wat jij ervan denkt.'

'Heb je de lijkschouwer gebeld?'

'Nog niet.'

'Jezus, Cody. Die had je allang moeten bellen.'

Cody haalde zijn schouders op.

'Ik zal de zaak in ogenschouw nemen en je mijn mening geven, als jij dan Skeeter en de sheriff opbelt en we alles volgens het boekje doen. Denk aan wat ik heb gezegd. Je weet toch nog wel wat ik heb gezegd?'

'Ja, dat weet ik nog.'

'Afspraak is afspraak.'

Cody knikte. Hij zei: 'Neem alle tijd die je nodig denkt te hebben. De plaats delict is aan jou. Ik heb prima foto's, dus daar hoef jij je niet meer om te bekommeren. Neem alleen maar een kijkje en zeg me wat jij ervan vindt. Dan pleeg ik de nodige telefoontjes.'

Larry stak zijn hand op en streek de druppels regenwater van zijn kaalgeschoren hoofd. 'Ik had een hoed mee moeten nemen.'

'Je mag de mijne wel hebben,' zei Cody, die hem in het voorbijgaan zijn pet overhandigde. Hij was doorweekt en zwaar van het regenwater.

'Hou die maar,' zei Larry. En vervolgens: 'Zeg, wat heb je met die kar van je uitgespookt? Je hebt nog maar één koplamp.'

'Op weg hierheen heb ik een eland geraakt.'

'Ja, ik zag het dier langs de kant van de weg liggen. Je moet wel verdomd veel haast hebben gehad.'

Cody verliet Larry en liep terug naar zijn Ford. Hij keek omhoog naar de donkere hemel, in de hoop op een opening tussen de regenwolken. Niks hoor.

'Hé, Cody,' riep Larry.

'Wat?'

'Heb je eigenlijk een jachtvergunning?'

De ontvangst van zijn mobieltje was slecht, dus joeg Cody Dougherty en de backpacker zijn Ford uit. Toen Dougherty uitstapte vroeg Cody: 'Waren er nog tegenstrijdigheden in hun verklaringen?'

'Nee.'

'Knap werk. Hou ze nog een tijdje hier voor het geval we meer vragen hebben en breng ze dan terug naar de York Bar of waar ze ook maar heen willen. Zorg alleen wel dat we hun adressen en telefoonnummers hebben zodat we ze, als dat nodig mocht zijn, later kunnen bereiken.'

De agent schreef het op in zijn notitieboekje. 'Ik heb het genoteerd.'

'Mooi zo,' zei Cody.

Dougherty wachtte even. 'Je slingert me dus niet op rapport?'

'Ga nou maar. Schiet op. Maar denk eraan dat je nooit een mogelijkheid van tevoren moet uitsluiten. Slik niets voor zoete koek. Ga er altijd van uit dat iedereen hartstikke schuldig is, maar doe tegenover hen alsof ze de pasgeboren onschuld zijn. Iedereen is wel ergens schuldig aan, niemand uitgezonderd. Misschien dan niet hieraan,' zei hij met een knikje in de richting van de blokhut. 'Maar dan wel ergens

anders aan. Niemand is brandschoon en zuiver op de graat.'
Dougherty zei niets. Hij stond daar alleen maar.

'Wat?' vroeg Cody.

'Ik hoop dat ik nooit zo word als jij,' zei Dougherty, en hij liep terug naar zijn politiewagen.

Cody zei tegen niemand in het bijzonder: 'Dat hoop ik ook niet voor je.'

Het was warm en droog in zijn Ford. Door zijn natte kleren besloegen de ramen aan de binnenkant. Hij nam contact op met Edna van de meldkamer. Terwijl hij met haar in gesprek was, keek hij hoe Larry Olson in de blokhut langzaam en zorgvuldig rondliep en met zijn zaklantaarn om zich heen scheen.

'Edna, zou jij Skeeter en Tubby op de hoogte willen stellen...?'

'Sheriff Tubman zul je bedoelen.'

'Natuurlijk,' zei Cody, blij dat ze hem daar even op wees, want er waren genoeg omwonenden die de politiezender afluisterden. 'Sheriff Tubman.'

'Wat moet ik ze vertellen?' vroeg Edna.

'We hebben een lijk,' zei hij en verbrak de verbinding.

Hij gaf Larry ruimschoots de tijd. Dougherty en de backpackers zaten in Dougherty's auto en wachtten op toestemming om te vertrekken. Terwijl Cody wachtte tot Larry klaar zou zijn, keek hij achter zich. De man had zijn rugzak laten liggen, de stommeling. Cody dacht dat hij Dougherty maar eens moest opbellen om hem te zeggen dat hij die vent hierheen moest brengen om zijn spullen op te halen.

Maar voordat hij zijn mobilofoon greep, tilde hij de rugzak over de voorbank en ritste hem open. Hij liet het binnenlicht uit en hield de rugzak laag zodat de hulpsheriff of de backpackers niet konden zien wat hij uitvoerde. De inhoud rook naar verbrand hout. Hij had medelijden met de backpackers die nacht na nacht in de regen hun tentje moesten opslaan. Wat was daar nou leuk aan? En de vrouw was nu niet bepaald een schoonheid met die klitten in haar haar en al dat haar op haar benen en onderarmen (had hij gezien) en zonder make-up. Typisch zo'n tuttebol uit Missoula of Bozeman.

De rugzak was zwaar en hij woelde tussen de opgerolde vochtige kleren. Hij vond een klein plastic zakje met een restje marihuana. *Kijk*, zei hij tegen zichzelf, *iedereen is schuldig.* Hij vroeg zich af of ze die van een mijnwerker hadden gekocht. Hij stopte het terug en groef verder, denkend dat hij misschien lucifers en een brandversneller zou vinden en de dag zou besluiten als een superspeurder. In plaats daarvan sloten zijn vingers zich om de lieflijke en vertrouwde en begripvolle hals van een volle fles Jim Beam.

'O nee,' fluisterde hij.

En toen: *Ik moet nog een telefoontje plegen.*

En toen: *Maar met wie? Vooral nu.*

En toen: *Dit kan geen toeval zijn. Dit is het Noodlot. En het Noodlot zegt: 'Je moet dit opdrinken. Ik heb hem achtergelaten om door jou te worden gevonden. Je hebt het nodig om hiertegen opgewassen te kunnen zijn.'*

Voordat hij de beslissing nam waarvan hij wist dat hij hem zou nemen, keek hij op en zag Larry naar zijn Ford toe komen lopen. Hij stopte de fles terug in de rugzak en duwde die weg.

'En?' vroeg Cody, terwijl hij het portier opende en uitstapte. Zijn laarzen kwamen in de modder terecht met twee zuigende plopgeluiden.

Larry's kaalgeschoren hoofd was drijfnat van de regen die in een straaltje tussen zijn wenkbrauwen omlaagstroomde en een plasje vormde op zijn onderlip. 'Ik zou zeggen een dodelijk ongeluk met een kleine kans op zelfmoord, dus ik ben tevreden.'

Cody kreunde. Ze hadden het er eerder over gehad, hoe ze bij elk sterfgeval vurig hoopten dat het een ongeluk of een zelfmoord betrof, zodat ze zich er in een paar uur van af konden maken en de zaak konden overdragen aan de lijkschouwer.

'Leg uit,' zei Cody, 'leg mij eens uit wat jou op het idee van zelfmoord heeft gebracht.'

'Waaruit ik opmaak dat je niet zeker bent van je zaak,' zei Larry.

'Waaruit helemaal niets valt op te maken.'

'Denk jij aan zelfmoord?'

'Voortdurend.'

'Je begrijpt best wat ik bedoel. Zeg, heb je Skeeter opgebeld?'

Cody zuchtte. 'Ja. Maar gezien de afstand en de regen denk ik dat we nog wel een uurtje hebben voordat hij hier is.'

'Is de sheriff in aantocht?'

'Ik zou het niet weten.'

Het tweetal sjokte over het tegelpad naar de plaats delict toen Larry opeens stil bleef staan. 'Hé,' zei hij, 'Een uurtje om *wat* te doen?'

'Om het met elkaar eens te worden,' zei Cody, de lichtbundel vergrotend om de verbrande helft van de blokhut te kunnen bestrijken. 'Oké, laten we alles nog eens doornemen.'

Larry versmalde de lichtbundel van zijn zaklantaarn zodanig dat die in de weidse lichtpoel als aanwijzer kon dienen. Hij begon met de zwartgeblakerde kachel.

'Het eerste wat me opviel,' zei Larry, 'is dat het luikje van de kachel openstaat. Ik denk niet dat dat van na de brand is, jij? De hendel sluit neerwaarts, dus een vallende balk kan die niet open hebben gestoten. Ik concludeer dus dat het luikje al open stond voordat de brand uitbrak. Het is dus waarschijnlijk dat ons slachtoffer de kachel heeft aangemaakt – daar is het deze zomer beslist koud genoeg voor – en om de een of andere reden het luikje heeft opengelaten. De blokken erin zijn gaan schuiven of er zijn vonken uitgesprongen of zoiets. Daar is de vuurzee mee begonnen.'

'Ga verder,' zei Cody.

'Natuurlijk blijft het gissen totdat de technische dienst er is,' zei Larry, terwijl hij de lichtbundel van zijn zaklantaarn langzaam van het open luikje van de kachel verplaatste naar de zwarte smurrie waar vroeger de hardhouten vloer was geweest, 'maar het heeft er de schijn van dat het vuur op ongeveer een meter afstand van het open luikje is ontstaan en zich van daaruit heeft verspreid. De vloerplanken zijn hier totaal verdwenen, volkomen tot as verbrand.'

Hij liet zijn licht langs de grenzen van het gebouw dansen, waar de vloer de betonnen fundering raakte. 'Kijk, er is nog steeds een stukje vloer over bij de fundering. Ik denk dus dat het vuur in het midden van de kamer is begonnen en zich naar alle kanten heeft verspreid. Waarschijnlijk hebben de gordijnen of de wanden vlam gevat en zijn de vlammen omhooggelekt naar het plafond en hebben zich toen verspreid naar het midden van het plafond. Toen de vloer, de wanden en het plafond eenmaal in brand stonden, was het net een verbrandingsoven. Zo'n brand zuigt alle zuurstof op, waardoor het goed mogelijk is dat ons slachtoffer door verstikking is omgekomen, voordat hij werd geroosterd – maar dat moeten de jongens in Missoula die de autopsie doen ons maar vertellen. Afgaande op de paar gevallen van verbranding die ik heb meegemaakt zou ik zeggen dat hij al dood was voordat hij verbrandde, en al lang en breed dood was voordat het dak boven hem instortte.'

'Oké,' zei Cody, 'waarom heeft het slachtoffer het kachelluikje opengelaten en is hij op de bank gaan liggen?'

'Dat is de grote vraag,' zei Larry, alsof het een spel betrof. 'De vraag die wij moeten beantwoorden alvorens wij kunnen besluiten dat het een zelfmoord betreft en wij naar huis kunnen om in onze droge bedjes naast onze warme wijfjes te kruipen.'

Cody snoof. Hij had geen warm wijfje thuis en Larry ook niet.

Larry stapte voorzichtig over de blootgelegde fundering en zonk vloekend tot zijn enkels weg in de zwarte brij. Hij schuifelde naar de bank en het lijk toe en liet de lichtbundel uit zijn zaklantaarn overal overheen glijden, totdat hij hem richtte op een zwart uitsteeksel op minder dan een meter afstand van de bank.

'Heb je daar ook foto's van gemaakt?' vroeg Larry aarzelend, voordat hij zijn hand uitstak.

'Ja.'

'Oké dan,' zei hij en hij boog zich voorover, greep het ding en trok het los. Hij hield de fles bij de hals vast. 'Hier is ons antwoord. Naar de vorm te oordelen zou ik zeggen dat het Wild Turkey was. Meer dan vijftig procent pure alcohol.'

Cody knikte instemmend. Hij herkende de fles, ook al had het vuur hem vervormd.

'Het is onmogelijk te bepalen of hij leeg, halfvol of vol was. Als er nog wat in zat toen het vuur zo heet werd, zou het sowieso alles wat erin zat hebben laten verdampen, wat doodzonde is van zo'n goede whisky. Maar zo te zien zat er geen dop op. Heeft Wild Turkey een metalen schroefdop?'

'Nee,' zei Cody. 'Een kurkachtige dop.'

'Hmm, dan moeten we hem laten onderzoeken om te zien of er nog resten van plastic of kurk in de hals van de fles zijn achtergebleven. Maar ik vermoed dat ons slachtoffer hem heeft geopend en niet meer dicht heeft gedaan, wat volgens mij duidt op een flinke braspartij. Ik bedoel, als iemand tussen twee borrels niet eens meer de moeite neemt om de kurk op de fles te doen, dan is hij bezig hem stevig te raken. Toch, Cody?'

Cody gromde beamend.

'Als je het mij vraagt,' zei Larry, terwijl hij de zaklantaarn richtte op de geblakerde arm en hand die tussen de bank en het puin uitstaken, 'heeft ons slachtoffer het vuur opgestookt terwijl hij bezig was zich een stuk in zijn kraag te drinken. Zij het dat hij misschien aan het einde van zijn drinkgelag het luikje van de kachel niet goed heeft dichtgedaan. Hij is teruggewankeld naar de bank met zijn fles Wild Turkey, heeft nog een paar slokken genomen en is waarschijnlijk in slaap gevallen. Toen de blokken in de kachel verschoven, hebben die het luikje opengeduwd.

'Natuurlijk,' zei Larry, terwijl hij zijn zaklantaarn ophief om zijn gezicht te beschijnen zodat Cody Larry's wijsvinger kon zien die nadenkend tegen zijn wang drukte, 'kunnen eerste indrukken misleidend zijn, vooral onder dergelijke omstandigheden, en het is niet mijn gewoonte om voortijdig conclusies te trekken, hoe graag ik ook zou willen dat die me vertellen wat ik horen wil. Om te beginnen is de toestand van de plaats delict niet ideaal. Eerlijk gezegd is het een rampzalige plaats delict, wat mede een reden is waarom ik wil dat het niets anders is dan zelfmoord. Zoals we weten, verandert de regen alles. Door het rotweer zitten er zowel goede als slechte kanten aan deze plaats delict.

Cody zag dat Larry geweldig op dreef was en wilde worden uitgedaagd.

'Zoals?' vroeg Cody.

'Tja, er zitten aardig wat nadelige kanten aan. Om te beginnen was de brand twee of drie dagen geleden, dus is de plaats delict al oud. De regen heeft het terrein aangetast als we op zoek gaan naar wat voor sporen dan ook. Er zijn hier dieren geweest.'

'Echt waar?' zei Cody, oprecht verbaasd dat dat aan zijn eigen aandacht was ontsnapt.

Larry ging op zijn hurken zitten en richtte zijn zaklantaarn vanuit een lage hoek op de stapel puin rond het lijk, en bescheen een stukje wit met rode vegen. Kalkwit: ribben.

'Ja,' zei Larry. 'Er is hier een das geweest of zoiets, die zich door het vlees tot op het bot heeft geknaagd. Walgelijk is dat.'

Hij richtte zich op en vervolgde: 'De poel van as en water op deze fundering is nat genoeg om geen sporen of afdrukken vast te houden. We kunnen dus niet achterhalen of er behalve wij en de backpackers nog iemand anders hier is geweest. Niet dat het veel uitmaakt, want dood is dood. Maar als er iemand anders bij het slachtoffer is geweest, dan zijn daar geen bewijzen voor. Geen lege glazen of sigarettenpeuken of iets dergelijks. Als er in de modder buiten op het parkeerterrein bandensporen of voetsporen zijn geweest, dan zijn die nu allang verdwenen. We hebben alleen dit. En als er in dit deel van de blokhut iets is achtergelaten voordat de boel afbrandde, dan is dat letterlijk in een brij veranderd.

Als er gebruik is gemaakt van een brandversneller als hulpmiddel bij een zelfmoord, dan denk ik niet dat we daar nog sporen van kunnen terugvinden. Natuurlijk zou whisky van meer dan vijftig procent hetzelfde effect hebben gehad.'

Cody knikte.

'Maar er zijn ook een paar voordelen,' zei Larry.

'En dat zijn?'

Larry richtte zijn zaklantaarn op het niet-platgebrande deel van de hut. 'Door de regen is het vuur gedoofd voordat de hele hut is afgebrand. Misschien dat we daar nog iets vinden. Daar bevinden zich de keuken en de eetkamer en een slaapkamer. Er is een hoop rookschade, maar wie weet? Het zou kunnen dat we nog iets vinden.

En de regen en de kou werken misschien ook een beetje in ons voordeel,' zei hij. 'Als het niet had geregend dan zou het lijk ongetwijfeld zijn blootgesteld aan het wick-effect, want ons slacht-offer was fors en had meer dan genoeg brandstof.'

Van het wick-effect was sprake wanneer het vet – soms dagen-lang – smolt en het karkas veranderde in één grote massa zwarte, gelatineachtige drab.

'Omdat er een groot deel van het lijk is overgebleven, zouden de jongens die de sectie verrichten dus mogelijk de doodsoorzaak kunnen vaststellen.'

Cody richtte zijn zaklantaarn op het frame van een metalen bureau en de zwarte gesmolten klomp kunststof daarbovenop. 'Misschien vinden we zelfs nog iets op de harde schijf van de computer, dat zou best eens kunnen. Ik weet niet of gegevens op een harde schijf tegen dat soort hitte en die verdomde regen bestand zijn. Maar misschien ontdekken we iets. Het is in ieder geval de moeite waard.'

'En daarmee is het pleit beslecht, dames en heren,' zei Larry, terwijl hij boog en met zijn hand een sierlijke beweging maakte in de richting van het lijk, als een artiest die applaus in ont-vangst nam, 'het is een dodelijk ongeval in een afgelegen berg-hut.'

Cody zei niets. De regen viel gestaag omlaag.

'Wat?' zei Larry ten slotte. 'Denk jij er anders over?'

'Laten we de rest van de hut nog eens bekijken,' zei Cody. 'Ik pak even mijn spullen.'

'Jij denkt dat het iets anders is,' zei Larry, duidelijk teleur-gesteld.

Alle muren waren zwartgeblakerd van de rook, maar de keuken was netjes en opgeruimd. De tafel was afgeruimd, op een peper-en zoutvaatje na dat de vorm had van opspringende forellen. Het was prettig om even weg te zijn uit de regen.

Er stond geen vuile vaat in de gootsteen. Er stonden ongeopende pakken vlees en groenten nog in de plastic zakjes van de winkel in de koelkast.

'Zo te zien had hij net boodschappen gedaan,' zei Larry. 'Er staan helemaal geen oude etenswaren in, dus misschien had hij net vers eten ingeslagen. En er is meer dan genoeg – twee grote biefstukken, aardappelen, sla in een zakje. Alsof hij iemand verwachtte, of anders at hij voor twee. Volgens mij zijn die biefstukken nog goed, als je in ogenschouw neemt hoe koud het is geweest.'

Cody opende de vaatwasmachine in de hoop daar vuile glazen of borden in aan te treffen.

'Shit,' zei Cody. 'Hij heeft de afwas gedaan voordat de boel afbrandde, dus er zitten geen vingerafdrukken meer op de glazen of borden.'

'Hij was een nette zuipschuit,' zei Larry, terwijl hij de kasten doorzocht. 'Ik zal alle kastdeurtjes open laten staan, zodat je die kunt fotograferen als je wilt. Maar misschien kun je dat beter doen bij daglicht.'

Cody keek in het gootsteenkastje. Schoonmaakmiddelen, vuilniszakken, de gebruikelijke spulletjes. Hij scheen met zijn zaklantaarn in de vuilnisemmer, waar een witte plastic vuilniszak in zat. Vuilnisemmers leverden vaak goede informatie op, wist hij.

Er zaten een paar dingen in en hij haalde de emmer eruit en leegde hem op de tafel. Verfrommeld papier, plastic bekertjes, proppen Kleenex, flarden cellofaan en de vermiste kurk van de fles Wild Turkey. Cody fotografeerde de inhoud.

Larry zag de kurk in het flitslicht van de camera en floot. 'We kunnen dus toch aannemen dat hij het op een zuipen heeft gezet.'

Cody scharrelde met zijn pen wat tussen de snippers cellofaan.

'Wat zijn dat?' vroeg Larry.

'Sigarenwikkels, denk ik.'

'Dus misschien rookte hij ook een sigaar,' zei Larry. 'Maar ik denk nog steeds dat het de open kachel was.'

Cody deed het cellofaan en de bekertjes en de dop van de fles in afzonderlijke zakjes en zette er bewijsnummers op.

'Wat moet je daar nou mee?' vroeg Larry die stond toe te kijken.

'Je weet maar nooit,' zei Cody. 'Misschien zit ergens nog een vingerafdruk op.'

Larry knikte maar keek argwanend naar Cody.

'Hier heb ik wat,' riep Larry vanuit de slaapkamer.

Cody kwam binnen. Omdat de deur dicht was geweest, was er maar weinig rook, lekkage of schade. De kamer was smetteloos vergeleken met de keuken: witte wanden, een opgemaakt bed en een halfvolle kleerkast. De kleren erin waren keurig opgevouwen.

'Hij was net ergens geweest en weer thuisgekomen en had nog niet eens uitgepakt.'

'Daar ziet het naar uit.'

'Dat, of hij was zo'n neuroot die de dag van tevoren zijn koffer al pakt. Maar dat strookt niet met die vondst van vers eten in de koelkast. Bovendien ziet het er hier niet erg bewoond uit. Het is net alsof de hut voor een tijdje leeg heeft gestaan en hij pas was teruggekeerd en meteen besloot zich een stuk in zijn kraag te zuipen. Dat is nogal vreemd.'

'Ja,' zei Cody. De lichtbundel uit Cody's zaklantaarn gleed over de koffer en bleef bewegingloos gericht op een versleten leren koffertje naast de kast van cederhout.

'En ik bedenk me opeens nog iets,' zei Larry. 'Er stonden helemaal geen flessen sterke drank in de keuken. Geen enkele. Dus tenzij hij zijn bar in het afgebrande deel van het huis had staan, waar die is afgebrand en elk spoor ervan in de modder is weggesmolten, was de fles waaruit hij dronk de enige in huis.'

'Mm-mmm.'

'Wat me de indruk geeft dat hij die ergens onderweg heeft gekocht.'

'Mm-mmm,' zei hij en hij maakte een aantal foto's van het koffertje, de kast en het bed.

'Kijk nou eens,' zei Larry, terwijl hij verder de kamer in liep. Hij bescheen met zijn zaklantaarn een dressoir met diverse voorwerpen erop: een kam, een envelop van Delta Air Lines, een pocketboek, een hoopje kleingeld en een portefeuille. 'Zijn legitimatie,' zei hij.

'Wacht even,' zei Cody. 'Laat me die spullen op het dressoir eerst even fotograferen voordat je ze oppakt. Vervolgens wil ik de kamer sprayen. Daarna kun jij je gang gaan.'

Larry staarde hem aan en Cody voelde zijn ogen in het halfduister op zich gericht.

'Cody,' zei Larry, 'waar ben je in hemelsnaam mee bezig?'

'Ik stel een onderzoek in,' zei Cody. 'Wij zijn rechercheurs, weet je nog?'

'Krijg de kolere. Ik zeg dat het een ongeluk is en jij zegt van niet. Je doet alsof er sprake is van moord.'

'Ik zet alleen de puntjes op de i,' zei Cody. 'Weet je nog, zoals dat ons is geleerd.'

'Gelul,' zei Larry, terwijl hij zijn koffertje opende en er een extra grote spuitbus uit pakte. In een afgesloten kamer zou de nevel uit de spuitbus neerslaan op de wanden en oppervlakken, en de vingerafdrukken op de muren, vensterbanken en spiegels en op andere platte oppervlakken, zoals op het fluwelen bloemetjespatroon van het behang, zichtbaar maken.

'Ik wacht wel op je in de keuken, jij...' zei Larry, zonder het scheldwoord uit te spreken dat hij in gedachten had.

'Een minuutje maar,' zei Cody. 'Doe de deur achter je dicht.'

Larry sloeg de deur zo hard achter zich dicht dat de rest van het huis ervan trilde.

Voordat hij begon te spuiten, gooide Cody het koffertje op het bed en klapte het open.

Tien minuten later opende Cody de deur naar de eetkamer. 'Ik heb wat opnames gemaakt,' zei hij. 'Die man was zo netjes als de neten. Hij moet zijn muren hebben geboend. Maar ik heb wat vingerafdrukken. Zorg dat de forensische dienst ze niet vergeet te verzamelen.'

Larry stond in het donker in de keuken en zei niets. Toen liep hij langs Cody de slaapkamer in. De vervliegende nevel uit de spuitbus bezorgde hem een hoestbui. Toen hij weer terugkwam, hield hij de zaklantaarn tussen zijn kaak en zijn schouder geklemd, zodat hij beide handen vrij had om het mapje met het vliegticket open te houden.

'Gebruikt ticket en inklaringsbewijs,' zei Larry. Onze man is hier drie dagen geleden met Delta naartoe gevlogen.' Hij liet het mapje op de tafel vallen en opende de portefeuille.

'Hij heette...'

'Hank Winters,' zei Cody.

'Je hebt hem gekend.'

'Ja. Hij was mijn sponsor.'

3

'SPONSOR?' ZEI LARRY. 'Sponsor?'
Toen het tot Larry doordrong, viel zijn mond open van verbazing. 'Zoals bij de Anonieme Alcoholisten bedoel je?'
'Ja,' zei Cody. 'Hij was mijn steun en toeverlaat. Ik ben hier een aantal keren geweest. Daarom wist ik waar het was en wie hij was.'

Cody bescheen met zijn zaklantaarn de plek waar de oostelijke muur van de kamer moest zijn geweest. 'Die hele wand stond vol met boeken. Hank was een verzamelaar en hij had een paar heel waardevolle eerste drukken. Hij heeft ze op zijn reizen overal in het land op de kop getikt. Sommige van die boeken waren behoorlijk oud en uitgedroogd. Ik durf te wedden dat die brandden als een lier, toen het vuur er eenmaal vat op kreeg en waarschijnlijk maakten die het vuur nog destructiever door de hitte van het brandende papier.'

'Maar je hebt niets gezegd. Je hebt het voor je gehouden.'

'Dat ik hem kende, bedoel je? Of dat ik bij de AA zat? Of dat ik niet geloof dat dit een ongeluk was?'

'Alles, klootzak. Wij zijn partners. Wij praten met elkaar. Geen geheimen. Zo heb je je in Denver in de nesten gewerkt. Dat is de reden dat je terug bent in Montana. Godverdomme.

Weet je nog dat ik je heb gevraagd of je me niet in een positie wilde brengen waarin ik me niet wil bevinden?'

Cody richtte zijn zaklantaarn niet op Larry om zijn gezicht te zien. Dat hoefde niet. Larry was boos, en gekwetst.

'Ik heb niets voor je verborgen gehouden,' zei Cody. 'Ik wilde jouw onbevooroordeelde mening over de plaats delict horen. Ik wilde dat jij mij op andere gedachten zou brengen. Ik hoopte dat je het me uit mijn hoofd kon praten. Maar dat is niet gebeurd.'

Larry smeet de portefeuille op de tafel. Hij maakte aanstalten iets te zeggen, maar bedacht zich. Toen zei hij op spottende toon: 'Mijn naam is Cody Hoyt. Ik ben een alcoholistische *klootzak*.'

Cody moest daar onwillekeurig om lachen.

Larry keek verbaasd op. 'Vind je dat grappig?'

'Ja, en dat is het ook. Toen ik vanavond het telefoontje kreeg had ik bijna een junkie neergeknald om zijn biervoorraadje te bemachtigen.'

Larry keek hem aan. 'Hoelang zit je al bij de AA?'

'Twee maanden. Nog maar twee maanden. Negenenvijftig dagen en vijf uur om precies te zijn. De moeilijkste tijd van mijn leven.'

Larry knikte in de richting van het lijk. 'En hij was jouw sponsor? Ik weet niet precies hoe het werkt, maar die Henry...'

'Hank,' verbeterde Cody hem.

'*Hank* was jouw sponsor. Betekent dat dat je, zodra je dorst krijgt, hem kunt opbellen en dat hij je dan op andere gedachten brengt? Is het zoiets?'

'Zoiets ja,' zei Cody. 'Maar het heeft veel meer om het lijf. Niemand kan een dronkaard ervan afbrengen om naar de fles te grijpen, behalve een andere dronkaard. Hij was er ook goed in. Hij deed een beroep op mijn goede inborst.'

'Ik wist niet dat je die had.'

'Die heb ik ook niet,' zei Cody. 'Maar ik heb een zoon. Ik zie hem niet vaak, maar hij kijkt tegen me op omdat hij niet beter weet.'

Larry keek iets minder streng, maar niet veel.

'Mijn vader was een drankorgel. Mijn moeder was een drankorgel. Mijn zoon zou dezelfde kant op kunnen gaan. En dat wil ik niet. Dus wil ik mijn leven beteren. Hem niet het verkeerde voorbeeld geven, begrijp je?'

Larry wendde zijn blik af. 'Ik haat dit soort ontboezemingen. Mannen *praten* met elkaar, die wisselen geen *hartsgeheimen* uit. Alleen klootzakken doen dat.'

'Ja,' zei Cody. 'Geloof me, ik heb ook een bloedhekel aan dat Oprah-achtige geneuzel. Maar het is niet anders. Ik begin te ontdekken hoe het is om clean en nuchter te zijn. Ik ben bijna twintig jaar lang dronken geweest. En zal ik je eens wat zeggen?'

'Nou?'

'Het is *kut*. Ik weet niet hoe mensen het klaarspelen – te veel realiteit. Maar Hank was goed, omdat hij het begreep en niet deed alsof hij beter was dan ik. Hij wist waar ik mee worstelde. Hij heeft het zelf doorgemaakt en hij was een knokker. Een oud-marinier. Desert Storm, om precies te zijn. En hij deed het allemaal in zijn eentje. Zijn vrouw heeft hem jaren geleden verlaten en hij had geen broers of zusters. Zijn ouders waren dood. Hij heeft de Twaalf Stappen op eigen houtje afgelegd.'

Er verstreken enkele ogenblikken. De regen ranselde het dak.

'Nou, goed van je,' zei Larry. 'Het was niet mijn bedoeling om je op je huid te zitten. Maar het was net alsof je iets achterhield, me op de ene of andere manier wilde testen of zoiets.'

'Ik zei al dat daar geen sprake van was.'

Larry haalde diep adem en trok zijn schouders naar achteren. 'Kunnen we nu dan doorgaan? Zullen we zoetjesaan maar eens uitdokteren wat er hier is gebeurd?'

'Ja,' zei Cody dankbaar.

'Wat deed Hank Winters eigenlijk? Was hij net terug van een reis?'

'Waarschijnlijk. Hij was meestal onderweg. Hij was een artsenbezoeker. Zijn werkterrein besloeg het gehele westelijke berggebied, heb ik van hem begrepen. Hij heeft me de details niet uit de doeken gedaan, maar hij was elke maand drie tot vier weken van huis. Hij bleef nuchter, hoewel hij omringd werd door verleidingen – al die vliegvelden en hotelbars. Moet je je eens indenken. Hij heeft me wel eens verteld dat je ook als je ver van huis bent altijd wel een AA-bijeenkomst kunt vinden. En dat deed hij ook.'

Larry knikte. Maar hoe kon hij jouw sponsor zijn als hij al die tijd van huis was?'

'Ik dacht dat we het daar niet meer over zouden hebben,' zei Cody. 'Maar als je het echt wilt weten, ik belde hem op zijn mobieltje. Hij nam altijd op, dag en nacht, waar hij zich ook bevond. Ik heb hem ooit eens weggeroepen uit een belangrijke vergadering in een ziekenhuis en hij heeft opgenomen en drie kwartier op me ingepraat. Een paar weken later vertelde hij me dat hij daarmee een bonus van vijfduizend dollar had verspeeld. Maar toch nam hij op. Zo'n type was hij.'

'Een goede kerel,' zei Larry.

'Ja,' zei Cody, terwijl hij naar zijn doorweekte laarzen keek en zijn borst voelde samentrekken. 'Een heilige. Mijn beschermheilige. En niet het soort man dat een liter Wild Turkey koopt en de hele fles in zijn eentje soldaat maakt. Dat zou hij gewoon niet doen. Nooit van zijn leven. Daarom denk ik dat het geen ongeluk was.'

'Wie zou hem willen vermoorden? Iemand uit zijn omgeving? Heb je enig idee?' vroeg Larry. Maar het was duidelijk dat hij niet overtuigd was.

'Geen flauw benul,' zei Cody. 'Maar de AA is een wereld op zich. Wij delen – ik bedoel bespreken – de meest intieme dingen met elkaar. Maar behalve zijn werk weet ik weinig over hem. Zo werkt dat.'

Larry deed een paar stappen in Cody's richting. Hij sprak op zachte toon. 'Cody, ik begrijp dat je dat wilt geloven. En misschien heb je gelijk. Maar jezus man, is het niet "Eens een alcoholist, altijd een alcoholist"? Ik bedoel, misschien is er iets gebeurd. Misschien heeft hij een terugval gehad. Je kunt niet zeggen dat dat nooit voorkomt.'

'Niet bij Hank,' zei Cody. Maar het eerste zaadje van twijfel was gezaaid.

'Misschien is hij alleen deze ene keer over de schreef gegaan,' zei Larry. 'Dat komt voor. Je weet dat het *kan* gebeuren.'

'NIET BIJ HANK,' zei Cody.

'Oké,' zei Larry, terwijl hij zijn hand met de palm naar voren omhoogstak. 'Ik zeg het alleen maar.'

'Er is nog iets anders,' zei Cody, die plotseling het gevoel had dat de grond onder zijn voeten werd weggeslagen. 'Ik heb gekeken wat er in zijn koffertje zat.'

'En....?' zei Larry.

'Zijn munten waren verdwenen. Hij bewaarde zijn munten altijd in een plastic hoesje in zijn koffertje. Hij had ze altijd bij zich en liet ze me zien als we elkaar ontmoetten. Hij was er zo trots op.'

Plotseling baadde de keuken in het licht. Auto's waren het parkeerterrein opgereden. Cody kon Larry zien zonder de zaklantaarn op hem te richten. In het licht van de koplampen door de beregende ruiten leek de huid van Larry's gezicht en hoofd overdekt met een patroon van donkere beekjes die deden denken aan de tunnels in een mierenburcht.

'Skeeter,' zei Larry, terwijl hij een beweging met zijn hoofd in

53

de richting van het raam maakte. 'Misschien ook de sheriff. Minstens drie wagens. Het hele zooitje bij elkaar.'

Cody besteedde er geen aandacht aan.

'Die munten,' zei Larry. 'Waren die van goud of zoiets? Waardevol? Bedoel je te zeggen dat er misschien ook sprake kan zijn van beroving en moord?'

Cody schudde zijn hoofd. 'Die munten waren geen fluit waard.'

'Waar heb je het dan over?'

'Het zijn AA-penningen,' zei Cody op zachte toon. 'Penningen van het Twaalf Stappen-programma. Eentje voor elk jaar van de plaatselijke afdeling. Ze zijn waarschijnlijk per stuk zo'n twintig dollar waard, misschien zelfs minder. Er staat verdomme een eland op die van Helena. Hank had er negen. Het duurt nog tien maanden voordat ik mijn eerste krijg en er is niets waar ik ooit heviger naar heb verlangd. En die zijn weg.'

Larry haalde zijn schouders op. 'En wat maak je daaruit op?'

'Ze zijn verdwenen,' zei Cody.

Buiten hoorde hij het geluid van dichtslaande autoportieren en luide stemmen.

'We kunnen maar beter naar buiten gaan en ze op de hoogte stellen,' zei Larry.

Toen ze weer in de regen liepen zei hij over zijn schouder: 'Mijn cynische smerissenverstand zegt me dat Henry, Hank, bedoel ik, die penningen heeft weggegooid toen hij besloot het op een zuipen te zetten. Als symbolisch gebaar of zo.'

'Dat is niets voor Hank,' zei Cody.

4

SHERIFF EDWARD 'TUB' Tubman en hulpsheriff Cliff Bodean arriveerden op de plaats delict in identieke beige GMC Yukons met LEWIS AND CLARK COUNTY SHERIFF'S DEPARTMENT in plakletters op de voorportieren. Ze parkeerden allebei naast Larry's truck. Dougherty sprong zijn auto uit om hen te begroeten. De beide backpackers bleven in de auto zitten. Toen Larry en Cody naderbij kwamen, stond Tubman net zijn regenpak uit te vouwen. Zijn nieuwe grijze cowboyhoed – een pronkstuk dat opdook op de dag dat hij verklaarde zich kandidaat te stellen voor herverkiezing – lag op de natte motorkap van zijn Yukon, de bovenkant al donker van de regen. Het ergerde Cody dat de sheriff niet eens wist dat een deugdelijke hoed als deze met de bol omlaag moest worden gelegd. Zoals echte cowboys dat deden.

Bodean zat nog in zijn wagen en sprak in het microfoontje van zijn politiezender.

De sheriff stak zijn armen in de mouwen van het pak, maar bij zijn hoofd raakte het in de knoop en hij worstelde ermee. Cody vond dat hij een beetje aan een schildpad deed denken.

'Ik zal je wel even helpen,' zei Dougherty, terwijl hij een ruk gaf aan de achterkant van het regenjack. Toen hij dat deed kwam Tubmans hoofd plotseling sputterend tevoorschijn.

'Wat een rotpak,' zei hij, terwijl hij zijn hoed pakte. 'Nou, hoe staan de zaken, jongens?'

Tubman was klein van stuk en pafferig, met de snor van een revolverheld en wat haar dat op zijn hoofd plakte als een laag vuil.

Larry en Cody wisselden een blik van verstandhouding en wachtten allebei tot de ander zou beginnen.

'Een lijk, hè?' zei Tubman geërgerd. 'Hebben jullie een lijk?'

'Dat hebben we,' zei Larry. 'Waarschijnlijk zo'n drie dagen oud. Verbrand.'

Larry bracht de sheriff op de hoogte van de omstandigheden op de plaats delict en wat ze daar hadden aangetroffen. Hij velde geen oordeel, sprak geen vermoedens uit en gaf alleen een doorwrocht verslag van de feitelijke toestand zoals hij die had aangetroffen. Hij deed dat met zoveel gezag, vond Cody, dat de feiten alleen al tot slechts één conclusie konden leiden. Hij waardeerde het dat Larry met geen enkel woord refereerde aan hun eerdere gesprek.

'Een ongeluk met dodelijke afloop dus,' zei Tubman enigszins opgelucht. 'Of wat we ook wel "onwillige doodslag" plegen te noemen, als je die lege fles in je overwegingen betrekt. 'Is Skeeter onderweg?'

'Voor zover ik weet,' zei Larry. 'Cody heeft hem opgebeld.'

'Laten we hopen dat hij dit keer zonder zijn fanclub komt opdraven,' zei Tubman hoofdschuddend.

De sheriff knikte in de richting van de backpackers die nog in Dougherty's politieauto zaten. 'Zijn dat de lui die het hebben gemeld?'

'Ja, sheriff,' zei Dougherty. 'Ik heb ze afzonderlijk verhoord.'

'En kwamen hun verklaringen overeen?'

'Ja.'

'Wonen ze in dit district?'

Cody verstond: *Zijn het mogelijke kiezers?*

'Nee, sheriff,' zei Dougherty. 'De man is hoogleraar op de MSU. De vrouw is blijkbaar een van zijn studentes. Ze willen liever niet dat hun namen bekend worden gemaakt, als je begrijpt wat ik bedoel.'

Tubman glimlachte. 'Dat is dan pech. Hun namen komen in het politierapport. Zeg dus maar tegen de professor dat hij maar beter wat aan schadebeperking kan gaan doen bij zijn echtgenote.'

Dougherty lachte.

'En laat ze ophoepelen,' zei Tubman. 'Breng ze terug naar hun auto zodat ze naar huis kunnen.'

'Oké.'

Cody keek hoe Dougherty in zijn voertuig stapte en de motor startte. Hij wachtte totdat de professor zich zou realiseren dat zijn rugzak nog in Cody's Ford lag, maar de professor leek ergens anders over in te zitten, alsof hij zich probeerde voor te stellen hoe de rest van het semester eruit zou zien. Toen ze vertrokken leek het tweetal verwikkeld in wat, afgaand op het gewapper met de handen, een twistgesprek leek.

Cody dacht: *Ze zijn de rugzak vergeten.*

Vervolgens dacht hij: *het Lot.*

De slechte verhouding tussen de sheriff en de lijkschouwer had korte tijd tevoren een dieptepunt bereikt toen er een citaat van Tubman in de *Independent Record* werd afgedrukt waarin hij verklaarde dat de dood van een vijfentwintig jaar oude zwerver te wijten was aan een overdosis speed. Hij maakte van de gelegenheid gebruik om zich sterk te maken voor een verhoging van het budget drugsbestrijding voor het bureau van de sheriff. De volgende dag gaf Skeeter een persconferentie voor de krant en twee lokale televisiestations en benadrukte dat de uitslagen van de sectie nog niet binnen waren en dat 'onze sheriff misschien maar eens op mijn kantoor langs moet komen zodat hij kan zien wat we daar in werkelijkheid uitspoken, want hij schijnt dingen te weten die tot nu toe niet wetenschappelijk zijn aangetoond.'

Hoewel later werd verklaard dat het slachtoffer wel degelijk aan een overdosis was overleden, was de oorlog uitgebroken over de vraag wie van de twee de officiële woordvoerder van het bevoegde gezag was waar het lijken betrof. Omdat beide mannen zich weer verkiesbaar hadden gesteld en ze allebei zoveel mogelijk gezag naar buiten wilden uitstralen, probeerden ze om het hardst zoveel mogelijk met hun snufferd voor de camera te komen.

Bodean opende het portier van zijn auto en leunde naar buiten. 'We zijn erachter wie hier woonde,' zei hij. 'Een gozer uit de buurt die Hank Winters heette, negenenvijftig jaar oud, geen strafblad.'

'We hebben zijn legitimatie gevonden,' bevestigde Larry.

'Is die dan niet verbrand?' vroeg de sheriff aan Larry.

'De portefeuille lag in zijn slaapkamer in het deel van de blokhut dat nog overeind staat.'

'Ik ken hem niet,' zei Tubman laatdunkend. Waarmee hij bedoelde dat Winters geen invloed had binnen de gemeenteraad en geen bijdrage leverde aan een verkiezingscampagne.

Ik kende hem wel, dacht Cody. De instinctieve reactie van de sheriff had hem kwaad gemaakt.

Tubman zette zijn natte hoed af en keek ernaar in het licht van zijn koplampen. 'Ik moet zo'n plastic hoedenkapotje op de kop zien te tikken zodat hij niet nat wordt.'

Nog een stel koplampen bewoog tussen de naaldbomen.

'Wie heeft zijn kar in de prak gereden?' vroeg Tubman, terwijl hij naar de deuken in Coby's Ford keek.

'Ik heb op weg hierheen een eland geraakt.'

'Ik hoop dat je goed verzekerd bent,' zei Tubman op barse toon.

'Ik hoop dat je een jachtvergunning hebt,' zei Bodean lachend.

Cody schraapte zijn keel. 'Volgens mij is het moord.' Zelfs in het schaarse licht zag Cody het gezicht van de sheriff betrekken.

'Larry denkt dat het een ongeluk zou kunnen zijn, maar ik niet. Ik denk dat iemand Hank heeft vermoord en het misdrijf heeft proberen te verhullen door de hut plat te branden. Als het niet zo hard had geregend zou niemand er ooit achter zijn gekomen.'

Tubman spuugde voor zich op de grond. 'Het heeft de *schijn* van een ongeluk, Cody.'

'Daar heb je gelijk in. Maar ik heb de man gekend. Het was geen ongeluk.'

De sheriff wendde zich tot Larry: 'Waarom heb je dat eigenlijk niet meteen gezegd?'

Larry haalde zijn schouders op. 'We zijn er nog niet helemaal uit,' zei hij.

'Vertel me voordat Skeeter hier komt maar eens waarom jij denkt dat dit niet is wat het lijkt te zijn,' zei Tubman tegen Cody.

Cody bracht hem op de hoogte, maar verzweeg dat hij bij de AA was aangesloten. En ook over de vermiste penningen zei hij niets. Hij zei alleen dat Hank Winters nooit een druppel alcohol dronk.

'Is dat jouw argumentatie?'

'Ja.' Cody voelde dat Larry hem kwaad aankeek, maar hield zijn blik afgewend. In gedachten hoorde hij hem zeggen: *Haal geen streken met me uit en breng me nooit in een positie waarin ik niet wil zijn.*

Tubman sloeg zijn armen over elkaar en schudde zijn hoofd. 'Wat moet ik nu tegen de pers zeggen? Wat moet ik nu tegen die lul van een Skeeter zeggen?'

'Wat je maar wilt,' zei Cody. 'Bij mijn onderzoek ga ik ervan uit dat het een moord betreft.'

De sheriff liet zich niet op zijn kop zitten. 'Ik weet dat je dat soms vergeet, Hoyt, maar jij werkt voor *mij*. En afgaande op wat ik heb gehoord is het een dodelijk ongeval. Wil je beweren dat wat Olson mij heeft verteld niet klopt?'

'Nee.'

'Houd je theorieën dan voor je, totdat je iets hebt wat een allemachtig stuk overtuigender is dan waar je nu mee aankomt. Het laatste waaraan ik aan de vooravond van de voorverkiezingen behoefte heb is wel een onopgeloste moord. Heb je me goed begrepen? Het is een dodelijk ongeval totdat jij me kunt bewijzen dat het dat niet is. Bijvoorbeeld als de jongens die de sectie in Missoula doen een kogelgat in zijn hersenpan aantreffen of een mes tussen zijn ribben. Dan is het andere koek. Gesnopen?'

Cody voelde een bekende woede in zich opkomen, maar wist zich te beheersen.

'Gesnopen?' vroeg Tubman nogmaals.

'Ik heb je wel gehoord,' mompelde Cody.

Ver tussen de bomen, vanuit de kant waar de hoofdweg liep, hoorde hij het geluid van een naderend voertuig.

'O nee,' zei Bodean, terwijl hij zijn lange gele regenjas dichtritste en zich in de richting van de weg wendde. 'Daar zul je Skeeter hebben.'

'Shit,' zei Tubman, terwijl hij Cody de rug toekeerde en hem uit zijn gedachten zette. 'Skeeter vertoont zich de laatste tijd met een handvuurwapen. Hij probeert iedereen duidelijk te maken dat hij ook het bevoegd gezag is. Laten we eens kijken of die klojo gewapend is.'

Skeeter werd Skeeter genoemd, was Cody verteld, omdat hij een hekel had aan zijn voornaam Leslie. SKEETER stond in sjabloon-letters op de portieren van zijn auto. Hij parkeerde zijn auto met vierwielaandrijving achter Cody's Ford, waardoor hij hem het wegrijden onmogelijk maakte en sprong er snel uit, met zijn regenkleding al aan. Voordat hij zijn regenjack dichtritste, zag Cody dat Skeeter een holster droeg.

Skeeter Caldwell was lang, dun en uitgemergeld met diep-liggende ogen en een lange, messcherpe neus en hij had recente-lijk zijn mond vol met kronen laten zetten om wat minder op een griezel te lijken.

'Sheriff,' zei Skeeter, met een knikje in de richting van Tubman.

'Skeeter,' zei de sheriff, weinig enthousiast.

'Waar is het lijk?'

Vier voertuigen stonden zij aan zij met al hun koplampen ge-richt op de uitgebrande hut. Tubman zei: 'Je mag drie keer raden.'

'Kunnen we dit even professioneel aanpakken?' vroeg Skeeter.

'Absoluut.'

'Laat iemand van jouw mannen me dan alsjeblieft naar het slachtoffer brengen.'

Tubman wendde zich tot Larry. 'Misschien zou jij de lijk-schouwer even naar de plaats delict willen brengen?'

Larry kreunde.

'Wat is je eerste indruk?' vroeg Skeeter.

'Een ongeluk.'

'We zullen zien.'

Tubman sloeg zijn ogen ten hemel.

'Ik hoop niet dat je het vervelend vindt dat een verslaggeefster van de *Independent Record* is meegekomen,' zei Skeeter. 'Carrie Lowry. Ik denk dat ze de melding op de politiezender heeft ge-hoord.'

'Dat zal best,' merkte Tubman op. 'En ik vind het wél ver-

velend. We hebben de plaats delict nog niet eens veiliggesteld.'
Hij wendde zich tot Cody. Zet de boel eens af met politielint.
En zorg dat ze op afstand blijft. Ik wil niet dat ze foto's maakt
in de hut of ons voor de voeten loopt. Zeg haar maar dat we wel
naar haar toekomen als we iets te melden hebben.'
Cody salueerde en zei: 'Tot uw orders, sheriff!'

Voordat Tubman zich omdraaide om achter Skeeter, Bodean
en Larry aan naar de hut te lopen, zei hij tegen Cody: 'Zo is het
wel welletjes, knul.'

Opnieuw schoof een stel koplampen tussen de lodgepole-naald-
bomen door. In tegenstelling tot Skeeter, reed de chauffeur
langzaam en omzichtig door het bos, alsof degene die achter
het stuur zat niet goed wist of dit wel de goede weg was. Cody
had een vijftien centimeter brede rol plastic lint met de tekst
VERBODEN TOEGANG VERBODEN TOEGANG erop. Hij bond het
ene einde om een boomstam bij de toegangsweg naar het parkeerterrein en rolde het lint af terwijl hij naar de andere kant
liep. Terwijl hij het lint afwikkelde keek hij af en toe over zijn
schouder naar de hut. Skeeter stond over het lijk gebogen, terwijl Larry hem bijlichtte. Tubman en Bodean stonden zo te zien
achter hen in de regen duimen te draaien.

De auto reed de laatste bocht om en de lichtbundels uit de
koplampen verblindden hem. Opnieuw. Hij stak zijn vrije arm
omhoog tegen het licht en de auto kwam met piepende remmen
tot stilstand.

Een vrouwenstem zei: 'Ach, doe me een lol. Wil je beweren
dat ik niet dichterbij mag komen dan dít?'

'Opdracht van de sheriff,' zei Cody.

'Je moet me doorlaten.'

'Sorry.'

'Cody,' zei ze, 'wat ben jij toch een lul.'

'Hallo, Carrie,' zei hij. 'Hoe vaar jij vanavond?'

'Ik dacht dat ik verdwaald was,' zei ze. 'Nu heb ik het eindelijk gevonden en vind ik... *jou.*'

Hij haalde zijn schouders op. 'Heb je een cape of zoiets bij je? Het regent.'

'O, echt waar?'

Hij knikte en ging toen door met het spannen van het lint over de weg. Ze schakelde de motor uit en hij hoorde een portier dichtslaan. Hij keek haar kant op en zag dat ze het lint boven haar hoofd tilde en in de richting van de hut begon te lopen.

'Hé,' zei hij, 'ik wil je niet arresteren en/of martelen totdat je bekent.'

Ze keerde zich met haar handen in haar zij naar hem om. Ze droeg een versleten regenjas die spande rond de taille en een slappe zuidwester die eruitzag alsof hij tien jaar lang in haar kofferbak had gelegen. Haar rode haar viel op de schouders van haar regenjas en bleef aan de natte stof plakken.

'Je ziet er leuk uit,' zei hij. 'Ik hoop niet dat je je alleen voor mij hebt opgetut.'

'Krijg de kolere, Cody,' zei ze.

'Wat een taal,' zei hij. 'God hoort alles, hoor.'

'*Krijg de kolere*, Cody.' En toen voegde ze eraan toe: 'En de pestpleuris bovendien. Skeeter heeft gezegd dat ik erbij kon zijn.'

'Dat wil ik best geloven,' zei hij, 'zodra de plaats delict aan hem is vrijgegeven. Maar dat is nog niet gebeurd. Op dit moment stelt het bureau van de sheriff hier een onderzoek in. Als de plaats delict aan de lijkschouwer wordt overgedragen, dan hoor jij het als eerste, dat weet ik wel zeker.'

Ze snoof verontwaardigd: 'En wat word ik geacht in de tussentijd te doen?'

'Je zou me kunnen helpen met het spannen van dit lint,' zei hij. 'Ik kan best wat hulp gebruiken.'

'Wat bén jij toch een lul.'

'En nu achteruit voordat ik je neerschiet,' zei hij en hij scheen met zijn zaklantaarn in haar gezicht waardoor ze achteruitweek. Maar voordat ze dat deed ving hij een glimp op van haar groene ogen, de constellatie van sproeten op haar wangen en neus en van haar aantrekkelijke mond.

'Klootzak,' zei ze, terwijl ze zich omdraaide en terugbeende naar haar vijftien jaar oude Subaru. Ze stapte weer in en sloeg het portier dicht en hij keek hoe ze zat te foeteren totdat het binnenlicht uitging.

Hij had Carrie het vorige jaar, kort nadat hij uit Denver naar Montana was teruggekeerd, ontmoet. Hij werkte toen nog niet eens voor het bureau en ging in de Windbag Bar and Grill op de kruk naast haar aan de bar zitten. Hij had gezien hoe ze wetsdienaren uit de regio als hinderlijke vliegen van zich af had geslagen en zei tegen haar dat hij bewondering had voor de hoge dunk die ze van zichzelf had. Toen ze hem niet van zich afsloeg, trakteerde hij haar op whisky cola, hoewel hij erbij vertelde dat hij wel vond dat ze door dat brouwsel te drinken twee goede drankjes verpestte.

De daaropvolgende drie uur gaf hij haar nog vier rondjes. Hij dronk gelijk met haar op. Ze vertelde hem van haar jeugd in Havre, haar tijd op de J-School, haar twee mislukte huwelijken met flapdrollen en hoe ze bij de *Independent Record* terecht was gekomen. Zij deed de misdaadverslaggeving, zei ze. Ze vroeg hem of ze hem als bron kon raadplegen. Hij zei dat hij het best vond als ze verder niet over hun werk zou praten en ze met hem mee naar huis ging.

Op de een of andere manier reed hij haar, zonder door de politie van Helena te worden aangehouden, naar zijn flat, waarbij hij toch minstens twee keer, en waarschijnlijk vaker, door rood reed. Ze had het totaal niet in de gaten, omdat ze zijn riem had gegrepen, eraan friemelde en het uiteinde van de riem met verbazingwekkende kracht de verkeerde kant op trok. Toen hij haar over zijn schouder gooide en haar naar binnen droeg, lachte ze en sloeg ze hem totdat hij haar op zijn bed gooide. Ze was tien minuten lang een dolle, rugkrabbende furie voordat hij, of zij, voor de eerste maal het bewustzijn verloor. Daarna kon hij zich weinig meer herinneren, maar hij herinnerde zich nog vaag dat hij met een viltstift had geprobeerd de sproeten op haar gezicht met elkaar te verbinden, wat ze op dat moment allebei dolkomisch vonden.

Toen ze een week later een bezoek bracht aan het bureau om de sheriff te interviewen over de eigenaar van een sportwinkel in Marysville, die met een .30-06 twaalf schoten op zijn vrouw had afgevuurd (waarbij hij twee keer had gepauzeerd om te herladen), hadden ze elkaar heel even strak aangekeken, waarbij ze haar haar naar achteren had geworpen en had gezegd: 'Het was nog een hele klus om die inkt van mijn gezicht te krijgen,' waarna ze zich had omgedraaid en op haar hoge hakjes de gang in was getrippeld.

Hij wist dat ze hem in de hut niet nodig hadden, dus keerde hij terug naar zijn Ford en ging erin zitten. De ruiten besloegen weer, maar het was prettig om ergens te zitten waar het droog was.

Door de beslagen voorruit zag hij de lichtbundels van de zaklantaarns in de blokhut door het donker dansen en figuren die zich langzaam voortbewogen door het zwarte slijk. Hij dacht aan Hank en plotseling was het alsof iets als een klauw hem van binnenuit bij de keel greep. Hij barstte pardoes in snikken uit. Hij kon het niet geloven. Cody had niet meer gehuild sinds zijn twaalfde, toen zijn hond doodging. De begrafenissen van zijn vader en moeder waren weinig enerverend. Maar Hank was iets anders. Hank was een taaie ouwe gabber die hem alleen maar wilde helpen omdat hij een aardig en goed mens was. Hank was bereid een geflipte vreemdeling de helpende hand toe te steken en hem te laten zien dat er nog steeds zoiets als goedheid bestaat. En Hank was er niet meer.

Cody's hand kroop, alsof hij een eigen leven leidde, over de zitting van de bank in de richting van de rugzak van de rugzaktoerist. Cody keek niet op of om, zijn hand leidde een eigen leven. Hij had er geen controle meer over. Toen greep hij de hals van de fles Jim Beam.

Zijn andere hand, die ook een eigen wil had, reikte over zijn buik opzij en draaide de schroefdop los. Hij nam twee flinke slokken, alsof het water was en hij dorst had en vervolgens klemde hij de fles tussen zijn dijen. Iets in hem zei: *Stop er nu mee, nu je nog kunt.*

Hij trok zich niets van die stem aan. Dat had hem nooit veel moeite gekost, die wedstrijd won hij altijd. Aanvankelijk kromp zijn maag pijnlijk samen, alsof hij zich afsloot en de alcohol afstootte. Hij kreunde, leunde voorover en klapte dubbel, met zijn hoofd tegen het stuur. Toen hield de pijn op en hij voelde hoe, alsof hij een oude vriend verwelkomde, de vertrouwde warmte zich door zijn lichaam verspreidde, beginnend bij zijn borst en vervolgens uitstralend naar zijn armen, benen en hoofd. Het was net alsof hij zijn tank vulde met raketbrandstof.

Hij ging achteroverzitten en het zwartgeblakerde beeld van de arm en de opgezwollen hand verscheen trillend aan de binnenkant van de voorruit als op het scherm van een openluchtbioscoop en hij zei: 'Hank, is dit wat jou is overkomen? Is dit wat je hebt gedaan? Heb je toch weer naar de fles gegrepen? Zeg me dat ik het mis heb, makker, ik geloofde in je.'

Hij dacht erover na en nam nog een slok.

Toen: 'Hank, ik ga uitzoeken wie jou dit heeft aangedaan.'

Cody dronk snel op een lege maag. Toen hij de dop weer op de fles draaide was die inmiddels halfleeg. Hij veegde zijn mond af met de rug van zijn hand, deed de binnenverlichting aan en bekeek zichzelf in de achteruitkijkspiegel. Hij herinnerde zich dat roodaangelopen gezicht uit gebarsten spiegels in kroegplees en van zijn eigen badkamer als hij na sluitingstijd thuiskwam.

'Hé, knappe gozer,' zei hij. 'Leuk je terug te zien.'

En opeens kreeg hij een ingeving.

Toen haalde hij de papiertjes van drie staafjes Stride Winterblue Gum (de geheime kauwgom van alle dronkaards), propte die in zijn mond en stak een sigaret op. Die combinatie zou zijn alcoholkegel camoufleren. Dat wist hij uit ervaring. Hij opende het portier van de SUV nogmaals en werd opnieuw door de regen overspoeld. Als dat kacheltje in hem niet flink was opgestookt, zou hij het buiten misschien koud hebben gehad, dacht hij.

Cody liep naar het plastic afzetlint en wapperde met zijn vingers naar Carrie toen hij het lint omhooghield en aan de kant van het stuur de auto naderde. Ze reageerde niet en dus leunde hij met zijn achterste tegen de voorbumper en nam een flinke trek van zijn sigaret. Hij luisterde hoe de regen de naaldbomen ranselde en hoe dikke druppels in plassen ploften. Regendruppels vielen neer op zijn sigaret en hij deed zijn best die helemaal op te roken voordat een gelukkige treffer het vuurbolletje raakte en doofde.

Ten slotte draaide ze haar raampje open. 'Ja? Kom je me nu vertellen dat ik naar binnen mag?'

'Nee.'

'Ga dan weg van mijn auto.'

Hij wilde haar niet zeggen dat hij even tegen haar auto moest leunen om te voorkomen dat hij omviel. In plaats daarvan zei hij lachend: 'Ik geloof niet dat ik het erger kan doen lijken dan het nu is.'

'Jezus,' zei ze. 'Wat ben jij toch een...'

'Je kunt schelden zoveel je wilt,' zei hij op een toon die zelfs *hem* beviel. En het viel hem op dat ze haar raampje niet weer dicht had gedraaid.

'Carrie, weet je nog dat je me ooit hebt gevraagd om als je bron te fungeren? Herinner je je dat nog? Het was in de Windbag.'

Ze zweeg. Op haar hoede. 'Ja.'

'Ik ben er klaar voor,' zei hij.

'Zit je me in de maling te nemen?' Ze had een aantrekkelijke stem, een beetje aan de hese kant.

'Nee, mevrouw.'

'Zijn er voorwaarden?' vroeg ze. Haar stem klonk nu zakelijk. Wat om de een of andere reden maakte dat hij haar weer mee naar huis zou willen nemen, maar hij nam genoegen met een nieuwe sigaret. Hij klopte op de zakken van zijn regenjas totdat hij het pakje sigaretten en de lucifers had gevonden.

'Die krengen worden je dood nog eens.'

'Dat zien we later dan wel weer,' zei hij lachend.

'Cody.'

Hij stak de sigaret aan, keerde zich om en ging op zijn hurken zitten, zodat zijn hoofd op gelijke hoogte was met het hare in de auto. Hij merkte dat ze zich niet verder terugtrok. Hij wilde dat hij haar gezicht beter kon zien.

'Beloof me dat je dit vertrouwelijk behandelt,' zei hij. 'Mijn naam mag niet in het artikel worden genoemd en je moet me beloven dat je zelfs niet laat doorschemeren van wie dit afkomstig zou kunnen zijn.'

Ze aarzelde en zei toen: 'Oké. Maar het moet wel hout snijden.'

'Dat doet het. En je kunt ook niet aankomen met een "een betrouwbare bron binnen het bureau van de sheriff"-achtige vermelding. Anders maak ik je het leven zo zuur dat je genoodzaakt zult zijn Montana te verlaten.'

Dat deed haar huiveren en ze ging een stukje achteroverzitten. 'Laat dat soort dreigementen.'

'Het is geen dreigement,' zei hij. 'Het is een feit. Is dat duidelijk?'

'Zo helder als glas.'

Hij keek om zich heen. Hoewel hij niet iedereen in de hut kon zien, zag hij wel de lichtbundels van de zaklantaarns bewegen.

'Dit is geen ongeluk, wat de sheriff of Skeeter ook mogen beweren. Het is moord.'

'Jezus.'

'En degene die het heeft gedaan, heeft geprobeerd zijn sporen uit te wissen door de boel plat te branden. Het slachtoffer was een geweldige kerel die Hank Winters heette en wij gaan uitzoeken wie dit op zijn geweten heeft.'

Ze schudde haar hoofd. 'Maar waarom willen de sheriff of Skeeter dat onder de pet houden? Ik begrijp het niet.'

Hij fluisterde op samenzweerderige toon: 'Omdat het belangrijk voor hen is dat het geen moord wordt genoemd. Een politieke kwestie en één van groot belang. Groter dan jij je kunt voorstellen. Hier kun je naam mee maken als je het handig aanpakt.'

'O, Cody,' zei ze, en ze stak haar hand uit het raampje en raakte zijn arm aan. Haar ogen weerspiegelden het licht uit de zaklantaarns.

'Luister,' zei hij. 'De moordenaar heeft een aanwijzing achtergelaten over zijn identiteit. Ik kan je niet zeggen wat het is, maar we gaan het natrekken zodra we een paar experts van buitenaf met speciale apparatuur hebben opgetrommeld. En we *zullen* hem te pakken krijgen. Zodra de analyse binnen is, kan hij het wel schudden.'

'Wat voor analyse?'

'Dat kan ik je nu nog niet zeggen.'

Cody richtte zich op en gaf een klopje op haar hand. 'Denk eraan,' zei hij, 'dit heb je niet van mij.'

Na een korte stilte zei ze: 'Bedankt, Cody. Ik ben je heel dankbaar.'

'Als je me dit keer maar niet krabt,' zei hij en hij draaide zich om.

Toen hij onder het afzettingslint doorliep botste hij bijna tegen Larry op, die in het donker stond met zijn zaklantaarn uit. Cody ervoer het gevoel van schaamte dat hij altijd had als hij heimelijk had gedronken.

'Wat flik jij me nou?' vroeg Larry op nadrukkelijke fluistertoon. 'Ik heb gehoord wat je haar hebt verteld, klootzak.'

Cody stak zijn hand uit naar Larry, maar Larry week achteruit. 'Ik heb een valstrik uitgezet.'

'Wat was dat voor gelul over speciale apparatuur en analyse?'

Cody grijnsde als een idioot en kon zijn gezicht niet in de plooi houden. Hij stak zijn hand uit naar Larry en zei: 'Ik ben er vrij zeker van dat ze erin is getrapt.'

Larry staarde hem bewegingloos aan. Zo stonden ze meer dan een minuut tegenover elkaar.

Ten slotte zei Larry: 'Je hebt een fles gevonden, hè?'

'Ja.'

'En nu ga je voor schut en probeer je mij met je mee te sleuren.'

Cody haalde zijn schouders op. 'Je hoeft niet mee te doen, Larry.'

'Klootzak. Stomme lul.'

'Dat heb ik vanavond al vaker gehoord.'

'Wat moet ik toch met jou beginnen?' zei Larry.

Cody voelde zich opeens weer nuchter. Dat overkwam hem op de vreemdste momenten, dacht hij. Hij zei: 'Help me de vent te vinden die Hank heeft vermoord. Verder kan ik het in mijn eentje wel af.'

Larry kreunde.

Cody kwam een stap dichter naar Larry toe en zei: 'Larry, ik ben dronken, maar ik maak geen geintje. Je hebt me nooit eerder los gezien en geloof me, daar zul je nog vreemd van opkijken. Ik ga achter die vent aan op een manier die je nog nooit hebt meegemaakt. En als ik hem vind, dan maak ik hem duizend keer af.'

Larry deed een stap achteruit. 'Hé, ben je wel goed bij je hoofd?'

'Ik ben nog nooit goed bij mijn hoofd geweest, maar nu heb ik een *missie*.' Hij spuugde het laatste woord uit.

Larry zette grote ogen op van verbazing en schudde langzaam zijn hoofd. 'Je bent volkomen op hol geslagen,' fluisterde hij.

'Kan best wezen.' Cody knipoogde en liep terug naar zijn Ford en de fles whisky. De rest van de nacht functioneerde hij op de automatische piloot. De volgende ochtend werd hij onder het bloed wakker in zijn flat. En het was niet zijn bloed.

5

IN DE NACHT dat hij de lijkschouwer neerschoot was Cody Hoyt terug bij de blokhut van Hank Winters en had hij zich in het donker verscholen tussen een bosje naaldbomen. Daar wachtte hij af.

De afgelopen twintig uur waren een dichte, bijna ondoordringbare mist. Hij had zijn reserves aangesproken om meestentijds rechtop te kunnen blijven staan. Terwijl hij nipte van zijn halve literfles Evan Williams-whisky die hij naar de Vigilante Campground had meegebracht, kwamen bepaalde van elkaar losstaande herinneringen naar boven alsof ze naar lucht hapten en hij herinnerde zich ze voordat ze weer wegzonken, om door andere te worden vervangen. *Lukraak-herinneringen!* dacht hij. Net als in die kwade oude tijd.

Hij probeerde ze op een rijtje te zetten:

Hoe hij achter Larry's auto aan de berg afreed en Larry tot tweemaal toe was gestopt om uit te stappen en hem de huid vol te schelden en tegen Cody te zeggen dat hij zichzelf bijna verried toen hij met dubbele tong praatte met de forensische deskundigen en de mannen van de technische dienst, die bezig waren het lijk in te pakken en alle bewijzen die ze hadden verzameld te registreren. Hij zei tegen Cody dat hij mazzel had gehad dat de sheriff en de hulpsheriff op dat moment in hun voertuigen zaten te mokken over Skeeter en zich niet realiseerden dat een van de rechercheurs steun moest zoeken bij een boom of bij de blokhut om overeind te blijven. Hoe hij constateerde dat Carrie Lowry al lang en breed was vertrokken en dat Skeeter zich daar kwaad over maakte. Hoe hij geen bezwaar maakte toen Larry hem in het donker wegduwde bij de blokhut, zodat niemand hem hoorde praten of zag hoe hij probeerde zijn evenwicht te bewaren;

Hoe hij halverwege de weg omlaag was gestopt, met Larry de eland in vier stukken had gesneden met behulp van een botzaag die Larry in zijn gereedschapkist had, zodat Cody het vlees naar het blijf-van-mijn-lijfhuis kon brengen, ook al kon hij nauwelijks op zijn benen staan en hadden de enorme brokken rauw, nog warm vlees zijn kleren doordrenkt met bloed. Hoe hij zich niets van Larry aantrok toen hij daarover mopperde en weeklaagde en zei dat die vrouwen meer dan genoeg te eten hadden en ze Cody voor gek zouden verklaren;

Hoe ze na de manager te hebben gewekt de stukken vlees de inloopijskast van het blijf-van-mijn-lijfhuis in hadden gesjouwd en hij had geknipoogd naar Larry toen ze in snikken uitbarstte en vertelde hoe dankbaar ze was, en hoezeer de vrouwen en kinderen die daar verbleven van het vlees zouden smullen en hem aanbood hem schoon te poetsen en koffie te zetten omdat er iets mis was met zijn ogen;

Hoe hij, tien minuten nadat Larry hem voor de deur van zijn woning had afgezet, terwijl zijn beloften aan zijn partner dat hij rechtstreeks naar bed zou gaan en van de fles af zou blijven nog nagonsden in zijn hoofd, weer de deur uit was geglipt en in zijn Ford was gestapt, zodra Larry goed en wel zijn motor had gestart en was weggereden;

Hoe hij op de deur had gebonkt van een man die een drankwinkel aan de grote weg had en hem had gewekt omdat het vier uur na sluitingstijd was en een kratje bier en een fles whisky had geëist en met een biljet van honderd dollar had betaald en op de kolf van zijn .40 Sig Sauer had geklopt om de man eraan te herinneren dat hij zijn mond moest houden over nachtelijke huisvredebreuk;

Hoe hij Jenny, zijn ex-vrouw, had opgebeld en haar kwaad had gemaakt door te vragen of hij Justin aan de lijn kon krijgen, zodat hij hem kon vertellen dat hij alles kon lenen wat hij maar wilde en dat hij sterke drank en feestjes moest mijden, maar Justin was er niet. Hij was al vertrokken met Jenny's nieuwe rijke verloofde, op zo'n verdomde survivaltocht in de wildernis. Hoe Jenny hem een klootzak noemde, wat zijn lachlust opwekte, omdat hij die nacht al zo vaak zo was genoemd dat *het best nog eens waar kon zijn ook*, en hoe zij de hoorn op de haak smeet en het verdomde om op te nemen toen hij haar daarna nog drie keer probeerde te bereiken, totdat hij in zijn leunstoel, met de telefoonhoorn aan zijn hand geplakt door gestold bloed, in slaap sukkelde;

Hoe hij wakker was geworden met geronnen bloed op zijn broek, overhemd en handen, waarbij zijn handen waren overdekt met opgedroogde laagjes geronnen bloed als barstjes in een droge meerbedding. Donkerrode weerzinwekkende straaltjes die omlaagsijpelden toen hij onder de douche stond. Hoe hij met zijn blote voeten naar de roze plasjes en schilfers had geschopt om die door de afvoer te proppen;

Hoe hij zes ibuprofen-tabletten had geslikt om het hevige gebonk in zijn hoofd te bedwingen, hoe hij die vervolgens in de gootsteen weer had uitgekotst, er daarna nogmaals zes had geslikt en ten slotte een biertje met een rauw ei had genuttigd bij wijze van ontbijt, wat hem uiteindelijk weer een beetje bij zijn positieven bracht en zorgde dat zijn handen niet meer beefden en hij in staat was zijn tanden te poetsen en zich te scheren zonder zich ernstig te verwonden;

Hoe hij om halfnegen op het werkoverleg met de gemeentepolitie aan de overkant van de gang was verschenen, waar hulpsheriff Bodean de omstandigheden rond de dood van Hank Winters uit de doeken had gedaan, hoe hij met open ogen had zitten pitten, totdat de sheriff de kamer binnenstormde, zwaaiend met de *Independent Record* en scheldend op Carrie Lowry en vooral die hufter van een Skeeter, die degene moest zijn geweest die haar allerlei leugens op de mouw had gespeld over het ongeluk en dat het een moord betrof en dat er een spoor op de plaats delict was achtergelaten dat de moordenaar zou ontmaskeren, en vervolgens alle dienders beval de plaatselijke krant te boycotten totdat zij hun excuses hadden aangeboden en hun uitlatingen op de voorpagina hadden herroepen;

Hoe hij Larry's ijskoude blik van de andere kant van de kamer op zich gericht voelde, terwijl Tubman raasde en tierde;

Hoe hij het overleg, met medeneming van zijn aantekeningen en camera vroegtijdig verliet omdat hij zich niet kon concentreren en behoefte had aan een biertje;

Hoe hij de middag doorbracht in de Windbag en de Jester, oude vrienden ontmoette, om hun sterke verhalen lachte en er zelf een paar vertelde, en het voor de mannen en vrouwen die overdag dronken – *zijn mensen!* – aanvoelde als een soort familiereünie;

Hoe hij tegen zonsondergang in de Ford weer de berg opreed, met zijn geweer in het rek en zijn pistool in zijn holster, terwijl hij hoopte niet weer een eland aan te rijden en tegelijkertijd de wellicht ijdele hoop koesterde dat degene die Hank dit had aangedaan de krant zou lezen en volledig in verwarring gebracht naar de blokhut zou terugkeren om zich te ontfermen over wat het ook mocht zijn dat de politie had gevonden;

Hoe hij besefte dat dit volkomen krankjorum was, maar tegelijkertijd volmaakt logisch leek;

Hoe hij op zevenhonderd meter afstand van Hanks blokhut de auto had geparkeerd, zodat die niet zichtbaar was, en hoe hij door het donkere bos dat nog droop van de regen en de storm van die middag was gelopen, met zijn geweer in zijn hand en zijn pistool in zijn holster en zwaaiend met een sixpack biertjes in een plastic houdertje.

Hij wist niet hoelang hij geslapen had toen het geluid van een motor hem wekte. Cody kreunde en deed zijn ogen open. Het bonkte in zijn hoofd. Hij merkte dat hij op de vochtige grond zat en tegen een boomstam leunde. De koude nattigheid was door zijn spijkerbroek en onderbroek heen gedrongen en zijn kont was ijskoud.

Omdat het een paar ogenblikken kostte voor het tot hem doordrong waar hij zich bevond en waarom hij daar was, bracht het geluid van banden op grind en het geronk van de motor hem in verwarring. Toen realiseerde hij zich dat zijn plannetje was geslaagd, dat de moordenaar was teruggekeerd naar de plaats van het misdrijf.

Hij stond op en de golven duizeligheid en misselijkheid die hem parten speelden deden zijn knieën knikken. Hij hield zijn hoofd omlaag, wachtte even en probeerde ondanks het geraas in zijn hoofd te horen wat er gebeurde. Hij hoorde een mannenstem zeggen: 'Hier is het,' en hij dacht: *Het is er meer dan één.* Tenzij die vent in zichzelf praatte, maar dat leek onwaarschijnlijk.

'Hier?' De stem van een vrouw.

'Daar, dat frame was ooit een bank. Daar lag zijn lijk op.'

Cody ademde de koude berglucht diep in en dat maakte dat de bewolking in zijn hoofd enigszins optrok. De nacht en de situatie waar hij zich in bevond stonden hem weer scherp voor ogen. Hij wilde dat hij helder van geest was geweest toen ze aan kwamen rijden, zodat hij ze had kunnen zien voordat ze uit de auto stapten. Maar die kans was verkeken.

Hij liet de drie nog volle bierflesjes en de lege fles whisky in het gras liggen en deed een stap in de richting van de achterkant van de blokhut. Zijn benen leken van rubber en hij struikelde en viel zowat. Gelukkig stonden de bomen dicht op elkaar, waardoor zijn schouder een boomstam raakte die hem overeind hield. Hij ademde in en hield de koude lucht even vast in zijn longen in de hoop dat dit hem zou ontnuchteren.

'Waar zijn we eigenlijk naar op zoek?' vroeg de vrouw.

'Al sla je me dood,' zei de man. 'Iets wat hier is achtergebleven. Als er al iets is achtergebleven.'

Het niet-uitgebrande deel van de blokhut bevond zich tussen Cody en zijn bezoekers in, waardoor hij ze niet kon zien. Een streep licht doorkliefde de lucht – iemand deed een zaklantaarn aan – en verdween toen snel weer uit het zicht. Ze zochten iets in het zwarte slijk.

Nu heb ik jullie te pakken, stelletje tuig, dacht hij.

'Dit slaat nergens op,' zei ze. 'Ik wilde dat we wisten waar we naar zochten.'

'Waarschijnlijk naar niets,' zei hij. 'Misschien is het een stomme streek van de sheriff om de indruk te wekken dat hij daadwerkelijk iets uitvoert. Ik heb zo'n vermoeden dat hij dit voor zich uit schuift tot na de verkiezingen.'

Plotseling bevond de achterkant van de blokhut zich vlak voor hem. Cody stak zijn linkerhand uit en raakte de ronde balken. Hij hoefde niets anders te doen dan zich op de tast langs de balken voort te bewegen totdat hij aankwam bij het gedeelte dat geheel was uitgebrand. Dan zou hij ze recht in het vizier hebben.

Toen drong het tot hem door dat hij zijn geweer had laten liggen op de plek waar hij was ingedut. Hij aarzelde en overwoog op de tast terug te keren om het op te halen. Maar hij was stilletjes, zonder uit te glijden of op een dode tak te trappen en zijn aanwezigheid te verraden, al te ver gekomen. Dat hem dat een tweede keer zou lukken was uiterst onwaarschijnlijk. Hij kon zichzelf wel voor zijn kop slaan en kneep zo hard in zijn wang dat zijn gezicht vertrok van pijn. Maar het hielp hem wel wakker te worden. Toen gleed zijn hand naar zijn riem en maakte hij langzaam de plastic holster van zijn Sig Sauer los. Zoals gebruikelijk had hij geen veiligheidspal om zich zorgen over te maken en het wapen was al doorgeladen, dus spannen hoefde ook niet meer.

In Denver had hij een Trijicon zelflichtend vizier op het wapen gemonteerd en hij hief het pistool op en plaatste het groene stipje aan de voorkant tussen de twee stipjes aan de achterkant van het vizier. Hoewel hij in functie nooit eerder 's nachts op

78

iemand had geschoten, had hij op de schietbaan heel wat uren geoefend. Hij wist dat hij, als hij de trekker overhaalde zodra de drie puntjes zich in één lijn bevonden, zijn doelwit zou moeten raken. Hij vroeg zich alleen af of hij ze allebei zonder waarschuwing neer zou knallen of dat hij zich eerst bekend zou maken. Uiteraard zou hij later in zijn verslag vermelden dat hij hun had bevolen stil te blijven staan en dat zij dat niet hadden gedaan, waardoor hem geen andere keuze werd gelaten dan te vuren.

Schiet eerst de man neer, zei hij tot zichzelf. Twee kogels in het dikste deel van zijn bast, zo snel als hij de trekker kon overhalen en richt dan op de vrouw en doe hetzelfde nog eens. En dan, zo nodig, een paar genadeschoten door het hoofd.

Zou hij een vrouw kunnen doden? De gedachte maakte hem misselijk. 'Daar,' zei de man, met stemverheffing. 'Precies dáár. Kijk.'

Hij vroeg zich af of zij het hadden gevonden.

Hij zag de lichtbundels uit hun zaklantaarns voordat hij henzelf zag. Er glinsterde iets goudachtigs in het slijk op de grond.

'Het lijkt wel een munt,' zei ze.

'Ja, je hebt gelijk,' zei hij onthutst. 'Ik begrijp niet hoe ik die over het hoofd heb kunnen zien.'

Dat komt, dacht Cody, *omdat ik die er pas twee uur geleden heb neergelegd.* Bij Walgreens kostten de in goudpapier verpakte chocolademunten 1 dollar 89 per netje.

Hij liep om de hoek van de hut heen en brulde: 'HANDEN OMHOOG, SMEERLAPPEN!'

Zij gilde en gooide haar zaklantaarn in de lucht met dezelfde beweging waarmee ze haar hand voor haar mond sloeg.

Hij verblindde Cody met zijn zaklantaarn, maar voor hij dat deed zag Cody zijn hand omlaaggaan, een pistool grijpen en richten, en er volgde een stervormige explosie van vuur vermengd met blauw en met een oorverdovende knal. Iets witheets en pijnlijks schampte de zijkant van zijn gezicht.

En dat was het moment waarop Cody de lijkschouwer neerschoot. Twee snelle bewegingen met zijn wijsvinger, twee knallen en twee geelgroene vuurmonden. Skeeter ging tegen de vlakte als een marionet waarvan de touwtjes werden doorgeknipt.

Cody liet zijn wapen zakken, voelde hoe de geur van kruit en zijn eigen bloed zijn neus prikkelden en zei: 'O shit.'

Carrie Lowry bleef aan één stuk schreeuwen tot haar gekrijs overging in gesnik en verwensingen.

6

CODY ZAT ACHTEROVERGELEUND op een oncomfortabele stoel tegenover sheriff Tubman in zijn benauwde kantoortje. De deur was gesloten en dat was hij al een uur lang. Die ochtend om halfnegen was er geen werkoverleg geweest. Hulpsheriff Bodean zat op een hoekje van Tubmans bureau en keek bijna recht op hem neer. Op het dressoir achter de sheriff lag zijn hoed, met de rand omlaag en de *Independent Record* van die ochtend met: OOGGETUIGENVERSLAG: LIJKSCHOUWER NEERGESCHOTEN DOOR POLITIEFUNCTIONARIS in chocoladeletters over alle vier de kolommen van de voorpagina. Cody dacht: *Nou heeft Carrie toch nog die geweldige primeur die ik haar had beloofd.*

'Je kunt je hoed echt beter met de dop omlaag neerleggen wanneer je hem niet draagt,' zei Cody. 'Op die manier beschadig je de rand.'

Tubman sloot zijn ogen, om te voorkomen dat hij zou ontploffen, vermoedde Cody.

'Hoe je op zo'n moment nog grappen kunt maken is mij een raadsel,' zei Bodean hoofdschuddend.

'Echt waar,' zei Cody, 'Zo plet je de rand. Geloof me nou maar.'

'Moet je mijn telefoon zien,' zei Tubman. 'Alle lichtjes knipperen. Iedereen verlangt een verklaring en ze blijven bellen tot ze die hebben.'

'Het spijt me,' zei Cody.

'Ja,' zei Tubman, 'dat wil ik best geloven.'

Bodean schraapte zijn keel en stak zijn kin naar voren. 'Voor het geval je de procedure niet kent, rechercheur Hoyt, dit is een schietincident waarbij een overheidsambtenaar betrokken is, dus geef me je penning en je pistool.'

Cody ging verzitten op zijn stoel en maakte zijn penning los en schoof die over het bureau naar Tubman toe. Hij pakte zijn Sig Sauer en overhandigde die met de kolf naar voren aan Bodean. 'Voorzichtig,' zei hij, 'hij is geladen.'

Bodean nam het wapen over en legde het voorzichtig op een metalen archiefkast. Hij zei: 'Je bent officieel geschorst met behoud van salaris. We hebben de federale politie gevraagd een onafhankelijk team te sturen om de zaak te onderzoeken. Dat komt waarschijnlijk morgen, dus zorg dat je te allen tijde bereikbaar bent.'

Cody knikte.

'De komende tweeënzeventig uur ga je nergens heen. Dan nemen we je verklaring op en kun je, afhankelijk van de uitkomst van het federale onderzoek, in staat van beschuldiging worden gesteld.'

Hoewel hij wist dat die mogelijkheid bestond, voelde Cody toch een koude rilling over zijn rug lopen.

'Het is mijn plicht je te adviseren je kop te houden totdat je een officiële verklaring aflegt. Vervolgens moet je je realiseren dat je op grond van *Garrity versus New Jersey* kunt worden gestraft als je weigert antwoord te geven op vragen aangaande je gedrag in functie. Als agent heb je geen zwijgrecht. Intussen is de enige met wie je zou moeten praten een adviseur die wij zullen aanstellen. Begrijp je wat ik zojuist heb gezegd?'

'Ja, maar ik wil best praten. En als je een maatschappelijk werker op me afstuurt, dan ontvang ik hem met pepperspray,' snauwde Cody. 'Het is precies gegaan zoals Carrie Lowry in de krant heeft beschreven. Skeeter heeft als eerste zijn wapen getrokken en gevuurd nadat ik hem had bevolen zijn handen omhoog te doen. Ik heb uit zelfverdediging op hem geschoten.'

Tubman bleef zijn hoofd schudden, alsof hij voelde hoe zijn carrière hem door de neus werd geboord.

Bodean zei: 'Zij schreef dat je je niet bekend had gemaakt.'

'Daar kreeg ik de kans niet toe. Skeeter was verdomd snel voor een lijkenpikker.'

'Je hebt een alcoholtest geweigerd.'

'Daar heb ik het recht toe. Ik vertrouw die draagbare krengen niet. Ik heb later een test gedaan, hier op het bureau.'

'*Uren* later,' zei Bodean, 'nadat de alcohol in je systeem de kans had gehad te metaboliseren. En toen had je nog een promillage van 0.88. Dat kun je nauwelijks nuchter noemen en dat was vier uur na de schietpartij. En de agent ter plekke verklaarde dat je stonk als een stokerij.'

'Dougherty weet nog niet eens wat een stokerij is als hij erover struikelt,' zei Cody.

'Je hebt geluk dat Skeeter zijn kogelvrije vest aanhad. 'Je eerste kogel heeft hem hier geraakt.' Bodean wees op zijn hartstreek. 'De tweede raakte hem boven het vest en heeft zijn schouder behoorlijk toegetakeld. Maar hij komt er wel weer bovenop en kan ieder ogenblik een persconferentie geven.'

Intuïtief hief Cody zijn hand op en raakte het drukverband op zijn oor aan, waar Skeeters kogel hem had geschampt. De kogel had meer dan een centimeter van zijn oorlel afgerukt en de wond bloedde als een gek, totdat ze in staat waren het te stelpen.

Nadat de artsen van de spoedeisende hulp hem hadden verbonden en ontslagen, had hij geprobeerd met de lijkschouwer te praten, die op een hogere etage in hetzelfde ziekenhuis lag. Hij wist niet goed of hij Skeeter de huid moest vol schelden, zijn excuses aan moest bieden of hem opnieuw moest neerknallen. Hij kreeg de kans niet om een keuze te maken, omdat het hoofd beveiliging van het ziekenhuis hem niet toe wilde laten voor het bezoekuur was aangebroken.

'Waarom droeg Skeeter in hemelsnaam een kogelvrij vest en een vuurwapen?' vroeg Cody. 'Hij is de *lijkschouwer*. En hij had geen journaliste mogen toelaten op een plaats delict om foto's te maken. Dat hoort niet. Hij gedroeg zich verdacht.'

'Dat willen we allemaal graag weten en dat zal wel blijken uit het onderzoek,' zei Tubman. 'Misschien zit hij wel net zo diep in de problemen als jij of nog dieper. Maar in dit geval ben ik blij dat hij het vest droeg, anders hadden we een moordonderzoek aan onze broek gehad en had jij achter de tralies gezeten.'

Cody haalde zijn schouders op. 'Over moord gesproken,' zei hij, 'ik zou nog steeds graag worden ingezet bij het onderzoek naar de moord op Hank Winters.'

'Het was geen moord,' zei Tubman met nadruk.

'Dat was het wel,' zei Cody.

'Daar blijf je uit de buurt,' zei Tubman. 'Blijf uit de buurt van dit kantoor. Blijf uit de buurt van Larry.' Hij boog zich naar voren over het bureau en balde zijn vuisten. 'En blijf verdomme helemaal uit *mijn* buurt.'

De deur ging open en Edna stak haar hoofd om de hoek. 'Sheriff, de gouverneur is aan de lijn. Hij wil de stand van zaken weten.'

Tubman kreunde en leunde achterover. 'Donder op,' zei hij tegen Cody. 'Recht de deur uit en naar huis. Geen woord, tegen niemand. En blijf bij je telefoon in de buurt.'

Voordat Cody de kamer verliet, dook hij achter de sheriff langs en keerde de hoed waaraan hij zich ergerde om.

Larry zat in zijn eentje in de recherchekamer en bestudeerde de digitale foto's van de plaats delict die Cody twee nachten eerder had gemaakt. Hoewel hij enigszins verkrampte toen Cody binnenkwam, groette hij hem niet. En toen Cody de deur achter zich sloot, leek Larry nog intenser naar het beeldscherm te turen dan voorheen.

'Ik ben zo weer vertrokken,' zei Cody.

Hij liep naar zijn bureau en begon een lege doos die hij voor de deur van de bewijskamer had gevonden te vullen met zijn paperassen, spullen en de misdaadroman waaraan hij begonnen was.

'De volgende keer,' zei Larry ten slotte, 'moet je op zijn hoofd mikken.'

'Ha.'

'Man, als jij de fout in gaat, dan ga je ook *goed* de fout in. Dat moet ik je nageven.'

Cody kreunde.

'Een chocolademuntje in goudfolie?' vroeg Larry lachend.

'In zekere zin heeft het gewerkt,' zei Cody, 'Als de moordenaar dacht dat hij iets had achtergelaten...'

'Je weet wat er gaat gebeuren,' zei Larry. 'Skeeter weet dat hij ook in een lastig parket zit. Hij zal dus proberen bij de pers en de kiezers een wit voetje te halen. Hij slaat aan het kakelen en zal proberen jou zoveel mogelijk zwart te maken en het onderzoek te traineren.'

Cody haalde zijn schouders op.

'Wat is er bij de sheriff gebeurd?'

'Ik ben geschorst tot blijkt dat mij niets te verwijten valt.'

'Wat ben jij toch een ontiegelijke mazzelkont, Cody. Je had de lijkschouwer wel kunnen doden of je had zelf kunnen worden gedood. En ik twijfel er geen moment aan dat je op dat moment straalbezopen was.'

'Ik was stomdronken,' zei Cody. 'Maar toen ik de trekker overhaalde voelde ik me zo nuchter als wat. Vreemd hoe dat gaat. Adrenaline overtroeft alcohol: onthoud dat goed.'

'Ben je er klaar mee? Met dat gezuip, bedoel ik?'

'Ik geloof het wel,' zei Cody. 'Maar ik kan niks beloven.'

'Ja,' zei Larry, terwijl hij zich omdraaide op zijn stoel om hem aan te kijken. 'Ik weet hoe betrouwbaar die beloften van jou zijn.'

'Het spijt me echt verschrikkelijk,' zei Cody, en hij keek uit het raam naar het gazon voor het politiebureau. 'En nogmaals bedankt dat je me hebt gedekt.'

'Dat is de laatste keer geweest,' zei Larry. 'Ooit.'

'Daar kan ik mee leven.'

Larry was even stil. Toen zei hij: 'Ik heb mijn mening over de dood van Winters enigszins bijgesteld.'

'O ja?' Voor het eerst in achtenveertig uur voelde hij een sprankje hoop.

'Ja. Terwijl jij gisteren aan het slempen was met je oude drinkebroers, heb ik wat recherchewerk verricht.'

'*En?*'

Het voorlopige sectierapport duidt op een hoofdwond aangebracht met een stomp voorwerp. Natuurlijk weten ze nog niet of die is aangebracht voor of nadat de dood was ingetreden. Ik bedoel, de man lag bedolven onder balken van het dak die op zijn test terecht zijn gekomen. Maar hij had totaal geen rook in zijn longen. Wat inhoudt dat hij waarschijnlijk al dood was voordat het vuur om zich heen greep. Zoals je weet is het nooit het vuur dat hun noodlottig wordt. Dat is de rook.'

'Merkwaardig dat er geen rook in zijn longen zat.'

'En al die regen en dat koude weer hebben nog een voordeel opgeleverd,' zei Larry. 'Volgens het laboratorium was er te veel tijd verstreken tussen het intreden van de dood en het ontdekken van het lichaam om te bepalen of er alcohol in zijn bloed zat toen hij stierf. Daarbij komt dat de hitte van het vuur het letterlijk zou kunnen hebben opgebrand. Maar omdat het lichaam heel koel is gebleven, plukken ze zijn ogen eruit en onderzoeken die.'

Cody huiverde. 'Zijn *ogen?*'

Larry las voor uit zijn aantekeningen. 'De humor vitreus kan worden getest. Dat is de geleiachtige substantie in de oogbal. Daarin kan alcohol worden opgespoord zonder een bloedmonster te hoeven nemen. Dat geeft een beeld van het bloed ongeveer twee uur voordat de dood intrad. Als dat verhoogd is dan kan de lijkschouwer daaruit opmaken dat het slachtoffer waarschijnlijk onder invloed was. Ze kunnen het alcoholpromillage niet bepalen, maar ze kunnen wel zeggen hoe hoog het *mogelijk* kan zijn geweest op het moment van overlijden.'

'Wanneer bellen ze je terug?'

Larry haalde zijn schouders op. 'Binnenkort, hoop ik. Het staat niet vast, maar als er geen rook in zijn longen zit en niets wijst op alcoholconsumptie, dan is dat toch ongeveer de doodsteek voor mijn stelling dat het een ongeluk of zelfmoord is geweest. Want dat zou betekenen dat iemand een fles heeft opengemaakt en die heeft achtergelaten om naast het lijk te worden gevonden en dat iemand het luikje van de kachel heeft opengezet.'

'Onze moordenaar heeft hem dus zijn hersens ingeslagen, de fles drank leeggedronken of leeggegoten en de boel in de fik gestoken,' zei Cody knikkend.

'Nu loop je te hard van stapel,' zei Larry.

'Ik zal het je nog sterker vertellen,' zei Cody. 'Degene die dit op zijn geweten heeft wist dat Hank ooit problemen heeft gehad met alcohol. Omdat Hank al vijf jaar lang geen druppel meer had gedronken, moet men iets hebben geweten van Hanks verleden. Een vreemde zou dat nooit hebben kunnen weten, toch?'

Larry wilde protesteren, maar zijn mondhoeken gingen omlaag en hij knikte. 'Ik begrijp waar je heen wilt. Maar wie, afgezien van jou, zou dat kunnen weten?'

Cody gaf geen antwoord. Hij liet het Larry zelf uitdokteren.

'Alle anderen in jouw AA-groep,' zei Larry. 'Jullie vertellen elkaar alles. *Zij* moeten dat hebben geweten.'

'Precies,' zei Cody.

Larry zei: 'We moeten dus nagaan waar alle leden van de AA, afdeling Helena, zich drie dagen geleden tussen acht en twaalf uur 's avonds bevonden.'

Cody wachtte even. 'Hoe ben je op die tijd van overlijden gekomen? Van de lijkschouwer?'

'Nee. Op het bonnetje van de biefstukken die Winters heeft gekocht stond 6.03 uur 's avonds. De rit naar zijn hut kost bijna een uur, dus laten we aannemen dat hij daar om zeven uur aankwam. Volgens het energiebedrijf van Montana viel de stroom in de hut ongeveer om twaalf uur uit, wat aan de brand kan worden geweten. Zo kom je aan het tijdsbestek waarbinnen het moet zijn gebeurd.'

Cody was onder de indruk. Larry was écht goed.

'Maar wat betreft die alcoholisten,' zei Larry. 'Ken jij ze allemaal?'

Cody knikte.

'Heb je een lijst?'

'Thuis,' zei Cody. 'In ons groepje zijn we met zijn dertienen. Uiteraard zijn er overal groepen en er wonen veel meer alcoholisten in Helena dan jij je kunt voorstellen. Maar onze groep is klein vanwege het tijdstip waarop en de plek waar we bijeenkomen. Ik kan het je mailen. Officieel mag ik me niet met de zaak bezighouden, maar ik kan *jou* wel informatie toespelen.'

'Mooi zo,' zei Larry. Cody zag een glinstering in zijn ogen. Ze waren goed bezig.

'Maar ik vind het wel vreselijk,' zei Cody. 'Ik maak misbruik van hun vertrouwen. Dit is echt een rotstreek tegenover hen. Ik bedoel, je zult nog vreemd opkijken. We hebben het over artsen, advocaten en een paar politici. Zelfs iemand bij ons op het bureau.'

Daar keek Larry inderdaad vreemd van op.

'Edna,' zei Cody. 'Maar haar hoef je niet te verhoren. Zij zat deze week alle avonden hier op de meldkamer.'

'Maak je geen zorgen,' zei Larry. 'Ik zal totaal niet laten blijken hoe ik aan hun namen ben gekomen. Ik zeg gewoon dat we iedereen natrekken die we konden vinden en die hem kan hebben gekend. Ik zou er zelfs een draai aan kunnen geven en zeggen dat we een adresboekje hebben gevonden en gewoon iedereen natrekken die erin staat. Ik zal de AA niet eens noemen en ook jouw naam niet ter sprake brengen.'

'Daar ben ik je dankbaar voor, Larry. Echt.'

'Maar één ding moet je goed begrijpen, klojo,' zei Larry. 'Ik laat me niet door jou ringeloren. Je *moet* terug naar de AA, anders wil ik nooit meer met jou samenwerken. En dat meen ik serieus.'

'Dat weet ik.'

'O,' zei Larry, terwijl hij zich op de dijen sloeg. 'Er is nog iets wat ik je moet vertellen. Ik heb de harde schijf van die verbrande computer naar de IT-jongens op de universiteit gestuurd. Ze denken dat ze daar nog wel wat gegevens van kunnen redden. Daar keek ik vreemd van op want ik heb altijd gedacht dat gegevens... nou ja... dat die zouden *smelten*.'

89

'Dat meen je niet.'

'Ze zijn hem nu aan het onderzoeken. Je hoort het wel van me als ze iets vinden.'

Cody wreef over zijn kin. 'Vraag of ze nog brieven of documenten kunnen vinden die hij daar had opgeslagen. En e-mails, natuurlijk. Misschien bestaat er een e-mailcorrespondentie met degene die hij die avond te eten had uitgenodigd. Dat zou een meevaller zijn. En de geschiedenis van zijn webbrowser. Misschien kunnen we achterhalen welke sites hij de laatste tijd heeft bezocht.'

Larry sloeg zijn ogen ten hemel. 'Goh, Cody, daar had ik nou nog geen moment aan gedacht. Fijn dat je me even op het goede spoor zet.'

Cody grinnikte.

De deur van de recherchekamer ging open zonder dat er werd geklopt. Bodean stond in de deuropening met zijn handen in zijn zij. Zijn gezicht stond op onweer.

'Ik dacht al dat ik jouw stem hoorde,' zei hij tegen Cody. 'Wat doe je nog hier, verdomme?'

'Larry raakte helemaal over zijn toeren toen hij hoorde dat ik geschorst was,' zei Cody. 'Ik ben even gebleven om hem te troosten en op zijn gemak te stellen.'

Larry snoof.

'Maak als de sodemieter dat je opdondert, anders laat ik je arresteren,' zei Bodean. 'Je hebt geen enkel recht om je hier op te houden. En geef me je sleutelkaart zodat je niet kunt terugkomen.'

Cody gaf hem de kaart en pakte zijn doos op om te vertrekken.

'En de sleutels van je Ford. Dat is een dienstauto.'

Cody zei: 'Die zal ik bij de garage laten staan voor de jongens van onderhoud. Vergeet niet dat-ie een beetje in de kreukels ligt.'

Bodean dacht een ogenblik na en knikte toen. 'Net als jij, eigenlijk,' zei hij.

'Wauw,' zei Cody, 'dat was een goeie, Bodean. Hoe kom je erop.'

Cody pakte zijn doos op en maakte aanstalten om de kamer te verlaten.

'Die blijft hier,' zei Bodean. 'Dat is ook rijkseigendom.'

Cody haalde zijn schouders op. Larry keek met opgetrokken wenkbrauwen toe maar zei niets.

'Ga naar huis en blijf bij je telefoon,' zei Bodean.

'Dag, Larry.'

'Cody.'

'Probeer het droog te houden.'

'Ik zal mijn best doen,' zei Larry.

De ochtend was warm en zonnig en de lucht was stralend blauw. Cody slofte over het gazon naar zijn auto op het parkeerterrein. Toen hij daar aankwam draaide hij zich om en keek naar het gebouw dat hij zojuist had verlaten en vroeg zich af wanneer en of hij daar nog eens zou terugkeren.

Het gerechtsgebouw naast het moderne uit beton en glas opgetrokken Bureau van Justitie was een statig, oud victoriaans gebouw van blokken steen. Hij zag de officier van justitie en zijn assistent met een stapel dossiers naar buiten komen. Toen ze hem zagen, bleven ze stilstaan en de officier van justitie wees naar hem. 'Daar heb je hem,' zei hij.

'Hier heb je me,' mompelde Cody.

Hij klopte op zoek naar zijn sleuteltjes op zijn zak. Hij was blij dat Bodean hem de auto voorlopig liet behouden. Zijn eigen pick-up had maanden stilgestaan; zonder de Ford kon hij geen kant op.

Toen hij het parkeerterrein af en de hoek van Breckenridge

en Ewing om reed, zag hij een vervagende geverfde tekst op de zijkant van een oud stenen gebouw, die hij nooit eerder had opgemerkt. OPSLAGSCHUREN stond er nog leesbaar. Op de hoek aarzelde hij. Als hij links afsloeg, kwam hij langs de Jester Bar. Hij zuchtte diep en sloot zijn ogen. Hij had best trek in een ijskoud biertje. Eentje maar. Om zijn zenuwen te kalmeren en de akelige scherpe kantjes in zijn hersenen eraf te halen. Na één glas zou hij weer weggaan.

Hij hoorde zijn mobieltje overgaan. Larry.

'De lijkschouwer heeft gebeld. Ze hebben zijn oogballen opengesneden. Voor zover zij konden nagaan had Winters *geen* alcohol genuttigd. Je had gelijk.'

'We beginnen nog maar net,' zei Cody.

'Wacht maar eens tot ik bij Tubman binnenloop om hem te vertellen dat we toch met een moord te maken hebben. Daar zal hij, na alles wat hij vandaag al op zijn bord heeft gekregen, niet vrolijk van worden.'

'Hou me op de hoogte,' zei Cody en hij sloeg rechtsaf in de richting van zijn huis. 'Ik heb een hoop om over na te denken. Je hoort nog van me.'

7

HOEWEL HIJ DOODOP was en zijn oor werd geteisterd door pijnscheuten, weigerde Cody de medicijnen te slikken die ze hem hadden gegeven, omdat hij wist, omdat hij gewoon *wist*, dat hij weer zou gaan drinken als zijn waakzaamheid maar even verslapte. Hij kende zichzelf. Hij zou een rechtvaardiging weten te vinden om het op een zuipen te zetten.

Hij had pijn aan zijn oor;
Hij was geschorst;
Kostbare uren om de moordenaar te vinden waren verloren gegaan en die zou hij nooit meer terugkrijgen;
Zijn hond was doodgegaan (toegegeven, dat was twintig jaar geleden, maar hij was evengoed dood);
Hij miste zijn zoon;
Zijn pensioen kon hij wel op zijn buik schrijven.

En dat waren nog maar een paar van de dingen die onmiddellijk in zijn hoofd opkwamen. Hij moest zo alert en vastbesloten mogelijk blijven, ondanks de pijn en de dodelijke vermoeidheid, dus dronk hij sterke koffie, rookte hij de ene sigaret na de andere en dacht hij ijsberend na.

Hij woonde in een halfvrijstaande huurwoning met vanaf het terras aan de achterkant een mooi uitzicht op Mount Helena. Maar het gebouw begon tekenen van ouderdom te vertonen – versleten tapijten, beschadigd lijstwerk, kapotte horren, ramen die niet goed meer sloten. Hij had drie slaapkamers en twee badkamers, wat van allebei te veel was. Eén slaapkamer stond helemaal leeg, een andere stond vol met troep en lege verhuisdozen van een jaar tevoren en hij had een bed dat hij behalve voor seks zelden gebruikte omdat hij altijd op de bank sliep. Boeken stonden in de zitkamer opgestapeld tot aan het plafond, omdat hij er na zijn scheiding nooit aan toe was gekomen om een boekenkast te kopen. De deur van de badkamer beneden hield hij gesloten omdat het daar stonk naar eend. Sinds hij die gewonde wilde woerd mee naar huis had genomen en wekenlang in zijn badkuip had laten rondploeteren, was daar een stank achtergebleven die van geen wijken wist. Stomme eend, dacht hij. Hij was blij toen het beest eindelijk wegvloog.

Hij ging naar zijn kantoortje in de kelder, zette zijn computer aan en stuurde de lijst met namen naar Larry. Enkele seconden later had Larry hem met een kort e-mailtje bedankt. Toen begon Cody te ijsberen.

Elke keer als hij langs een van zijn twee telefoons liep, keek hij ernaar in de hoop dat het ding zou rinkelen. Elk uur controleerde hij of er al boodschappen waren binnengekomen van de sheriff of Larry of van wie dan ook. Zijn handen beefden en zijn huid jeukte.

Hij nam het scenario nog eens door dat het meest overeenkwam met de feiten en zijn eigen overpeinzingen. Hank was met het vliegtuig teruggekeerd uit Salt Lake City, was op weg van het vliegveld bij de supermarkt gestopt en had avondeten voor twee personen ingeslagen. Hij had zich naar huis gehaast om te koken.

Cody bleef stilstaan en sloeg met de palm van zijn hand tegen zijn voorhoofd. Misschien was het wel een *vrouw*. Misschien had Hank wel een *afspraakje*. Hij had nooit eerder aan een vrouw gedacht, maar dat leek eigenlijk nog waarschijnlijker dan een man. Maar grote biefstukken? Dat was mannenvoedsel. Hij schudde zijn hoofd en ging door met ijsberen.

De gast was dus niet lang na Hank gearriveerd. Ze hadden de grill nog niet eens aangezet, dus ze moesten eerst wat hebben bijgepraat. Vervolgens had de gast Hank om de een of andere reden op zijn hoofd geslagen. Nog voordat ze hadden gegeten, waaruit Cody opmaakte dat de aanval waarschijnlijk snel en met voorbedachten rade moest zijn geweest en geen impulsieve opwelling die voortvloeide uit wat zich die avond in de blokhut kon hebben afgespeeld. Toen Hank buiten gevecht was gesteld, stal hij (zij?) Hanks AA-munten en misschien nog iets anders – Geld? Medicijnenmonsters? Goud? Een schatkaart? – opende een fles sterke drank en liet die dicht bij het lichaam achter. De bezoeker zette het luikje van de houtkachel open, vulde die met houtblokken totdat het vuur oplaaide, stak vervolgens de gordijnen of het tapijt in brand en verliet de hut. En dat zou allemaal volmaakt zijn geweest als het niet was gaan regenen en het drie dagen *achtereen* was blijven regenen.

God, wat vond hij dat afkicken vreselijk. Het deed pijn. Als hij nu maar één biertje kon…

Toen de drukkende middag versmolt met de schemering liep hij het terras op met zijn draadloze telefoon en begon met het plegen van zijn serie telefoontjes. Dit vond hij ongeveer het ergste aan het bijkomen van een drankgelag: dat hij zijn excuses moest aanbieden aan iedereen die hij voor het hoofd had gestoten. Soms was hij daar uren zoet mee. Soms kwam hij erachter dat vrienden en familieleden nooit meer met hem wilden praten en hij bereidde zich erop voor er nog een paar te verliezen.

Hij begon met Carrie Lowry, die ongeduldig zwijgend luisterde, totdat ze hem in de rede viel om hem te zeggen dat ze het druk had. Dat haar vriendje Jim het niet leuk vond om op die manier wakker te worden gemaakt en *haar* daar de schuld van gaf. Toen Skeeter, die weigerde hem te woord te staan. Vervolgens Skeeters vrouw Mayjean, die koel en afstandelijk en ergerlijk formeel deed. Daarna de man van de slijterij die zei: 'Geeft niks hoor, je mag altijd terugkomen als je honderd dollar op de toonbank smijt.' En als laatste: Jenny.

'Je was dronken, hè?'

'Ja.'

'Weet je nog dat je dat ontkende? Je ontkent het altijd en dan ben je verontwaardigd dat ik het zelfs maar durf te vragen. Daaraan merk ik het.'

'Ja, ja.' Cody stak een sigaret aan met de peuk van de vorige, zodat hij geen seconde nicotine zou missen. In gedachten zag hij haar voor zich: lang donker haar, blauwe ogen, mopsneusje, weelderige mond, goed figuur. Ze had ook een goed gevoel voor humor, *vroeger* tenminste, voor hij haar dat had afgenomen. Hij zou altijd van haar houden, verlangde altijd naar haar en dat wist ze. Ze kon alleen niet met hem samenleven zoals hij toen was en zoals hij de afgelopen twee nachten was geweest. Dat kon hij haar niet kwalijk nemen.

'Je bent dus op de excuustoer,' zei ze. 'Ben ik de eerste halte?'

'Nee, de belangrijkste heb ik tot het laatst bewaard.'

'Ach,' zei ze spottend.

Hij vertelde haar wat er was gebeurd. Ze viel hem in de rede toen hij over de Anonieme Alcoholisten begon.

'Ik vind het geweldig van je dat je daarheen gaat,' zei ze op mildere toon. 'Waarom heb je me dat nooit verteld?'

'Omdat ik niet wilde dat je zou denken dat ik daar ook een mislukkeling in was als ik weer eens in de fout ging. Wat ik trouwens ben gegaan. Aan de drank, bedoel ik.'

'Dan ga je er nu weer af,' zei ze. 'Daar is toch geen wet tegen, of wel soms?'

Hij dacht aan de groep, aan de steun die de leden hem hadden geboden. Hoe hij hen beloonde voor hun vertrouwen en steun door hen stuk voor stuk door zijn partner te laten ondervragen om erachter te komen of één van hen een moordenaar zou kunnen zijn. Man...

'Mijn sponsor is vermoord,' zei hij. 'Dat was in zekere zin de aanleiding.'

'Dat meen je niet,' zei ze.

'Dat meen ik wel.' En toen vervolgde hij: 'O – heb ik je al verteld dat ik vannacht de lijkschouwer heb neergeschoten?'

Stilte.

'Hij is niet dood. En hij schoot als eerste. Ik ben geschorst maar dat is maar een formaliteit. Waar ik niet tegen kan is dat ik achter die schoft aan wil en hem te grazen wil nemen–'

'Cody,' viel ze hem in de rede... 'Heb jij de lijkschouwer *neergeschoten?*'

Hij lachte. Zoals zij het zei klonk het grappig. Toen moest hij haar vertellen hoe de vork in de steel zat.

Het duurde even voordat ze in staat was over iets anders te beginnen. Hij keek naar de zon die langzaam achter Mount Helena wegzakte en realiseerde zich dat dit het langste gesprek was dat hij in zeven en een half jaar met haar had gevoerd. Toen herinnerde hij zich dat ze twee avonden tevoren iets had gezegd over haar nieuwe rijke verloofde die weg was.

'Waar zei je ook weer dat ze heen waren? Zijne Rijkheid en Justin?'

'Noem hem niet zo. Dat heb ik je laatst al gezegd, maar dat

herinner jij je niet meer. Hij heeft Justin meegenomen op een survivaltocht van een week. Zelfs met een mobieltje kun je ze niet bereiken, en dat maakt me gek. Het is een idee van Walt omdat hij wil dat de band tussen hem en Justin zo goed mogelijk wordt. Hij voelt zich een beetje buitengesloten en...'

Cody was totaal van de kaart. De gedachte dat Zijne Rijkheid en *zijn* zoon zoveel tijd in elkaars gezelschap doorbrachten bezorgde hem pardoes een pesthumeur. Hij luisterde nog maar met een half oor. Iets over paarden en vliegvissen, helemaal in Wyoming. Dat moest een fortuin hebben gekost, dacht hij.

'Justin heeft me laatst nog even opgebeld,' zei Cody. 'Hij wilde iets lenen. Ik heb hem nauwelijks gesproken. Om eerlijk te zijn, heb ik hem niet eens laten uitpraten. Dat zit me nu niet lekker.'

Zijn telefoon maakte een klikgeluidje – nog iemand belde hem op.

'Ik moet nu gaan,' zei hij.

'Bel me gauw weer eens,' zei ze, tot zijn verbazing. 'Alleen dan niet als je weer op een excuustoer bent.'

'Met die collega-alcoholisten van jou ben ik geen steek opgeschoten,' zei Larry. 'Ze hebben allemaal een deugdelijk alibi. Dat wil niet zeggen dat geen van hen zou kunnen liegen, maar drie waren de stad uit en de andere acht konden namen opgeven van mensen die voor hen konden instaan. Iedereen had gehoord wat er met Winters was gebeurd, maar omdat ze in de krant niets hadden gelezen over de fles, begreep niemand waarom ik hen belde.'

'Dat zijn er nog maar elf,' zei Cody. 'Wie heb je niet kunnen opsporen?'

'Pfff, wie denk je? Hank Winters en Cody Hoyt.'

'O ja.'

'Je moet nodig eens gaan slapen.'

'Ik weet niet of ik opgelucht moet zijn of de pest in moet hebben,' zei Cody. 'Want nu zijn we meteen ons beste aanknopingspunt kwijt.'

'Ja, dat is balen. Mijn professionele radar is in alle gesprekken met hen geen enkele keer uitgeslagen. Ze waren allemaal behulpzaam en klonken oprecht.'

'Misschien was het Edna,' zei Cody, waarbij zijn stem samenzweerderig laag klonk. 'Misschien had ze iets met Hank en is er iets misgegaan.'

'Of misschien was jij het,' zei Larry. 'Kun jij me vertellen waar jij die nacht uithing?'

Zo gingen ze met elkaar om, dacht Cody. Dienders onder elkaar. Maar misschien klonk er toch iets van nieuwsgierigheid door in Larry's vraag. In feite, bedacht hij, had hij geen alibi. Hij had voortdurend rondgereden. Er was niemand die kon bevestigen waar hij was geweest.

'Kunstvliegen aan het binden,' zei Cody, denkend aan wat zijn zoon aan het doen was.

'Dat lieg je. Daar heb je een vaste hand voor nodig.'

'Sla me dan maar in de boeien, klabak,' zei Cody. Eigenlijk had hij wel degelijk kunstvliegen gebonden. Tweehonderd maar liefst – kokerjuffers, zandhoppers, droogvliegen, stimulators, trico's, nimfen – in de afgelopen twee maanden, als hij niet doelloos in de omgeving rondreed. 'Heb je al iets gehoord van die computerjongens?'

'Nu je het zegt, ja. Ze hebben een deel van de harde schijf weten te redden, maar niet alles. Het slechte nieuws is dat er geen e-mails zijn gevonden. Geen enkele. Dus wat dat betreft hebben we pech. Maar weet je nog dat je me vroeg naar de geschiedenis van zijn browser? Welke websites hij had bezocht?'

'Ja' zei Cody. Alleen al door de manier waarop Larry het vroeg begon hij iets van opwinding te voelen.

'Ze faxen me de uitdraai en die heb ik nog niet ontvangen, maar ze zeiden dat hij een week geleden de meeste sites heeft bezocht, klaarblijkelijk voor zijn reisje naar Salt Lake City. Nieuws, weersverwachting, zakelijke sites, sportuitslagen, geen porno of rariteiten. Maar de laatste site bezocht hij om negen uur op de avond dat hij de dood vond.'

Cody wachtte. Uiteindelijk vroeg Larry: 'Was Winters een buitenmens?'

'Niet echt,' zei Cody. 'Ik herinner me dat hij het wel eens over jagen heeft gehad, maar dat was volgens mij al heel lang geleden. Hij viste niet, want ik heb nog geprobeerd hem wat vliegen aan te bieden, maar die wilde hij niet. Waarom vraag je dat?'

'Omdat de laatste site die hij bezocht die van een reisorganisator was.'

Cody hoorde Larry met papieren schuifelen. 'Oké, hier heb ik het. Het was de site van Jed McCarthy's Wilderness Adventures. Ik heb geen flauw idee wat dat inhoudt, maar ik neem aan dat het jachtreisjes zijn. Ik zit op dit moment in de auto en ga na het eten terug naar het bureau, dus ik heb nog geen kans gehad om het op te zoeken.'

Cody noteerde de naam. 'Bedankt, Larry. Ik zal er ook eens naar kijken.'

'Zeg, heb je gehoord dat Skeeter een persconferentie heeft gehouden vanuit zijn bed in het ziekenhuis?'

'Nee.'

'Hij noemde jou een ongeleid projectiel,' zei Larry lachend. 'De verkiezingscampagne is al begonnen.'

'Geweldig.'

'Volgens zijn verhaal sprong er een schimmige griezel, zwaaiend met een wapen, van achter de hut tevoorschijn en schoot hij intuïtief om zichzelf en de verslaggeefster te beschermen. Hij zei dat jij moest worden ontslagen.'

Cody zei: 'Je had gelijk. Ik had op zijn kop moeten mikken.'
'Volgende keer beter,' zei Larry.

Het zoeken met Google nam twee seconden in beslag en Cody zag de site voor zich: *Jed McCarthy's Wilderness Adventures.* 'Wilderness Adventures' stond in forsere letters en de naam van de eigenaar/exploitant stond cursief, schuin boven aan de pagina, wat de indruk moest wekken dat het bedrijf een gerenommeerde reputatie had, ook al had Jed zelf dat misschien niet.

Het was een deugdelijke, overzichtelijke site, en heel iets anders dan de sites van plaatselijke bedrijfjes die hij eerder had gezien, waar visgidsen, vakantieboerderijexploitanten of herbergiers hun kleindochter hadden ingehuurd om iets op het internet in elkaar te flansen. Wilderness Adventures beschikte over een menu, onderverdeeld in dagtrips, trektochten, meerdaagse trips, foto's, vliegvissen, tarieven, reserveringen, een virtuele reis en nog veel meer. Er was zelfs een online-aanmeldformulier. Hij klikte op 'Trektochten' en las een meerdere pagina's tellend artikel, geïllustreerd met verbluffende foto's van Yellowstone Park. Duidelijk werd dat Jed McCarthy een van de weinige gidsen was die een officiële vergunning van Staatsbosbeheer had om meerdaagse excursies door Yellowstone te organiseren. En McCarthy maakte van elke gelegenheid gebruik om dat nog eens extra te benadrukken.

Hij bladerde door naar de agenda-pagina. Er waren een twaalftal verschillende reizen die op verschillende data vertrokken. Hij wou dat Larry hem had kunnen vertellen dat de computerjongens uit Hanks browsergeschiedenis ook hadden opgemaakt naar welke reis zijn belangstelling precies was uitgegaan of dat Hank alleen de homepage had bezocht.

Maar hij had sterk het gevoel dat er iets niet in de haak was. Cody dacht terug aan de uren dat hij met Hank had gesproken. Ze hadden samen hun mislukkingen en hun dromen besproken. Hij kon zich niet herinneren dat Hank ooit had gezegd dat hij op een paard de vrije natuur in wilde rijden, of op vakantie de wildernis in wilde of iets dergelijks. Hoewel Hank duidelijk hield van de bergen – daarom had hij hier die blokhut gekocht – herinnerde hij zich dat Hank ooit had opgemerkt dat hij al meer dan genoeg ontberingen had moeten doorstaan toen hij nog bij de marine zat.

Wat leidde tot een nieuwe mogelijkheid in het moordscenario dat Cody eerder had uitgedacht.

Misschien was Hank niet degene die op reis ging, dacht hij. *Misschien was het zijn gast.* Misschien had de gast Hank laten zien waar hij naartoe ging na zijn bezoek aan Helena. En toen Hank naar het scherm keek, was de bezoeker achter hem gaan staan en had hem ergens mee op zijn hoofd geslagen...

'Shit,' zei Cody en het duizelde hem. Om welke reis ging het? Het waren er zoveel...

Ze flitsten door zijn hoofd. Snake River, Geisers en Verkenningen, Slough Creek, De Hoodoo Variabele Trektocht. Lower Falls. Lamar River. Electric Peak en Verder.

Toen keek hij opnieuw naar de agenda.

'Aha,' zei hij en de schellen vielen hem van de ogen. Cody was ervan uitgegaan dat Jed McCarthy een legertje aan gidsen, medewerkers en reizen voorradig had die gelijktijdig alle kanten op gingen. Maar de agenda bestreek juni, juli, augustus en september. Binnen die maanden waren blokken van drie-, vier-, vijf- en zevendaagse reizen in verschillende kleurcodes gemarkeerd. De reizen overlapten elkaar niet. Het leek dus zo te zijn dat McCarthy en zijn mensen een groep voor drie of vier dagen mee op sleeptouw namen en daarna terugkeerden naar het basiskamp. Een paar dagen later leidde hij weer een andere reis. De een na de ander, van de laatste week van mei, als de sneeuw begon te smelten, tot half september, wanneer de sneeuwjachten weer begonnen.

Hij klikte op de link 'Onze Gidsen'. Het waren er twee. Jed McCarthy had een grote cowboyhoed op en een zijden sjaal om en stond stoer op de foto. Er was ook nog een leuk uitziende vrouw die Dakota Hill heette en was gefotografeerd toen ze op een paard zat. Ze leek jong genoeg om Jeds dochter te zijn.

Zijn telefoon ging en hij pakte hem op. Larry.

'Ik zit naar die website te kijken...'

'Ik ook,' zei Cody. 'Ik heb een vraag – hebben die computerjongens de exacte pagina gefaxt waar hij naar heeft gekeken? Ik bedoel, ging het om een specifieke reis?'

'Het was de homepage,' zei Larry. 'Maar Hank had in de tien minuten die daaraan voorafgingen al een aantal pagina's bekeken: Benodigdheden, Menu's, Interactieve landkaarten. Hij heeft die website echt bestudeerd. Waaruit ik opmaak dat Hank echt iets probeerde uit te zoeken of van plan was een reisje te maken.'

'Dat lijkt me sterk,' zei Cody. 'Het zou een kant van Hank kunnen zijn die mij volledig onbekend was, maar dat kan ik me moeilijk voorstellen. Als hij belangstelling had voor zulke dingen, dan hadden we kampeerspullen, zadels, een slaapzak, dat soort dingen moeten vinden. Daar heb ik geen spoor van kunnen ontdekken. Jij wel?'

'Het zou kunnen zijn verbrand,' zei Larry, maar met weinig overtuigingskracht. 'En hoe weten we trouwens of hij de site niet gewoon eens wilde bekijken? Misschien voor een reisje veel later? Uit niets valt op te maken dat hij per se dít jaar op trektocht wilde.'

Cody schudde zijn hoofd. 'Dat wil er bij mij niet in. Denk je eens in. Hij doet inkopen voor een dinertje en snelt naar huis om zijn gast te verwelkomen. Hij is een aantal dagen afwezig geweest. Maar in plaats van al zijn boodschappen uit te pakken of de maaltijd voor te bereiden gaat hij in zijn studeerkamertje zitten om het internet af te struinen? Vind jij dat logisch?'

'Nee.'

'Maar als het nu eens zijn gast is geweest?' zei Cody. 'Wat als de moordenaar Hank liet zien waar hij van plan was naartoe te gaan?'

Stilte. 'Daar had ik niet aan gedacht,' zei Larry.

'Wacht eens even,' zei Cody, opnieuw de agenda tevoorschijn toverend. 'Wat is het vandaag, dertig juni?'

Larry grinnikte. 'Ja.'

'Nou, volgens de agenda heet de grootste en langste reis van dit jaar "Het Grote Onbekende": Op Avontuur naar het hart van Yellowstone. Een aantal overnachtingen in een uithoek van de wildernis.' Cody zweeg even. 'Die reis begint op 1 juli.'

'Dus als onze man zelfs vijf dagen geleden in zuidelijke richting naar Yellowstone op weg was om op trektocht te gaan met Jed McCarthy,' zei Larry, 'dan zou dit de enige tocht zijn die in aanmerking komt.'

'Ja,' zei Cody, 'want volgens de agenda had Jed de tocht naar het Hoodoo Bekken al achter de rug. Dus aan die tocht kan hij niet hebben deelgenomen.'

'Allemachtig,' zei Larry, 'we gaan nu wel erg kort door de bocht. Alleen uit het feit dat Hank op de avond dat hij stierf naar een website keek, trekken wij de conclusie dat zijn moordenaar op weg was naar Yellowstone. Ik geloof niet dat ik dat zomaar kan accepteren zonder wat meer aanwijzingen.'

Cody gromde instemmend. 'Ik wilde dat die koleretrip niet morgen al begon,' zei hij vervolgens. 'Ik vraag me af of het mogelijk is om Jed nog te pakken te krijgen en hem te vragen wie er meegaan op die reis. Dan weten we of Hanks naam op zijn lijst voorkomt. Jed heeft waarschijnlijk een behoorlijk nauwkeurige passagierslijst of hoe je dat ook noemt. Dan zouden we alle namen kunnen controleren en zien of er mensen uit deze omgeving bij zijn, en of iemand een strafblad heeft en of we iemand op de een of andere manier met Hank in verband kunnen brengen.'

'En hoe had je gedacht dat te doen?' vroeg Larry.

'Kwestie van ouderwets speurwerk,' zei Cody.

'Ha ha.'

'Blijf waar je bent,' zei Cody, 'ik bel je zo terug.'

Hij toetste het telefoonnummer in van Wilderness Adventures. Het adres was in Bozeman, wat betekende dat hun hoofdkantoor zich ver buiten de noordgrens van het park bevond. Als Jed de volgende ochtend de reis zou leiden, dan was het niet waarschijnlijk dat hij nog in Bozeman zou zijn, maar...

Cody werd doorverbonden met een voicemail. Een erudiete mannenstem met een vaag plattelandsaccent zei: U bent verbonden met de voicemail van Jed McCarthy's Wilderness Adventures, de enige gediplomeerde organisator van meerdaagse excursies door Yellowstone Park. We zijn momenteel op trektocht en kunnen u dus niet te woord staan. En vanwege de aard van de tocht kan ik de komende week mijn boodschappen niet afluisteren. Raadpleeg alstublieft onze website en...'

Hij verbrak de verbinding en belde Larry terug.

'Er is niemand aanwezig,' zei Cody.

'Het is tien uur in de avond, Cody. Wat had je anders verwacht? Morgenochtend is er vast wel weer een bureauchef of zo iemand.'

'Daar zou ik niet op rekenen,' zei Cody. 'Die kleine reisbureautjes zijn vaak familiebedrijfjes. Geloof me, ik kan het weten. Ik ben ertussen opgegroeid. Mijn oom Jeter had zijn hele handeltje op een velletje papier dat hij in zijn borstzakje met zich mee-droeg. Jed is waarschijnlijk wel wat moderner, maar als er mor-gen nu eens niemand is om de administratie te raadplegen en te zien wie meedoen aan die tocht? We kunnen moeilijk een week wachten voor we erachter zijn. Stel je voor dat de moordenaar er deel van uitmaakt.'

'Dan is die er ook nog wel als ze terugkomen,' zei Larry. 'Als dit iets oplevert, dan kunnen we hem opwachten op de plek waar Jeds basiskamp zich bevindt. Dat geeft ons de tijd om alles na te gaan en te zien wat het oplevert. Vervolgens moeten we de federale politie en de parkopzichters op de hoogte stellen. We kunnen er niet botweg op afstormen.'

'Hmmpf.'

'Je weet dat we meer tijd en een massa meer harde bewijzen nodig hebben,' zei Larry. 'We beginnen in Bozeman, op zijn kantoor. Hij moet iemand in dienst hebben die de telefoon op-neemt en de tent draaiende houdt als hij op reis is. Waarschijn-lijk een receptioniste of een boekhouder. We kunnen opbellen en de sheriff of de plaatselijke politie in Bozeman vragen ons daar morgenochtend te ontmoeten.'

Cody kreunde. *Morgenochtend…*

'Dit is nogal een wilde gok, Cody,' zei Larry. 'Dat toevallig die pagina op zijn computer opdook wil nog niet zeggen dat de moordenaar deelneemt aan die trektocht.'

'Dat *weet* ik,' zei Cody. 'Maar het is de enige indicatie waar hij naartoe gaat die we hebben. Dat moeten we eerst uitsluiten.'

'Als iemand, Dougherty bijvoorbeeld, je alles zou brengen wat we tot nu toe hebben, dan zou je je een beroerte lachen,' zei Larry.

Cody snoof. 'Ik krijg de smoor in als je gelijk hebt.'

'Dat weet ik.'

Cody had plotseling trek in een driedubbele whisky met water.

Hij zei: 'Maar als de moordenaar deelneemt aan die tocht, hoe weten we dan dat hij geen gevaar vormt voor alle andere deelnemers? Volgens de website was de trip volgeboekt. We hebben het dus over een man of twaalf. Het zou verschrikkelijk zijn als die vent een soort psychopaat blijkt te zijn – zo iemand die de vriendelijkste man op aarde vermoordt en zijn huis om hem heen in de fik steekt. Als we hier niet doortastend optreden zouden we wel eens onschuldige mensen aan gevaar kunnen blootstellen.'

'Daar heb je een punt,' zei Larry. 'Maar dan nog... ik bedoel, ik kan hier niet de hele nacht mee doorgaan en jij bent geschorst.'

'Dat weet ik,' zei Cody bruusk. 'Jezus, wat een doffe ellende dat ik juist nu thuis moet zitten. Zou je iets voor me willen doen?'

'Man,' zuchtte Larry, 'ik maak *nu* al overuren. Bodean heeft een memo rondgestuurd waarin overwerk zonder voorafgaande toestemming van hem verboden wordt. Ik bedoel...'

'We hebben geen tijd te verliezen,' zich Cody, zich niets van hem aantrekkend. 'Bel RMIN en ViCAP, en ga na of er nog andere misdrijven zijn die overeenkomsten vertonen met de moord op Winters.'

RMIN (wat je uitspreekt als 'Rimin') was het Rocky Mountain Information Network, een regionaal coördinatiecentrum met gegevens over incidenten in Idaho, Montana, Wyoming, Colorado, Utah, Nevada en New Mexico. ViCAP was het Violent Criminal Apprehension Program van de FBI (ook een soort databank). Beide organisaties hadden analisten in dienst die in staat waren gelijksoortige misdrijven na te trekken. ViCAP beschikte over profilers alsmede over een met een wachtwoord beveiligde website waar opsporingsdiensten te allen tijde gebruik van konden maken.

'Je grijpt je vast aan een strohalm,' zei Larry. 'Tot morgenochtend kunnen we weinig meer doen, Cody. Pas als we de receptioniste hebben gesproken en iets hebben gehoord van RMIN
en VICAP, pas *dan* hebben we misschien iets waar we mee vooruit
kunnen.'

'Dat weet ik. Maar het reisgezelschap vertrekt morgenochtend.
Bel die lui op, Larry. Laat er geen gras over groeien.'

'Je mag me wel heel wat keren op een etentje trakteren,' zei
Larry, en hij smeet de hoorn op de haak.

Terwijl hij wachtte, bekeek hij de site van McCarthy nog eens
goed, in de hoop nog een andere contactpersoon te vinden, misschien een nummer dat na kantooruren kon worden geraadpleegd. Hij veronderstelde dat Jed en zijn mensen en paarden al
op hun basiskamp in Yellowstone en telefonisch onbereikbaar
waren. Maar er moest toch zeker een manier bestaan om contact op te nemen met zijn kantoortje, dacht Cody. Al was het
maar om te controleren of deelnemers te laat zouden komen of
hadden afgezegd? Hoewel hij behalve het telefoonnummer op
het kantoor, een e-mailadres en de website geen enkele manier
vond om met ze in contact te komen, vond hij wel een oud online-
artikel uit de *Chronicle* van Bozeman: VERKOOP REISBUREAU PARK
WACHT OP OFFICIËLE VERGUNNING.

Hoewel hij niet zou weten hoe het hem verder zou kunnen helpen, las Cody het toch. Het was van februari, vijf jaar geleden.

De sinds kort in Bozeman gevestigde Jedediah McCarthy kondigde op woensdag aan dat hij wachtte op een vergunning van
Staatsbosbeheer om Wilderness Adventures, het van oudsher bekende reisbureau dat is gespecialiseerd in tochten door Yellowstone Park, over te nemen. McCarthy zei dat hij de traditie, die

was gevestigd door Frank 'Bull' Mitchell, die het bedrijf de afgelopen 32 jaar heeft geleid, wilde voortzetten.

McCarthy verklaarde dat hij geen afbreuk wilde doen aan de kwaliteit van het bureau en – met goedkeuring van Staatsbosbeheer – de activiteiten wilde uitbreiden met excursies naar de meest afgelegen uithoeken van Yellowstone Park.

'Het wordt tijd,' zei Mitchell tegen de *Chronicle*, 'dat eens iemand anders de strijd aanbindt met dat gezeik van Staatsbosbeheer...'

McCarthy wil de nadruk leggen op natuurvriendelijk kamperen met meer oog voor de unieke kenmerken van het ecosysteem in Yellowstone Park, zei hij...

Cody las de rest van het artikel maar vond het saai: Jed McCarthy die de voordelen van zijn reizen en de uitstekende en vakkundige methodologie van Staatsbosbeheer ophemelde. *In de krant de bureaucraten onder hun ballen kietelen die moeten beslissen over je vergunning,* dacht Cody. *Geen wonder dat hij die concessie had gekregen.*

Hij glimlachte en noteerde de naam: Frank 'Bull' Mitchell.

Toen schoot hem opeens iets te binnen en terwijl paniek zich van hem meester maakte belde hij Jenny opnieuw op.

Ze klonk slaperig. 'Toen ik zei dat je me wel weer eens mocht opbellen, bedoelde ik niet in het holst van de nacht.'

'Sorry, maar ik kreeg opeens een inval. Het is onzin, maar ik moet zeker weten dat ik het bij het verkeerde eind heb.'

'Waarover?'

'Over Justin en Zijne Rijkheid. Waar zei je ook weer dat ze naartoe waren?'

'Naar Wyoming. Ik heb je verteld dat...'

'Dat weet ik. Maar waar is hij precies naartoe? En zijn ze op eigen houtje gegaan? Rijdt Zijne Rijkheid hen rond, of wat?'

'Nou, hij heeft ze ernaartoe gereden. Maar ze gaan op een soort meerdaagse excursie door Yellowstone Park. Met de een of andere gids op paarden...'

'Jezus,' zei Cody.

'Wat is er? Je maakt me bang, Cody.'

'Maak je geen zorgen,' zei hij, zowel tegen haar als tegen zichzelf. 'Zoek alleen even op met welke reisorganisatie ze meegaan.'

'Ik geloof dat ik nog wel ergens een brochure heb,' zei ze. Maar ik kan ze niet bereiken. Justin zei dat hun telefoons daar geen bereik hadden...'

'Jenny,' zei hij, 'we zouden wel eens een groot probleem kunnen hebben.'

Cody had de Ford achteruit voor zijn open garagedeur geparkeerd en was bezig zijn spullen – slaapzak, tent, grondzeil, kookgerei, oom Jeters oude zadel – erin te gooien, toen Larry in zijn suv de oprit op kwam rijden en de weg blokkeerde.

Larry liet de motor stationair draaien met de koplampen aan en stapte uit. 'Je hebt niet opgenomen toen ik je belde.'

'Ik was hierbuiten,' zei Cody.

'Je kunt niet weggaan. Dat weet je. Dan geef je de sheriff een verdomd goede reden om je te ontslaan.'

'Hij doet maar,' zei Cody.

Larry trok aan Cody's arm, zodat ze recht tegenover elkaar kwamen te staan. 'Heb je gedronken?' vroeg Larry.

'Nog niet.'

Larry leunde voorover op de ballen van zijn voeten en keek Cody doordringend aan. Cody knipperde geen moment met zijn ogen en zei: 'Als je nog dichterbij komt dan krijg je een oplawaai.'

Larry ontspande zich enigszins, waarschijnlijk omdat hij zich ervan had overtuigd dat Cody nuchter was. 'Rustig aan een beetje. Het is halfdrie in de ochtend. Je kunt niet zomaar de benen nemen in het holst van de nacht.'

'Ik sla niet op de vlucht,' zei Cody. 'Ik ga op onderzoek uit.'

'Jij bent voorlopig geen rechercheur.'

Cody haalde zijn schouders op. 'Ik ben *altijd* een rechercheur, verdomme.'

'Ik was al bang dat je zoiets zou flikken,' zei Larry. 'Ik kan alleen maar zeggen dat het stom en zinloos is en dat het jezelf meer kwaad dan goed doet.'

'Echt iets voor mij, dus,' zei Cody. 'Zeg, wil je me niet even een handje helpen? Ik was op zoek naar een oud pakzadel van mijn oom tussen die rommel in de garage. Misschien kun jij het opduikelen.'

'Je kunt de pot op,' zei Larry, terwijl hij voorbij Cody in de richting van de garage keek. Die stond vol met troep waarvan Cody nooit de moeite had genomen om het uit te pakken en te sorteren. Zijn onbruikbare pick-uptruck nam de meeste ruimte in beslag.

'Luister,' zei Larry. 'Ik heb boodschappen achtergelaten bij RMIN en bij VICAP, maar vannacht werkt daar niemand. Morgenochtend vroeg horen we waarschijnlijk meer van ze. Er is geen enkele reden om vannacht te vertrekken en je baan in gevaar te brengen. En *mijn* baan in gevaar te brengen, want als jij er nu vandoor gaat dan vragen ze mij of ik weet waar je naartoe bent.'

'Dan vertel je ze de waarheid, Larry,' zei Cody. 'Zeg ze dat je het uit mijn hoofd hebt proberen te praten, maar dat het je niet is gelukt.'

Larry schudde zijn hoofd en zijn ogen vlamden van woede. 'Verdomme, Cody, ik kan mijn baan niet in de waagschaal leggen. Ik heb alimentatieverplichtingen en een andere baan is niet te vinden. Ik moet hier in de stad blijven om dicht bij mijn kinderen te kunnen zijn. Je kunt me dit niet aandoen. Wat ben je toch een lul.'

'Ja, ja,' zei Cody terwijl hij een sigarettenpeuk op straat gooide, die in een fontein van vonkjes uiteenspatte. Hij stak een nieuwe sigaret op. 'Dat begrijp ik,' zei hij, terwijl hij diep inhaleerde,' maar...'

'Ik heb iets ontdekt,' viel Larry hem in de rede. 'Op de website van viCAP.'

Cody hield zijn mond en keek Larry door de rook strak aan.

'We weten niet zeker of we echt op het goede spoor zijn totdat ik met een analist of een profiler heb gesproken. Maar omdat zij in een vroegere tijdzone zitten, horen we vast morgen al heel vroeg iets van ze.'

'Wat heb je ontdekt?' vroeg Cody.

'Ik heb ingelogd op hun database van nationale misdaden,' zei Larry, met de breedvoerigheid die hem nu eenmaal eigen was. 'Ik heb de woorden *moord, vergiftiging, slachtoffer, hoofdwond* en ik weet niet wat allemaal nog meer ingetikt. Ik wilde gewoon nagaan of het iets zou opleveren. Het is geen exacte wetenschap...'

Cody kreeg een rode waas voor zijn ogen en stak zijn armen uit alsof hij Larry wilde wurgen. Larry zag het aankomen en dook opzij.

'*Wat heb je ontdekt, verdomme?*' siste Cody.

'Vier mogelijk soortgelijke gevallen,' zei Larry.

Cody's mond viel open van verbazing. 'Vier.'

'Eén in Virginia een maand geleden. Eén in Minnesota twee weken geleden. Hank Winters. En nog één in Jackson Hole, Wyoming, twee nachten geleden. Drie mannen en één vrouw. Allemaal een vaste baan, allemaal van middelbare leeftijd. Allemaal alleen toen het gebeurde. Geen enkele verdachte in alle gevallen en voor zover ik kon nagaan heeft nog niemand een verband tussen hen kunnen ontdekken. De dossiers zijn allemaal nog open voor nader onderzoek, hoewel het op het eerste gezicht allemaal ongelukken lijken. Net als in ons geval.'

'Vier?'

Larry knikte. 'Natuurlijk weten wij het pas als...'

'Justin is mee op die excursie,' zei Cody.

Larry wreef in zijn ogen. 'Ach Jezus, nee hè?'

'Je moet je kar wegzetten,' zei Cody. 'Ik moet als de gesmeerde bliksem naar Bozeman.'

Larry zuchtte en liet zijn schouders hangen.

'Larry, haal die bak weg.'

Cody raasde over de US. 287 naar Townsend, langs de vlakke zuidkant van Canyon Ferry Lake die schitterde in het maanlicht. Het was een warme nacht en hij had zijn raampjes opengedraaid, zodat de luchtstroom hem wakker zou houden. Synapsen in zijn brein leken te vonken met het krakende machinegeweerritme van een bougie. Hij snelde voorbij de in diepe rust gedompelde boerderijen en schuren, voorbij de verschoten houten toegangspoort tot de boerderij waarop de ouders van zijn vriend Jack McGuane nog steeds werkten.

De aanblik van de boerderij bracht een stroom zowel pijnlijke als euforische herinneringen bij hem naar boven. Anderhalf jaar tevoren had hij het zijn vrienden Jack en Melissa McGuane allemaal uit de doeken gedaan. Uiteindelijk was hij zijn jeugdvriend Brian Eastman kwijtgeraakt, had hij zijn eigen reputatie onderuitgehaald en was hij door de politie van Denver gedegradeerd, maar toch gaf hem dat nog steeds een goed gevoel. Zelfs met dat hoge aantal rotzakken, zou hij het zonder bedenkingen allemaal hebben overgedaan.

Dat was de kwestie, dacht hij. Zijn hele leven hadden zijn vrienden, minnaressen en collega's zich hardop afgevraagd wat hem bezielde. Alsof Churchills beschrijving van Rusland ook op hem van toepassing was, 'een raadsel in een mysterie in een enigma,' terwijl het eigenlijk allemaal heel eenvoudig was. Zo verdomd eenvoudig. Cody was beschadigd geboren. Zijn Schepper had gebeefd toen hij de draadjes in zijn hoofd soldeerde en die zouden altijd op de verkeerde momenten oververhit raken of kortsluiting veroorzaken. Hij kon wellicht het blanke tuig waar hij van afstamde verantwoordelijk stellen voor zijn criminele trekjes en neiging tot zelfdestructie en zelfmedicatie, maar hij vond het maar niks om slecht gedrag goed te praten met dit soort softe lulkoek. Cody was geen goed mens en hij was niet bij machte om goed te zijn, maar dat betekende niet dat hij goedheid niet onderkende en bewonderde, en dat hij alles – maar dan ook *alles* – zou doen om degenen die gezegend waren met een zuivere, smetteloze bedrading te beschermen. Zoals zijn vrienden, de McGuanes, die hij had geholpen. Zoals Hank Winters, die hij niet had kunnen helpen. Zoals Justin, zijn fantastische zoon, die hij *moest* redden.

Toen hij door Towsend reed, minderde hij vaart en keek achterom naar twee dronkaards die uit de Commercial Bar de straat op strompelden. Hij dacht dat hij ze misschien wel kende en glimlachte verbitterd.

Drie kilometer ten zuiden van Townsend explodeerde de Ford in rood en blauw licht. Hij wierp een blik op zijn achteruitkijkspiegel en monsterde de felheid van de flitslichten boven op de auto van de verkeerspolitie.

'Shit,' mopperde hij toen hij zag dat hij maar zeven kilometer te hard reed.

Ziedend parkeerde hij langs de kant van de weg. Hij greep

naar zijn penning die hij niet meer bezat, leunde achterover en sloot zijn ogen. Hij hoopte vurig dat hij deze politieman zou kennen, dat hij zich er zonder bon uit zou kunnen kletsen en zo snel mogelijk zijn weg kon vervolgen. Heel even overwoog hij plankgas te geven zodra de agent uit zijn auto was gestapt, maar hij wist dat hij daar weinig mee opschoot. Zijn kenteken was ongetwijfeld al doorgegeven en dat stond niet geregistreerd.

Hij was de lul, tenzij hij zich er onderuit kon praten en het kentekenonderzoek kon laten annuleren.

Een zaklantaarn verblindde hem door het raampje aan zijn kant en hij wendde zijn hoofd af.

De agent, een onbekende, vlezige jongeman, die eruitzag alsof hij krap een halfjaar geleden van de politieschool was gekomen, zei: 'Weet u dat een van uw koplampen kapot is, meneer?'

'Ik ben rechercheur op het bureau van de sheriff. Ik heb grote haast.'

De agent grinnikte, zijn tanden glinsterden in het licht van de zaklantaarn dat door het raampje werd weerkaatst.

'Tja, dan hoeft u me alleen maar even uw penning te tonen en contact op te nemen met de sheriff,' zei de agent. 'En intussen kunt u achter me aan terugrijden naar de stad, zodat u die koplamp kunt laten repareren. Wat is er trouwens gebeurd? Zo te zien bent u ergens tegenaan gereden.'

'Tegen een eland, verdomme,' zei Cody, niet bij machte de woede in zijn stem te onderdrukken.

'Ja,' zei de agent, terwijl hij zijn zaklantaarn op de schade richtte. 'Ik zie wat haar en bloed. Was het een mannetje of een vrouwtje?'

Cody zuchtte en sloeg zijn handen voor zijn gezicht. 'Een vrouwtje,' zei hij.

'Hebt u een jachtvergunning?' vroeg de agent grinnikend.

Deel 2

Yellowstone National Park

8

D E ZESTIEN JAAR oude Danielle Sullivan zat als een bezetene te sms'en naar haar knipperlichtvriendje Riley, terwijl de veertien jaar oude Gracie Sullivan toekeek. Hun vader zat achter het stuur van de huurauto en wees op een bizon ver onder hen in het dal en twee elanden die in de verte in het vroege ochtendlicht een riviertje overstaken. Danielle en Gracie zaten achterin.

'Het verbaast me dat hij al op is,' zei Gracie tegen Danielle. Ze keek met verwondering naar haar zusje met het wanhopige vuur in haar ogen, die met vliegensvlugge duimen haar boodschappen intikte.

'Hij moet vroeg naar zijn werk,' zei Danielle, zonder op te kijken. 'Weet je – hij heeft dat stomme baantje bij de ploeg die sportvelden voor de school onderhoudt. Ze laten hem iedere ochtend om acht uur opdraven. Het zijn rotzakken.' Gracie knikte en klapte haar mobieltje open. Ze verwachtte geen berichten, hoewel ze het geweldig zou vinden als ze er eentje zou hebben. Er waren er geen, dus zoals wel vaker in aanwezigheid van haar mooie, populaire, voortdurend in trek zijnde zus, tikte ze een boodschap aan zichzelf in via haar e-mailaccount:

Hoe gaat het met je vandaag?

Toen het bericht doorkwam, tikte ze:

Vervelend begin, maar leuk dat je het vraagt.
Sorry.
Hoeft niet, hoor. Het klaart al op. WE ZIJN IN YELLOWSTONE
PARK.

Ook al vond Danielle het stom dat Gracie in haar berichten alle woorden volledig uitspelde in plaats van gebruik te maken van het sms-taaltje of afkortingen, vond Gracie dat geen enkel bezwaar omdat ze het toch alleen maar tegen zichzelf had. Het was iets wat ze had bedacht om Danielle in de waan te laten dat zij ook bewonderaars had die voortdurend contact met haar zochten.

Je bent vroeg op.
Ik kon niet slapen. Ik denk maar steeds dat ik iets ben vergeten.
Wat dan zoal?
Tandenborstel. Bril. Ik ben om halfdrie opgestaan om me ervan te verzekeren dat ik ondergoed had ingepakt. Ik had een nachtmerrie dat ik geen ondergoed bij me had en dat ik zo'n kl*testring van Danielle moest lenen.

Ze legde de telefoon op haar schoot, met het beeldschermpje afgekeerd van haar zus en keek uit het raam. Er waren geen gebouwen, geen wegen, geen elektriciteitsmasten. Zuidelijk van hen bevond zich een uitgestrekt rivierdal met hoog gras dat golfde in de koude ochtendbries. Een lint van water dat kabbelde als bladmetaal dat over de bodem van het dal kronkelde. In het noorden leek het terrein op te rijzen tot in de wortels van dennenbomen en daarboven een donkere muur van bos.

'O mijn God,' zei haar vader toen de auto plotseling vaart minderde. 'Kijk, meiden: *wolven.*'

Gracie klapte haar telefoon dicht en schoot naar voren. Ze had haar hele leven al een wolf willen zien.

Haar vader parkeerde aan de kant van de tweebaans asfaltweg en draaide zijn raampje open. De geur van dennennaalden, salie en frisse lucht stroomde naar binnen. Hij wees op de rivier.

'Zie je ze, in die bocht? Bij die grote rotsen die bijna door de zon worden beschenen?'

Gracie gooide haar armen over de stoelleuning voor haar en tuurde in de richting waarin haar vader wees. Heel ver onder hen zag ze iets bewegen.

'Het lijken wel stipjes,' zei ze. 'Twee kleine stipjes.'

'Het zijn wolven,' zei haar vader. 'Zijn ze niet geweldig?'

Prachtige *stipjes*, dacht ze. Ze wilde dat ze ze van dichterbij kon zien of erachter kon komen waarom haar vader, die wel vaker overdreef, ze zo geweldig vond.

'Hier,' zei haar vader en hij gaf haar een verrekijker met het prijskaartje er nog aan. 'Met dat wieltje in het midden kun je hem scherp stellen.'

Terwijl Gracie met de verrekijker in de weer was en koortsachtig het wieltje eerst helemaal naar links en vervolgens helemaal naar rechts draaide en uiteindelijk besefte dat de beschermkapjes nog voor de lenzen zaten, hoorde ze haar vader tegen Danielle zeggen: 'Wil jij die fantastische dieren niet zien, Danny?'

'Misschien zo dadelijk,' zei Danielle, die nog steeds zat te sms'en.

'Maar ze kunnen zo weg zijn, hoor,' zei hij, terwijl hij de teleurstelling in zijn stem probeerde te verbloemen.

Gracie had eindelijk door waar ze de kijker op moest richten en draaide aan het wieltje om hem scherp te stellen.

'Pap, je moet niet doen alsof we nooit meer een wolf zullen zien,' zei Danielle, zonder op te kijken van haar telefoon. 'We blijven verdorie toch nog vijf dagen lang in de rimboe? Daar zullen we *slapen* met wolven. Net als in die film.'

Gracie mompelde: '*Dansen* met wolven, niet slapen,' en ze kreeg de dieren haarscherp in beeld.

'Wat maakt het uit,' zei Danielle vinnig.

'Ik vind het nogal een verschil,' fluisterde Gracie niet al te luid en ze wilde dat ze haar mond had gehouden. Om haar gedachte te staven prikte Danielle met een scherpe vingernagel in haar ribben, waardoor ze omhoogschoot en de dieren uit het oog verloor. Ze herstelde zich en richtte de kijker opnieuw.

Toen zuchtte ze, ging achteruitzitten en gaf de verrekijker terug aan haar vader. 'Dat zijn geen wolven, dat zijn coyotes.'

'Dat meen je niet,' zei hij en hij pakte de kijker aan.

Ze wachtte. Ze begreep dat hij ze het liefst in wolven zou veranderen.

Ten slotte zei hij: 'Krijg nou de pip. Ik dacht echt dat het wolven waren.' Hij was teleurgesteld dat het geen wolven waren en leek ook teleurgesteld in Gracie dat ze hem erop had gewezen.

'Pap,' zei Gracie, ik heb die boeken die je ons had gestuurd écht gelezen. Je weet wel, *Wilde dieren in Yellowstone, Yellowstone flora en fauna, De dood in Yellowstone, De geisers van Yellowstone.* Ik heb ze gelezen. Ik heb ze bestudeerd,' zei ze, hopend op wat waarderend gegrom. 'Begrijp je,' zei ze, 'zodat Danny het niet hoefde te doen.'

Dat bracht een glimlach op zijn lippen.

'Doe niet zo achterlijk,' snauwde Danielle. 'Sommigen van ons hebben een eigen leven.'

'Heb je die boeken echt gelezen?' vroeg haar vader instemmend knikkend.

'Sommige wel meer dan eens,' bekende Gracie en ze wilde meteen dat ze dat niet had gezegd. Ze klonk zo alsof... *alsof ze geen eigen leven had.* Maar het feit bleef bestaan dat die boeken over een plek waar zoveel boeiende dingen voorkwamen die niet door de mens waren gemaakt haar fascineerden. Het was, voordat zij die boeken las, nooit bij haar opgekomen dat er een verbazingwekkend ongerept gebied bestond dat niet door mensen was ontworpen of werd onderhouden. Dat maakte dat ze besefte hoe nietig ze was. Hoe nietig iedereen was.

'Nog niet wegrijden, pap,' zei Danielle.

'Wil je toch even een kijkje nemen?' vroeg haar vader hoopvol, terwijl hij haar de verrekijker over zijn schouder aanreikte, zodat Danielle die kon pakken.

'Nee. Maar ik heb hier een goede ontvangst,' zei ze met een stalen gezicht.

'Dat wordt straks wel minder,' zei Gracie. 'Om je de waarheid te zeggen: over een paar minuten heb je helemaal geen bereik meer.'

Danielle keek ontsteld op. 'Hou je kop,' zei ze tegen Gracie. De angst stond in haar ogen te lezen. Toen: 'Pap, zeg dat het niet waar is.'

Toen het tot hem doordrong dat Danielle de verrekijker niet wilde, legde hij hem naast zich op de voorbank alsof hij hem haar in het geheel niet had aangereikt. Alsof hij zich ervoor schaamde, dacht Gracie. Hij zei: 'Ik dacht dat ik je dat had verteld, Danny. Waar wij naartoe gaan is geen mobiele ontvangst. Het is de wildernis. Het is het meest afgelegen deel van het hele land. In ieder geval van de achtenveertig lager gelegen staten, om precies te zijn. Daar *gaat* het nu juist om.'

Gracie keek toe hoe Danielle langzaam ontstak in woede met een sprankje totale paniek.

'Wou je beweren dat ik mijn telefoon niet kan gebruiken?' vroeg ze.

'Schat,' zei haar vader, terwijl hij zich omdraaide en haar vriendelijk en welwillend aankeek, 'het zal geweldig zijn. Je zult zelfs vergeten dat je zo'n ding hebt. Ik weet zeker dat ik je uitgebreid heb verteld hoe afgelegen het zou zijn.'

De toon waarop Danielle sprak was ijzig. 'Je hebt er niet bij gezegd dat ik mijn telefoon niet kon gebruiken.'

'Volgens mij wel.'

Gracie knikte. 'Volgens mij ook.'

Danielle keerde zich naar haar toe. 'Jou zal het een zorg zijn, Gracie. Er is zelfs niemand die jouw nummer kent.' Gracie wendde haar hoofd af en voelde meteen de tranen prikken in haar ogen. Ze zou inmiddels gewend moeten zijn aan de snelheid en de meedogenloosheid waarmee Danielle haar kon vernederen en moeten hebben geleerd daar niet overstuur van te raken. Ze vond het vreselijk als haar zus haar zo van haar stuk bracht.

'Dit is Yellowstone niet,' zei Danielle tegen haar vader, 'Dit is de hel, verdomme!'

'Schat...' zei haar vader en hij draaide zich om zodat hij het haar kon uitleggen.

'Mijn vriendinnen gaan naar Europa of naar Disneyland of naar Hawaï of naar Mexico op zomervakantie,' zei Danielle. 'Maar nee hoor, mijn vader neemt ons mee naar de hel.'

'Schat...,' zei haar vader.

'Ik had thuis moeten blijven,' zei Danielle, het mes nog eens omdraaiend, 'Ik had bij mama moeten blijven. Daar heb je tenminste beschaving en breedband. En mijn vriendinnen. En mobiel bereik, verdomme.'

Haar vader keerde zich zwijgend weer om, liet de koppeling opkomen en de auto reed langzaam de rijbaan op.

'We kunnen het Hell-o-stone noemen!' zei Gracie.

'Hou je kuttenkop,' beet Danielle haar toe.

'Dat mag je niet zeggen,' zei Gracie. 'Het is verboden om *kut* te zeggen in een nationaal park.'

Danielle keek haar argwanend aan. 'Echt waar?'

Haar vader zuchtte: 'Meiden, doe me een lol...'

Het was een idee van hun vader, die reis naar Yellowstone Park. Hij had het de vorige zomer bedacht – ze logeerden gedurende de zomervakantie altijd bij hem – en was er opeens mee op de proppen gekomen toen de zusjes, na een middag in het zwembad, terugkeerden naar zijn koopflatwijk aan de rand van St. Paul. Danielle, die het net een uur eerder in het zwembad had uitgemaakt met haar plaatselijke vriendje en hem – of Minnesota – nooit van haar leven meer wilde zien, zei dat ze er helemaal overheen was.

Zolang ik maar een eind weg ben van Alex en die stomme vriendjes van hem, had ze gezegd, terwijl ze haar handen afveegde aan haar badhanddoek alsof ze zich van zijn weerzinwekkende bacteriën wilde ontdoen.

Gracie, die nooit gewend was geraakt aan de hitte en de hoge vochtigheidsgraad tijdens de lange groene zomers, vergeleken met het hooggelegen en droge Denver, waar ze de rest van het jaar woonden, vond het een geweldig plan. Gracie was dol op dieren, trektochten, de vrije natuur en het idee van een groots avontuur. Maar bovenal wilde ze het om haar vader te plezieren.

In de tien jaar sinds de scheiding was het duidelijk geworden dat haar vader zich niet echt bij hen op zijn gemak voelde. Misschien was dat wel omdat ze meisjes waren. Hij had nooit met zoveel woorden gezegd dat hij liever zoons had gehad, maar het was duidelijk dat hij dan tenminste had geweten wat hij met ze aan moest: ze meenemen naar honkbalwedstrijden of zoiets. Hij was eigenlijk totaal geen buitenman, ook al was hij opgegroeid in Colorado, maar Gracie vermoedde dat hij, als hij zoons had gehad, eerder zou hebben geleerd hoe je moest kamperen, vissen of jagen, in plaats van met zijn dochters naar de bioscoop of het winkelcentrum of een restaurant te gaan of te wachten tot ze terugkwamen van het zwembad. Hij kweet zich van zijn taak maar hij had altijd iets treurigs over zich, vond ze. Alsof hij het *idee* dat zijn dochters in de zomervakantie bij hem woonden leuker vond dan dat ze in werkelijkheid zijn badkamer bezetten of hun natte badpakken aan de douchegordijnroede te drogen hingen.

Maar over deze tocht leek hij enthousiaster dan ze hem ooit had gezien. Zodra hij het met hun moeder had besproken – die vond dat hij en zij knettergek waren, maar uiteindelijk haar toestemming had verleend – had hij het de rest van het jaar nergens anders over gehad. Zijn ogen straalden en hij leek zich sneller te bewegen. Hij stuurde een stroom van e-mailtjes en links over Yellowstone en over paarden en kamperen en dieren in het wild. Met Kerstmis stuurde hij hun slaapzakken, zaklantaarns, voorhoofdlampen, reishengels en molentjes, nieuwe digitale camera's, regenponcho's en *National Geographic*-kaarten van het park.

Gracie las alles wat hij opstuurde en stortte zich op de door de reisorganisator geleverde lijst met 'Wat mee te nemen.' Danielle sloeg haar ogen ten hemel en zei: 'Wat krijgen we nou – denkt hij nu dat we zijn *zoons* zijn of wat?'

Gracie vermoedde dat er een heimelijke bedoeling ten grondslag lag aan zijn enthousiasme, maar ze had geen idee wat het was. Uit opmerkingen die haar moeder in de loop der jaren had gemaakt, had ze begrepen dat haar vader geen erg gelukkige jeugd had gehad en dat zijn gedrevenheid (hij was softwareontwikkelaar en reisde veel door het land en over de wereld) het hem onmogelijk maakte ontspannen en zorgeloos te zijn. Hij dacht in termen van printplaten en digitale schakelingen en was, als de emoties hoog opliepen – wat bij Danielle en soms ook bij Gracie nog wel eens voorkwam – 'beter in hardware dan in software,' alsof daar alles mee was gezegd. Ze vermoedde dat hij hoopte dat hij op deze cowboytrektocht door de wildernis kon gaan en... weer een *kind* zou kunnen zijn. Ze wist niet goed of ze daar wel getuige van wilde zijn.

De vorige dag was nogal moeizaam begonnen, vond Gracie. Het had een poosje geduurd voor ze had verwerkt wat er was gebeurd en waarom haar dat dwarszat, naast haar natuurlijke en ergerlijke neiging om simpelweg over van alles te veel te tobben.

Ze hadden 's morgens op het vliegveld van Denver hun moeder een afscheidskus gegeven en waren aan boord gegaan voor de United/Frontier-vlucht naar Bozeman. Hoewel ze van plan waren geweest hun bagage – die dankzij de restricties die Jed McCarthy had opgelegd belachelijk licht was – bij zich te dragen, moesten ze die, vanwege al het metaal en de uitrusting in hun plunjezakken, toch inchecken. Gracie vond dat haar moeder een verloren en kwetsbare indruk maakte, alsof ze zich afvroeg of ze haar dochters ooit nog zou terugzien. *Dat* was geen erg goed begin van de reis.

Hun aankomst was enigszins vertraagd – het vliegtuig moest boven Bozeman rondcirkelen terwijl vroege zomerstortbuien het vliegveld ranselden. Gracie zat bij het raam en keek uit over de bergen die zich naar alle kanten uitstrekten en naar de zwarte donderkoppen aan de noordelijke horizon.

'Waar ligt Yellowstone Park?' vroeg ze aan haar zus.

'Hoe moet *ik* dat weten?' zei Danielle, zowel ongelovig als verontwaardigd.

'Dat is waar,' had Gracie gezegd, 'hoe kon ik zo stom zijn om te denken dat jij iets zou weten.'

Waarna haar oor hardhandig werd omgedraaid.

Ze had bij de bagageband verwachtingsvol uitgekeken naar haar vader, omdat hij al een uur eerder uit Minneapolis moest zijn aangekomen, maar ze zag hem nergens.

'Zijn vliegtuig is zeker vertraagd,' zei Danielle. 'Ik zal wel even navraag doen.'

Toen hun bagage arriveerde en de overige passagiers huns weegs gingen, wachtte Gracie bij de buitendeur. Toen ze Danielle met een bezorgd gezicht van de balie van Northwest zag terugkomen, wist ze dat er een probleem was.

'Het vliegtuig is op tijd aangekomen maar hij was niet aan boord, zeiden ze.'

Gracie probeerde kalm te blijven. Ze keek naar de opgezette dierenkoppen en forellen aan de muren en naar de koude blauwe bergen buiten in de verte. Ze bedacht hoe ellendig het zou zijn om in Bozeman, Montana, gestrand te zijn, tot haar zus een manier had bedacht om weer thuis te komen. En ze maakte zich zorgen over wat haar vader kon zijn overkomen. Was hij ziek? Had hij op weg naar het vliegveld een auto-ongeluk gehad? Ze klapte haar mobieltje open en zette het aan, in de hoop daar een bericht op aan te treffen.

'Ik ga mam opbellen,' zei Danielle die haar mobieltje al in de aanslag had.

Op dat moment stormde hun vader de vliegtuighal binnen. Niet van de kant waar de vliegtuigen landden, maar van de straatkant.

'*Meiden!*' riep hij. Zijn grijns en zijn gespreide armen maakten dat Gracies sombere gedachten wegsmolten als een spinnenweb waar je een lucifer bij hield. Hij leek bijna te uitbundig, vond ze. Alsof hij gelukkig was, maar daar ook iets wanhopigs deel van uitmaakte.

'Kom mee, de auto staat voor,' zei hij. 'Ik zal jullie wel even helpen met jullie bagage.'

Danielle vertelde hem dat ze zich al zorgen begonnen te maken en wat de mensen achter de balie hadden gezegd.

Hij wuifde het weg en zei: 'Dat is belachelijk. Natuurlijk zat ik wel in dat vliegtuig. Ik ben hier toch, of niet soms?'

Ze reden over een onverharde weg met een bordje van Staatsbosbeheer dat de richting aangaf naar het kampeerterrein. Haar vader draaide het raampje weer dicht om te voorkomen dat wolken stof naar binnen zouden komen. Gracie schakelde haar telefoon uit, stak hem in een opbergvakje in het portier en prentte in haar geheugen die bij terugkeer niet te vergeten. Ze keek hoe Danielle ziedde van woede – *totaal geen verbinding* – en ten slotte haar telefoon dichtklapte.

'Geweldig,' zei haar zus, 'ik ben volkomen alleen op de wereld.'

'Op je zus en je vader na,' zei haar vader voorzichtig.

'Alleen in Hell-o-stone,' zei Gracie, met milde spot, 'Hell-o-stone *alone...*'

Hou je vuile rotkop, Gracie, zeiden Danielles lippen geluidloos.

'Dat is je tweede overtreding,' zei Gracie, met een stalen gezicht. 'Misschien moeten we je aangeven bij de boswachters.'

'We zijn er,' zei haar vader op uitbundige toon.

Gracie dook opnieuw naar voren en strekte haar armen over de rugleuning van de voorbank. Ze waren een bocht om gereden en zagen nu aan het einde van het pad een heel lange paardentrailer op een parkeerterrein. Om de trailer heen stonden mensen in het zonnetje; een paar zaten er al op een paard. Gracie telde tien of elf door elkaar heen lopende personen. Toen ze de paarden zag, zwol haar hart op van vreugde.

'We gaan dit echt doen, hè?' zei ze en ze legde haar hand op de schouder van haar vader. Hij boog zijn arm en legde zijn hand op de hare.

'Het wordt het grootste avontuur van ons hele leven,' zei hij.

'Ik neem mijn telefoon mee,' zei Danielle, alsof ze tegen zichzelf sprak. 'Misschien vinden we nog een plek waar we wel verbinding hebben.' Toen zei ze: 'O mijn God. Moet je al die mensen zien! Zitten we een week lang met *hen* opgescheept?'

9

REISLEIDER JED MCCARTHY trok de riem strak en zadelde een merrie die Strawberry heette – een lichtrode vosmerrie – en tuurde over het zadel heen naar de auto die zojuist aan de zijkant van de heuvel de hoek om was gekomen. Het was een blauwe Amerikaanse vierdeurs personenauto. Daar reed normaal niemand in, dacht hij, dus moest het haast wel een huurauto zijn, wat betekende dat zijn laatste deelnemers waren gearriveerd.

'Ik hoop dat dat de Sullivans zijn,' zei hij binnensmonds tegen Dakota Hill, zijn paardenverzorgster. Zij was op enkele meters afstand bezig een kloeke vos te zadelen.

'Is dat het drietal?' vroeg ze. 'De vader met twee tienerdochters?'

'Ja.'

Dakota blies een lok haar uit haar gezicht. 'Je weet hoe ik denk over tienermeisjes op dit soort tochten.'

'Dat weet ik.'

'Misschien maak ik er nog wel eens eentje af. Dan duw ik haar de afgrond in. Stelletje primadonna's.'

'Ik weet het.'

'Of ik voer ze aan de beren.'

'Praat een beetje zachter,' zei McCarthy. 'Hun geld is even goed als dat van de anderen. En deze keer hebben we een volle bezetting betalende klanten. Als dat zo doorgaat kan ik binnenkort een nieuwe truck kopen. Het leven lacht me toe.'

'Jou wel,' zei ze, met opeengeklemde lippen. 'Ik krijg hetzelfde hongerloontje, wat er ook gebeurt.'

'Dat kreeg je in ieder geval voordat je me op mijn zenuwen begon te werken,' zei hij, met een zelfbewuste glimlach die als wreed kon worden geïnterpreteerd. 'Bovendien heb je extra voordeeltjes. Jij mag met de baas naar bed.' Hij bewoog zijn wenkbrauwen op en neer toen hij dat zei.

'Bof ik even,' mopperde ze.

'Ik heb je nog niet horen klagen.'

'Dan heb je niet goed geluisterd.'

Ze was bijna vijfentwintig en opgegroeid op boerderijen in Montana. Op haar achtste zat ze al achter het stuur van haar vaders pick-uptruck en tegen de tijd dat ze twaalf was temde ze paarden. Ze had een rond open gezicht, dikke lippen die zich snel plooiden tot een ongegeneerde en ongeveinsde glimlach, blozende wangen en dansende bruine ogen. Ze had een paar jaar op de universiteit gezeten, maar was er vertrokken om aan rodeo's mee te doen en er nooit meer naar teruggekeerd. Hij had haar ontmoet toen zij twee zomers geleden twee paarden bij hem kwam afleveren. Haar rodeopaard was net die dag tijdens de plaatselijke rodeo kreupel geworden. Het paard zou nooit meer mee kunnen doen en nooit meer een cent opbrengen. Zij was op zoek naar een baantje. Hij was op zoek naar een paardenverzorgster.

Hij deed een stap dichter naar Strawberry toe zodat geen van zijn cliënten kon zien hoe hij een gelamineerd systeemkaartje van negen bij dertien centimeter uit zijn borstzakje tevoorschijn haalde. Daar stonden de namen op van alle deelnemers aan de tocht, alsook wat essentiële gegevens die ze hem hadden toegestuurd over hun gewicht (zodat hij een passend paard voor hen kon kiezen), leeftijd, rijervaring, voedselallergieën, dieetbehoeften en wat hun voornaamste verwachtingen van de reis waren, van vliegvissen tot paardrijden tot observeren van dieren in het wild tot 'één worden met de natuur.' Hij liet zich erop voorstaan dat hij meteen al bij de eerste kennismaking de namen van alle deelnemers uit zijn hoofd kende en verbaasde hen voortdurend met indringende vragen over hun persoonlijke behoeftes en over hun privéleven, op grond van de korte vragenlijst die hij hun allemaal gevraagd had in te vullen en mee te sturen met hun inschrijfformulier. De mensen waardeerden dat soort persoonlijke aandacht, was hem opgevallen, en aan het eind van de week werd hij ervoor beloond met een flinke fooi. Soms haalde hij ze daarmee over meteen weer een nieuwe reis te boeken. En ondanks Dakota's gemopper wist hij dat het van het grootste belang was om de tienermeisjes vroegtijdig te paaien. Gewoonlijk lukte dat door hun een paard te geven waar ze dol op werden. Hij diste het meisje dan een of ander achtergrondverhaal op over het paard dat zij bereden – soms was het zelfs waar – over hoe kieskeurig het paard was en dat het alleen maar luisterde naar mensen die zachtaardig en bijzonder waren. Vervolgens, als ze een paar kilometer onderweg waren, merkte hij op hoe braaf het dier zich gedroeg en complimenteerde hij de jonge berijdster met haar bedrevenheid. In de meeste gevallen was dat voldoende: het meisje vatte liefde op voor het paard en dacht er geen moment aan hoeveel meisjes vóór haar – en na haar – dezelfde hartstochtelijke relatie met hetzelfde paard hadden gehad en zouden hebben.

Hij zorgde ervoor dat hij het meisje een kerstkaart van het *paard* stuurde, waarop hij liet weten hoezeer het paard haar miste en dat zij de lieveling van het dier was. Vaak resulteerde dat in een klant voor het leven, want hij had ondervonden dat de ouders van tegenwoordig hun kinderen *niets* ontzegden. Voor tweeduizend dollar per persoon was het belangrijk om je daar rekenschap van te geven.

Deze specifieke tocht was helemaal volgeboekt. Er waren geen afzeggingen en iedereen was op het afgesproken tijdstip op de afgesproken plaats komen opdagen. Toen ook de Sullivans waren aangekomen was het gezelschap compleet.

Voordat hij ze bij elkaar riep voor een eerste kennismaking, liep hij langs zijn lange paardentrailer en keek naar zijn spiegelbeeld in het zijraampje van het voertuig. Hij was nogal ingenomen met wat hij zag.

Jed McCarthy was een kleine kleerkast van een man met de snor van een revolverheld, een kortgeknipte baard en ogen die zo lichtblauw waren dat ze bijna doorschijnend leken. Hij liep tegen de veertig en organiseerde al acht jaar lang trektochten te paard naar Yellowstone Park en was een van de slechts twee reisbureautjes die door Staatsbosbeheer voldoende degelijk en volgzaam werden geacht. Hij droeg een nauwsluitende spijkerbroek en cowboylaarzen met veters en rijhakken, een riem met een massief zilveren gesp en een leren vest met meer dan genoeg zakken om alle instrumenten en kleine gereedschappen op te bergen die hij nodig had. Om zijn nek droeg hij een rode zijden zakdoek die in de cowboystijl was gevouwen en geknoopt. Boven op zijn hoofd begon zijn haar dun te worden, dus zijn slappe bruine cowboyhoed zette hij maar zelden af. Uit ervaring wist hij dat zijn cliënten hem aandachtig observeerden. De vrouwen deden het omdat hij een interessante en buitenissige en verdomd aantrekkelijke cowboy was, die bovendien gevoelig, mannelijk, bescheiden en mysterieus was. Ze hadden waarschijnlijk op zijn website gelezen dat hij naast een dichter en schilder ook nog eens een ervaren ruiter en een buitenmens was: een universeel natuurgenie! De mannen beschouwden hem niet alleen als een leider maar ook als een rivaal. Sommigen van hen bakten zoete broodjes met hem en probeerden bij hem in de gunst te komen. Anderen deden er het zwijgen toe en accepteerden dat Jed de baas was, omdat hij een echte kerel was en de leiding over het gezelschap had.

En *of* hij de wind eronder had. Het maakte niet uit of zijn cliënten bedrijfsdirecteuren of acteurs of stinkendrijke juristen of artsen waren. Zodra zij te paard achter hem op zijn zwarte ruin en zijn drie pakezels aanreden (Dakota reed achteraan met nog een stel pakezels) was hij de onbetwiste leider. Hij was de baas over alles. En met uitzondering van Dakota was hij de enige van het gezelschap die wist waar ze naartoe gingen, wat ze konden verwachten, waar ze voor uit moesten kijken, waar ze hun tenten zouden opslaan, wat ze zouden eten, waar ze zouden slapen en waar ze hun behoefte konden doen. Dit was zijn bedrijf, zijn ruiterij, zijn uitrusting, zijn plan en zijn vergunning.

In de weerspiegeling zag hij Dakota achter zich voorbijsjokken. Hij wilde dat haar houding zowel letterlijk als figuurlijk wat beter zou zijn. Maar ze was een geweldige hulp en ze was spontaan en geestdriftig zoals alleen plattelandsmeisjes dat konden zijn als ze hun slaapzakken aan elkaar ritsten. Plattelandsmeisjes die op een boerderij waren opgegroeid tussen leven en dood en seks en geboorte kenden maar weinig remmingen, had hij gemerkt. Daarbij kwam dat ze vlug van begrip was en graag haar beste beentje voorzette. Hij hield van paarden en vrouwen die zo in elkaar zaten. Wat hem minder beviel was de manier waarop ze soms stilletjes haar eigen gang ging en af en toe een week verdween zonder te zeggen waar ze heen ging of wanneer ze terugkwam. Hij zou haar allang hebben ontslagen als hij een plaatsvervangster voor haar had kunnen vinden. Het was echter niet eenvoudig om een leuk uitziend meisje te vinden dat twintig jaar jonger was dan hijzelf en dat niet alleen een ervaren paarden- en ezelverzorgster was, maar zich ook op seksueel gebied niet onbetuigd liet. Maar dat zei hij haar nooit. Soms wekte hij de suggestie dat een hele ris dames stond te popelen om haar plaats in te nemen zodra zij de benen nam. Zolang ze dat geloofde was hij in het voordeel, dacht hij.

Hij stak het systeemkaartje terug in zijn zak, sloot zijn ogen en herhaalde hun namen steeds opnieuw als een soort mantra voordat hij zich omdraaide, zijn vriendelijke maar bekwame gezicht opzette en tegen de cliënten die in de omgeving van hun hoopjes kleding en uitrusting ronddrentelden zei: 'Beste mensen, laten we even bij elkaar komen, zodat we elkaar kunnen leren kennen.'

Hij deed een paar stappen in de richting van de open plek en bleef stilstaan. Hij stak zijn duimen in de zakken van zijn spijkerbroek en wiegde een beetje heen en weer op de hakken van zijn laarzen. Hij liep niet naar hen toe. Hij maakte dat zij naar *hem* toekwamen. Dat was de cruciale eerste indruk, misschien wel het allerbelangrijkste halfuurtje van de hele week. Hij had ervaren dat het soms dagen kon duren voor hij een slechte eerste indruk, waarbij hij slap, verwarrend of onsamenhangend overkwam, had goedgemaakt. Het was noodzakelijk dat iedereen de regels en de gang van zaken begreep en wist wie wie was. Dat begon met ervoor te zorgen dat ze allemaal naar *hem* toekwamen.

En gehoorzaam kwamen ze in hun eentje of in losse groepjes naar hem toelopen. Dakota nam haar plaats, een meter of drie rechts van hem, in. Ze trok een gezadeld paard aan de leidsels achter zich aan voor demonstratiedoeleinden.

Hij wachtte tot de Sullivans zich bij hen hadden gevoegd. De vader maakte een bleke en zenuwachtige indruk en had een weke kin en rusteloze ogen. Duidelijk de een of andere kantoor-klerk of zoiets, dacht Jed. Dat soort types deed hem aan mui-zen denken, deze vent ook weer. Wat Sullivans beroep precies was wist hij niet meer – daarvoor zou hij zijn dossiers moeten nakijken, maar hij wist dat 'automatisering' en 'digitaal' in zijn taakomschrijving voorkwamen en dat hij vicepresident was van een of ander ontwikkelingsbedrijf – maar het was duidelijk dat hij goed verdiende. Het trakteren van zijn dochters op een va-kantie als deze, plus de reiskosten hierheen, kostten een aardige cent.

Het grootste meisje was een schoonheid, vond Jed. Raven-zwart haar, een pony, blauwe ogen, een mooie mond en een goed figuurtje. Bovendien keek ze hem recht aan. Dat gaf blijk van karakter en zelfvertrouwen. Toen hij terugkeek sloeg ze haar ogen niet neer. *En arrogant*, dacht hij. En vervolgens: *Hier kan Dakota haar lol mee op.*

Het jongste meisje was mager, zonder boezem, met sproeten en leek een beetje een serieuze boekenwurm. Hij liet zijn blik over haar heen glijden en een stem in zijn hoofd zei: *Niets te zien hier, jongens, verder maar.*

Maar dat grote meisje wilde hij beter leren kennen...

Beste mensen, ik ben Jed McCarthy en dit is Dakota Hill. Wij zijn jullie gidsen en wij staan op het punt te beginnen aan de langste, schilderachtigste en meest afgelegen expeditie te paard door de uithoeken van Yellowstone die er bestaat. Het is de beste tocht van de hele zomer en tevens de reis die de meeste bevrediging biedt. Dit is de eerste en de enige keer dat we die reis dit seizoen ondernemen en omdat het de afgelopen winter zoveel heeft gesneeuwd en die sneeuw nog maar net is wegge-smolten, is de kans groot dat wij de *enige* mensen zijn die komen waar wij zullen komen. Wat jullie betreft, benijd ik jullie om wat jullie voor de eerste keer zullen zien en ervaren. Het is werkelijk de reis van je leven naar de verste uithoeken van Amerika's eerste en beste nationale park.

Ik weet dat jullie allemaal het materiaal dat ik jullie heb toegezonden hebben ontvangen en dat jullie onze reisbeschrijving en de andere informatie op de website hebben gelezen, maar het komt erop neer dat we jullie een paard zullen geven dat bij jullie past en dat voor de komende zes dagen en honderdvijfenveertig kilometer jullie paard zal zijn,' zei hij en hij wachtte tot dit tot hen was doorgedrongen en het gegiechel was bedaard.

Jed vervolgde: 'We vertrekken binnen een uur, dus ik verzoek jullie dringend er zorg voor te dragen dat jullie al jullie bagage bij elkaar hebben gebracht en opgestapeld, zodat we de muilezels kunnen beladen. Dit is een progressieve trektocht, wat inhoudt dat we elke nacht ergens anders onze tenten zullen opslaan. Kamp Een is ruim twintig kilometer verderop aan het Yellowstone Lake. Morgen gaan we de Thorofare in langs de rivier en volgen we die stroomopwaarts naar Kamp Twee. Kamp Drie is een geduchte klim van het rivierdal naar de top van de Continental Divide en de Two Ocean Pass. We rijden naar een hoogte van ver over de duizend meter de bergen in en sommigen van jullie zullen wat last krijgen van kortademigheid of misschien een beetje hoogteziekte. De beste manier om dat tegen te gaan is zorgen dat je voldoende vocht tot je neemt. Blijf water drinken, luitjes – dat doet wonderen. Als het goed is, dan drink je twee tot drie keer zoveel water als normaal. Dat willen we.

Het heet daar Two Ocean Pass omdat het water aan de oostkant van de bergen in de richting van de Atlantische Oceaan stroomt en aan de westkant naar de Stille Oceaan. Het is daar hooggebergte en het is het meest afgelegen terrein in de achtenveertig meest zuidelijke staten in termen van afstand van wegen of gebouwen. Het is pure ongerepte wildernis, maar daar hebben jullie je voor ingeschreven, toch?

Denk er goed aan, lui: slechts twee procent van het 8982 vierkante kilometer beslaande Yellowstone Park is op een of andere manier gecultiveerd. Het is het grootste overgebleven nagenoeg ongeschonden ecosysteem in de noordelijke gematigde luchtstreek op aarde. Wat jullie nu om je heen zien – een weg, auto's, een parkeerterrein – zijn de laatste stukjes moderne beschaving die jullie een week lang zullen zien.'

Terwijl hij aan het woord was keek hij zijn klanten beurtelings aan en deelde ze in categorieën in. Het kwam nog maar zelden voor dat iemand hem verbaasde. Iedereen behoorde tot een bepaald type en hij had op zijn reizen alle soorten types al eens ontmoet. Terwijl hij zijn klanten bekeek, plakte hij hun etiketten op.

'We hebben allemaal de term "de beschaving voorbij" wel eens gehoord,' zei Jed, 'zonder daar verder bij na te denken, want voor de meesten van jullie is het feit dat er geen mobiel telefoonverkeer of wi-fi beschikbaar is niet iets waar jullie echt bij stil hebben gestaan. Maar dat is wel waar we heen gaan: de meest afgelegen wildernis die er in ons land over is. Wij noemen het *Het Grote Onbekende*.'

Zoals altijd veroorzaakte die uitdrukking een bevredigende huivering onder de toehoorders.

Hij wisselde enkele woorden met Tristan en Donna Glode, het enige echtpaar dat deelnam aan de reis. Hoewel ze allebei de zestig al waren gepasseerd, waren ze fit en vitaal. Hij was algemeen directeur van een productiebedrijf in St. Louis en sprak alsof hij gewend was dat er naar hem werd geluisterd. Tristan maakte een intelligente en krachtige indruk – zelfs met die ongelukkige naam – vond Jed. Een man op wie hij kon vertrouwen zolang hij hem niet dwarsboomde of hem met flutverhalen lastig-viel – wat hij wel uit zijn hoofd zou laten. Donna, zijn vrouw, was olijk en afstandelijk. Ze was een van die fijngebouwde vrouwen die vast en zeker aan Pilates deden en het nummer van hun plastisch chirurg onder een sneltoets hadden. Zij was een bepaald type paardenvrouw – het type dat haar dure paarden had uitbesteed en ze maar zelden bereed, maar dat genoot van urenlange lunches met de meisjes en van uitjes en cocktailparty's. Jed had zo'n vermoeden dat het niet meer zo boterde tussen die twee. Zij zouden niet het eerste langgetrouwde echtpaar zijn dat aan een van zijn reizen deelnam met het – soms expliciete maar meestal impliciete – doel een falend of al dood huwelijk nieuw leven in te blazen. Maar als hij zo naar ze keek, de manier waarop ze elkaar ontweken, had hij het vermoeden dat dat nieuw leven inblazen op een mislukking zou uitdraaien. Hij hoopte alleen dat ze geen van zijn andere klanten in hun geruzie zouden betrekken.

Los van elkaar was dit soort types altijd op zoek naar een gewillig oor en probeerden zij bondgenoten te ronselen die hun kant zouden kiezen. De vrouwen waren in dat opzicht erger dan de mannen. Jed had al opgemerkt dat Donna slinkse blikken wierp in de richting van Rachel Mina, de enige alleenstaande vrouw die deelnam aan de tocht. Haar had ze ongetwijfeld al uitgekozen als haar eerste en meest waarschijnlijke bondgenoot.

Jed zei tegen iedereen: 'Wat wij vragen lijkt misschien vreemd, maar heeft wel degelijk een functie en we zouden het fijn vinden als jullie allemaal zouden willen meewerken. Allereerst, er is toch niemand die een spuitbus berenspray heeft meegenomen, is het wel?'

Niemand antwoordde bevestigend.

'Mooi zo. Ik weet dat Bosbeheer iedereen aanraadt zo'n spuit-bus mee te nemen omdat we vast en zeker beren zullen tegenkomen, zowel de zwarte als de grizzly. Maar berenspray heeft dezelfde uitwerking op paarden als op beren. Als er onder het rijden per ongeluk wat spray vrijkomt, bestaat het gevaar dat alle paarden tegelijk op hol slaan. Naar vuurwapens hoef ik niet eens te vragen, want het is strafbaar om een vuurwapen mee te nemen naar een nationaal park. Dat weet toch iedereen, nietwaar?'

Iedereen knikte instemmend.

'Ik mag dus aannemen dat niemand een vuurwapen bij zich heeft?'

Iedereen antwoordde met een krachtdadig 'O, nee' of met een schuddend hoofd, behalve één man. De eenling, Wilson. Jed merkte het op en sloeg de indruk op in zijn geheugen in het mentale bakje 'Nog nader bezien.'

Hij vervolgde: 'Jullie hebben misschien gehoord dat het Congres een wet heeft aangenomen die het individuen toestaat vuurwapens bij zich te dragen in nationale parken, maar dat is slechts de helft van het verhaal. Het betekent dat het je – als je een geldige wapenvergunning hebt in de staat waar het park zich bevindt, in ons geval Wyoming – wettelijk is toegestaan om een vuurwapen te dragen. Het betekent niet dat iedereen zomaar met een schietijzer op zak rond kan lopen. En in de verklaring die jullie bij ons hebben getekend staat duidelijk *geen vuurwapens*. Is dat iedereen volkomen duidelijk?

Algemene instemming. Behalve bij Wilson, die totaal geen sjoege gaf.

Links van de Glodes stonden Walt Franck en zijn stiefzoon Justin uit Denver. Walt had grijs, kortgeknipt haar en leek op het eerste gezicht een beetje een slappeling. Hij had een vriendelijk alledaags gezicht en een stompe neus doorschoten met adertjes, wat deed vermoeden dat hij wel een borrel lustte. Hij droeg een visshirt en een afritsbroek en er stak een hengelkoker uit zijn stapeltje bagage. Justin was een jaar of zeventien, achttien. Hij was lang en atletisch en had markante gelaatstrekken. Zijn haar was lang en ongekamd en hij had een smeulende blik in zijn donkere ogen. Terwijl Jed aan het woord was dwaalden Justins ogen af in de richting van het donkerharige Sullivan-meisje dat zojuist was aangekomen. *Dat kan nog interessant worden*, dacht Jed.

Zoals bij al zijn cliënten probeerde Jed ook bij Walt en Justin te raden wat de reden was dat ze aan de tocht deelnamen. Afgaande op hun verschil in leeftijd, vermoedde hij dat Walt veel ouder was dan Justins moeder. Dat feit alleen al wekte de indruk dat Walt zijn stiefzoon meenam om een band tussen hen te smeden die er tot nu toe niet tussen hen was geweest. Of ging het initiatief van Justin uit? Hoewel Justin een fitte en gezonde indruk maakte, zag hij er niet echt uit als een buitenmens, vond Jed. Het ontbrak hem aan de daarbij horende hightechuitrusting en houding. Nee, besloot Jed, dit was Walts idee. Neem de jongen mee op een avontuurlijke reis en laat hem zien hoe je moet kamperen en vissen. Laat de jongen zien dat Walt toch heus nog wel andere kwaliteiten heeft dan de belangstelling voor zijn moeder. Bovendien bewees het dat Walt goed in de slappe was zat en bereid was dat geld aan *hem* te spenderen.

'Ik zie dat er ook een paar hengelaars onder ons zijn, maar als ik de inschrijfformulieren mag geloven zijn er ook een paar mensen bij met een grote belangstelling voor dieren in het wild,' zei hij met een knikje in de richting van Tristan Glode en het jongste Sullivan-meisje (haar naam was hem even ontschoten). 'En ik kan jullie nu al vertellen dat jullie daarin niet zullen worden teleurgesteld. Ik raad jullie aan het riempje van jullie fototoestel los te maken en door een knoopsgat te trekken en de camera in een borstzak te stoppen zodat jullie er heel snel bij kunnen. Je wilt je camera onderweg vast en zeker niet laten vallen of kwijtraken. Op deze tocht zul je alle belangrijke diersoorten die er in Yellowstone Park voorkomen kunnen bewonderen. We zullen bizons, wolven, grizzlyberen, bergschapen, herten, antilopen, zwarte beren en elanden zien. Onderweg zullen we ook heel wat kleinere dieren zien – prairiehonden, bevers, marmotten en tientallen vogelsoorten, waaronder ook haviken. We zullen zien wat dieren zoal doen in hun natuurlijke habitat, zoals elkaar doden en opeten. We zullen ze geen strobreed in de weg leggen en zij zullen ons ook niets doen. In al die jaren dat ik dit soort tochten leid en met al die beren die ik heb gezien, heb ik nog maar een paar reisgenoten verloren en dat was hun eigen schuld omdat ze niet hard genoeg wegliepen.'

Dat veroorzaakte altijd een behoorlijk maar nerveus gelach. Toen hij opzijkeek zag hij dat Dakota haar ogen ten hemel sloeg. Dat had ze hem al *zo* vaak horen zeggen.

'Vergeet niet,' zei hij grinnikend om aan te geven dat het maar een grapje was, 'dat je niet sneller hoeft te zijn dan de beer. Beren zijn razendsnel. Zolang je maar sneller bent dan de man of vrouw naast je.

Ik maak natuurlijk maar een dolletje,' zei hij. 'Er is nog nooit iemand gedood en opgegeten door een beer.' Hij wachtte even om het effect te verhogen. 'Maar aangevallen worden door een meute wolven is natuurlijk een andere zaak.'

Hij wachtte tot het enigszins geforceerde gelach was weggeëbd en nam koel notie van de blikken die werden gewisseld door de vader en de dochters, tussen Walt en Justin en tussen de drie mannen die zich samen hadden ingeschreven, en het gebrek aan interactie tussen Tristan en Donna Glode, Ja, dacht hij, hen had hij al door.

De drie bij elkaar horende mannen van in de dertig waren het gemakkelijkst te doorgronden, dacht Jed. Hij wist al wat voor vlees hij in de kuip had toen ze de portieren van hun huurauto openden en de lege bierblikjes eruit vielen. Ze hadden nog steeds kleine oogjes van de ijleluchtkaters. James Knox, Tony D'Amato en Drey Russell waren drie gezworen kameraden die bij verschillende firma's op Wall Street werkzaam waren en eens per jaar op avontuur gingen om de vriendschapsbanden wat aan te halen. Zij waren de grapjassen, de mafkezen. Knox, een blonde man met een lange dunne neus en de bruuske manier van doen die kenmerkend is voor de oostkust, was de initiatiefnemer. Hij was mogelijk een paar jaar ouder dan de andere twee.

Van alle cliënten hadden de drie Wall Streeters Jed de meeste zorgen gebaard. Drie van dat soort kerels konden een reis naar hun hand zetten en als zij een verkeerde mentaliteit hadden of verkeerde verwachtingen koesterden, zouden ze zijn gezag kunnen ondermijnen. Maar nadat hij ze uit de auto had zien komen en ze met elkaar zag dollen en lachen, slaakte hij een zucht van verlichting. Ze waren hier voor het avontuur.

Drey Russell – een afkorting van André, volgens zijn inschrijf-formulier – was een goedlachse, negroïde man met een lichte huid en vriendelijke, donkere ogen. Jed zag op zijn tochten maar weinig kleurlingen en hij was blij met Drey, want nu kon hij een paar foto's van hem in de groep maken om op zijn website te publiceren. Hij wist dat Staatsbosbeheer dol was op dat soort flauwekul.

Tony D'Amato had een huidskleur die even Italiaans aandeed als zijn naam en een zwaar New Jersey-accent. Hij speelde de rol van de voortdurend verblufte grotestadsjongen die in de rimboe verzeild was geraakt, de man die 'behalve in de draaimolen nog nooit een paard had gezien' en het mikpunt van spot was voor Knox en Drey. Dit drietal zou hem geen last bezorgen, dacht Jed. Ze trokken met z'n drieën op en waren gekomen om een zak vol herinneringen te verzamelen waar ze later na het werk in de kroeg om zouden kunnen lachen. Dus voor hen gold: hoe ruiger hoe gekker, en hoe primitiever de tocht was hoe beter, want des te sterker zouden de verhalen zijn die ze konden vertellen. Ze zouden misschien wat meer aandacht vergen, dacht Jed, hoewel dat niet hun opzet was. Mensen die hun hele leven in de stad hadden geleefd, hadden geen inschattingsvermogen waar het avonturen in de vrije natuur betrof. Maar ze zouden hun best doen. Ze waren ongetwijfeld allemaal gewend aan de snelle bediening in vakantieoorden en hotels en waarschijnlijk niet aan de ontberingen van de tocht, ook al meenden ze misschien van wel. Hij herinnerde zich van hun inschrijfformulieren dat ze al vaker zulke reisjes hadden gemaakt naar Mexico, Europa en Scandinavië. Dat was natuurlijk vóór de economische crisis, in de tijd dat die jongens nog bedragen van een miljoen of daaromtrent opstreken. Nu waren de omstandigheden, had Knox hem tijdens zijn eerste telefoontje gezegd, zodanig dat ze waren overeengekomen hun jaarlijkse avontuur samen voort te zetten, zelfs als 'ze een paar jaar de buikriem moesten aanhalen.' Hoewel Jed daar heimelijk aanstoot aan nam, constateerde hij toen hij ze zag, dat ze er bijna normaal uitzagen. Jed zou gewoon een beroep doen op Knox en Drey om ze over de streep te trekken. Zij zouden Tony D'Amato wel in het gareel houden. Die drie konden Jeds bondgenoten zijn, als hij het handig aanpakte. Het was altijd goed om in het begin al bondgenoten te selecteren.

'Zoals jullie zien hebben we zowel paarden als muilezels,' zei Jed, wijzend op de plek waar de dieren naast de paardentrailer stonden. 'De muilezels zijn onze lastdieren.'

Jed wachtte even en glimlachte plagerig. 'Voor onze vrienden uit New York zeg ik er even bij dat de maf uitziende beesten met de lange oren die daar nu staan te pitten de muilezels zijn.'

Dat veroorzaakte enig gelach en de Wall Streeters vonden het fijn om in het zonnetje te worden gezet. Ja, hoor, dacht Jed, met hen zou het wel goed komen.

'Ik zal er drie voor mijn rekening nemen,' zei Jed, 'en Dakota hier zal volgen met de andere drie. In die canvastassen aan weerszijden van de muilezels gaan onze spullen – tenten, voedsel, verbandmiddelen, kookgerei en keukenmaterialen, borden en bestek, haverzakken en alles wat we nodig hebben. Daarom heb ik jullie allemaal gevraagd om zo min mogelijk bagage en in ieder geval niet meer dan tien kilo mee te nemen. We hebben gewoon niet de ruimte of de dieren om meer mee te nemen. Ik weet dat het niet gemakkelijk is om je bezittingen te reduceren tot tien kilo, maar om de dieren niet al te zwaar te belasten, kan het nu eenmaal niet anders. Jullie wennen er wel aan en zullen het misschien wel als prettig ervaren om je niet elke dag te hoeven afvragen wat je nu weer eens moet aantrekken.

Hoewel ik jullie een controlelijst heb toegestuurd, wil ik me er toch nog even van verzekeren dat jullie alles wat nodig is bij jullie hebben, om te beginnen een goede slaapzak…'

Terwijl hij de lijst doornam – slaapzak, slaapmat, regenkleding enzovoort – koos hij de twee overgebleven deelnemers aan deze reis, die allebei alleen waren gekomen. Alleenstaanden zorgden vaak voor problemen wanneer ze probeerden aan te pappen met hem of met Dakota als ze geen aansluiting vonden bij een van de andere deelnemers, wat vaak het geval was. Alleenstaanden konden soms nurks en gereserveerd zijn en zich van de anderen afzonderen. Jed was altijd blij als andere deelnemers zich over de verdoolden ontfermden.

De twee alleenstaanden waren een man en een vrouw. Ze stonden zo ver mogelijk weg van de anderen vandaan zonder zich volkomen van de groep af te zonderen, waaruit kon worden opgemaakt dat ze niet onmiddellijk van plan waren toenadering te zoeken tot een ander. De man heette K.W. Wilson. Ken. Hij was gesloten en weinig toeschietelijk en had van alle deelnemers de minste persoonlijke informatie op zijn inschrijfformulier verschaft. Het enige wat Jed over Ken wist was dat hij uit Utah kwam, graag viste en dat hij allergisch was voor kaas. Jed zou in Kamp Een proberen hem te doorgronden, zodat hij zou weten hoe hij hem moest aanpakken en in de groep moest integreren. Als K.W. niet wilde praten dan zou Jed aan Dakota vragen hem te benaderen. Mannen praatten graag met Dakota, zelfs als zij niet bijzonder graag met hen aan de praat raakte.

Wilson had zijn camera tevoorschijn gehaald en maakte foto's van alles en iedereen. Het vreemde was dat hij nooit iemand vroeg te glimlachen of zelfs niet om toestemming vroeg om hen te fotograferen.

De andere single was een vrouw die Rachel Mina heette. Afgezien van het donkerharige Sullivan-meisje was Mina de knapste vrouw van de groep. Ze had hoge jukbeenderen, een blanke huid en lang kastanjebruin haar dat ze in een paardenstaart had samengebonden. Ze had een weelderig figuurtje, dacht Jed. En hij wist wat voor vlees hij in de kuip had, zodra ze haar inschrijfformulier aan hem had gefaxt: rond de vijfenveertig, niet onbemiddeld en recentelijk gescheiden. De kinderen waren waarschijnlijk allemaal het nest ontgroeid en eindelijk kon ze zich de dingen veroorloven die ze nooit eerder had kunnen realiseren, tot alles bereid, voor alles in. Jed zag aan de manier waarop Dakota naar haar keek dat zij er net zo over dacht.

Het interessante was, dacht Jed, dat de inschrijfformulieren van Ted Sullivan en Rachel Mina vorig jaar november luttele dagen na elkaar waren binnengekomen. Hij vermoedde dat ze bij elkaar hoorden. Maar Sullivan en Mina hadden elkaar niet begroet en voor zover hij wist zelfs geen blik van verstandhouding met elkaar gewisseld. Dus ging hij er voorlopig maar van uit dat de bijna gelijktijdige inlevering van de formulieren louter toeval was. Wat betekende dat hij uiteindelijk met haar misschien ook nog wel iets kon aanvangen.

'Zijn er nog vragen?' vroeg Jed.

Tony D'Amato stak zijn hand op. Terwijl hij dat deed proestten Drey en Knox het uit.

'En als we nu eens niet goed met ons paard overweg kunnen? *Als wij nu eens nog nooit van ons leven op zo'n kolereknol hebben gezeten, weet je wel?'*

'Dan zul je moeten lopen,' zei Jed met een stalen gezicht. Toen grijnsde hij. 'Daar hoef je niet over in te zitten. Dan geven we je het gemakkelijkste en het meest gedweeë paard dat we hebben. Het paard weet dat hij achter het paard voor hem aan moet lopen. Jij hoeft alleen maar te zorgen dat je erbovenop blijft zitten. Hoe minder je het stuurt, hoe beter het is. Die paarden weten waar we naartoe gaan en wie er de baas is. Ze lopen braaf achter elkaar aan. Wij moeten niets hebben van wildwesttaferelen, luitjes. Jullie rijden allemaal op getrainde rijpaarden die een vaste route volgen. Niemand loopt uit de pas, niemand zet het op een lopen. Wij zijn voor veiligheid en doen niet aan rodeo's. Jullie zullen rustig en ontspannen in het zadel zitten. En als we eenmaal onderweg zijn, dan helpen Dakota en ik jullie wel en geven jullie wat tips.'

'Misschien kun jij toch beter een muilezel nemen,' zei Drey tegen Tony, en hij en Knox barstten in lachen uit.

'Ik heb een vraag,' zei Tristan Glode. Zijn stem klonk gezaghebbend en humorloos.

'Zegt u het maar?' zei Jed. Hij wist meteen dat Glode het soort man was dat respect verwachtte en waardeerde en dat zou belonen met een royale fooi.

'Ik heb het weer en de omstandigheden in Yellowstone de afgelopen zes maanden na onze inschrijving voor dit avontuur bestudeerd,' zei hij. Jed zag dat de Wall Streeters elkaar aankeken en de ogen ten hemel sloegen om zijn onverbloemde arrogantie, maar een andere kant op keken voordat Glode hen zag. 'Het is abnormaal koud en nat geweest voor het seizoen. Het heeft veel meer geregend dan gewoonlijk. Ik wil weten of we vanwege het hoge water gedwongen zullen zijn van de oorspronkelijk uitgestippelde route af te wijken.'

Jed gaf snel antwoord om de andere cliënten niet ongerust te maken. 'Wat de regen betreft hebt u absoluut gelijk, meneer,' zei hij. 'We hebben een uitzonderlijk natte lente en vroege zomer gehad. Om die reden heb ik zelfs mijn twee vorige tochten moeten afzeggen. Ik wilde niet de kans lopen dat er mensen of deze paarden met hoogwater en buiten hun oevers getreden rivieren zouden worden geconfronteerd. Maar het regenen is eindelijk opgehouden, zoals jullie kunnen zien. Het waterpeil daalt en de Park Service heeft me zijn fiat gegeven. Ik geloof dus niet dat u zich ergens zorgen om hoeft te maken. Als het nodig mocht zijn, kunnen we best flexibel zijn. Als de kampeerplek die we hadden gekozen onder water staat, dan is er nog een overvloed aan andere plekken waaruit we kunnen kiezen. Dit is een verdomd uitgestrekt terrein.'

Terwijl hij dat laatste zei, voelde Jed dat Dakota hem van opzij doordringend aankeek. Hij negeerde haar.

Glode stond stokstijf stil en liet het antwoord op zich inwerken. Heel even vreesde Jed dat Glode iets rampzaligs zou opmerken als: 'Misschien kunnen we beter volgend jaar terugkomen.'

In plaats daarvan zei Glode: 'Zolang we krijgen waar we voor hebben betaald, vind ik het best. Ik wil niet dat we vanwege de weersomstandigheden de een of andere verschraalde toer moeten doen. Ik wil de reis naar het Grote Onbekende maken waarvoor ik betaald heb.'

'En die zult u krijgen, meneer,' zei Jed, opgelucht grinnikend. 'Maar houd voor ogen wat ik heb gezegd over flexibiliteit.'

'Wat vind jij ervan?' vroeg Jed op fluistertoon aan Dakota, toen ze terug waren bij de trailer om de laatste paarden te zadelen.

'Over het geheel genomen geen ongeschikt ploegje. Misschien een paar mogelijke probleempjes.'

'Welke?'

'Het oudere meisje zou wel eens lastig kunnen worden, maar ik denk wel dat we dat aankunnen,' zei ze op gedempte toon. 'Het oudere echtpaar ziet eruit alsof ze elkaar elk moment in de haren kunnen vliegen. De drie Wall Streeters lijken in orde, maar ik durf te wedden dat ze elk meer dan tien kilo bagage bij zich hebben en het meeste daarvan is sterke drank.'

Jed knikte. Ze begon hier goed in te worden.

'Het jongste van die twee zusjes lijkt me aardig.'

'Ze was me nog niet eens opgevallen.'

'Dat verbaast me niks,' zei Dakota. 'En wat kletste je nou over het gebruik van andere plekken om te kamperen? Je weet hoe Bosbeheer daarover denkt. Waarom heb je gezegd dat we misschien van de gebruikelijke route zullen afwijken?'

Hij haalde zijn schouders op. 'Je weet maar nooit. De omstandigheden zouden een aanpassing noodzakelijk kunnen maken.'

'Ik vond het nogal een vreemde opmerking van je,' zei ze, tevergeefs proberend hem over te halen haar aan te kijken.

Hij veranderde van onderwerp. 'En die man alleen? Wilson?'

Ze keek zijn kant op. 'Hij is degene die me koude rillingen bezorgt.'

Hij knikte instemmend. 'Misschien kun je hem een beetje aan het praten krijgen. Om erachter te komen waar hij op uit is.'

'Ik dacht al dat je me dat zou vragen.'

'Hij zal eerder tegen jou praten dan tegen mij,' zei Jed.

Jed was klaar met zadelen en boog zich naar haar toe. Hij fluisterde: 'Als ik de kans krijg, zal ik eens in zijn plunjezak snuffelen om te zien of hij echt geen vuurwapen bij zich heeft.'

Dakota trok haar wenkbrauwen op. 'En als hij dat wel heeft?'

'Ik vind nog wel een manier om het terloops ter sprake te brengen.'

Hij merkte dat zijn formulering haar bevreemdde, maar zei verder niets. Hij liet haar graag in het ongewisse om zichzelf iets mysterieus te geven. Dat was goed voor een relatie, dacht hij. Bovendien wilde hij niet dat ze zou denken dat dit hun laatste reis samen was.

Maar dat was het wel. Want, dacht Jed zonder het uit te spreken, dit zou heel goed zijn laatste excursie naar Het Grote Onbekende kunnen zijn. En als alles zou gaan zoals hij het in de lange en donkere wintermaanden had voorbereid, dan zou zijn kostje gekocht zijn. Uitgekookte paardenverzorgsters als Dakota Hill – en hulpbehoevende klanten zoals het stel dat voor hem rondlummelde – zouden tot het verleden behoren.

Jezus, dacht hij, als alles naar wens verliep dan zou *hij* degene zijn die op zijn wenken werd bediend.

10

GRACIE KREEG STRAWBERRY toegewezen, een lichtrode vos-merrie met witte vlekken op haar flanken en billen, wat maakte dat ze eruitzag als een roze paard. Na een kwartiertje op de rug van Strawberry, toen de lange rij ruiters over het rotsachtige pad tussen de bomen in ganzenpas het parkeerterrein verlieten, wist Gracie één ding zeker: ze was verliefd.

Toen hield ze al van het geluid en het ritme van de rit; de zware voetstappen van de dieren, hun gesnuif, de schommelende beweging en zelfs hun geur. En ze was verrukt over die grote ogen waarmee Strawberry haar aankeek toen de oude merrie haar hoofd omdraaide en Gracie met een ervaren oog leek te monsteren en klaarblijkelijk tevreden was met wat ze aanschouwde.

'Ik vind jou ook aardig,' fluisterde Gracie, vooroverleunend in het zadel om Strawberry op haar hals te kloppen. 'Ik vind jou ook leuk. We vormen een goed team, geloof ik.'

'Wat – praat jij tegen je paard?' zei Danielle die voor haar reed over haar schouder. 'Als je het maar laat om hem te kussen, hoor.'

'Het is een vrouwtje,' zei Gracie. 'En het is juist *goed* om tegen je paard te praten. Zo maak je dat ze je aardig gaat vinden.'

'Wat is die van mij?' vroeg Danielle. 'Dat ben ik vergeten. Ik weet dat het dier Peanut heet.'

'Jij rijdt op een ruin.' Ze had gehoord hoe Jed, de reisleider, en Dakota Hill haar zuster instrueerden over Peanut en zijn eigenaardigheden, waarvan de slechtste was dat het paard elke gelegenheid die zich voordeed aangreep om een hapje gras langs de kant van de weg op te peuzelen. 'Je weet toch wel wat een ruin is, hè, of niet soms?'

'Natuurlijk wel,' zei Danielle. 'Hij is een enig.'

'Een *eunuch*,' verbeterde Gracie haar.

'Precies,' zei Danielle, 'een paard zonder ballen. Een Peanut met een slappe penis. Geweldig.'

'Je zou geen hengst willen,' zei Gracie. 'Die denken maar aan één ding.'

'Dat soort jongens ben ik gewend.'

'Dat weet ik.'

'*Hou je kop*,' zei Danielle. 'Dat jij nu toevallig een paar lessen hebt gehad, betekent heus niet dat je er alles van afweet.'

'Dat weet ik ook niet,' zei Gracie. 'Maar ik wilde dat je met me mee was gegaan naar die lessen toen ik het je vroeg. Ik heb er een hoop van opgestoken en dat zou jij ook hebben. Al had je alleen maar geluisterd naar wat Jed en Dakota over hem vertelden. Ik begrijp niet hoe jij het redt als je nooit naar iemand luistert.'

'En toch red ik me op de een of andere manier,' zei Danielle, terwijl ze achteromkeek, verleidelijk glimlachte en met haar oogleden knipperde.

Gracie sloeg haar ogen ten hemel.

Van achter haar hoorde Gracie Dakota Hill zeggen: 'Heeft er iemand een teiltje?'

Gracie giechelde en keek om zich heen. Dakota leidde haar drie muilezels en mompelde in zichzelf en deed alsof ze schrok toen ze merkte dat Gracie haar had verstaan. Gracie knipoogde. Dakota grinnikte en knipoogde terug, blijkbaar opgelucht dat ze iets gemeen hadden.

Gracie vroeg zich af hoe het zat tussen Jed en Dakota, of zij een verhouding hadden. Ze had ze bij de paardentrailer met elkaar zien praten.

Ja, besloot ze. Ze waren een stel, ook al was Jed te oud voor haar. Misschien was er weinig keuze aan mannen in Montana.

De volgorde van de ruiters, paarden en muilezels was op het parkeerterrein door Jed vastgesteld. Zodra iedereen in het zadel zat, had hij uitgelegd dat de volgorde van de ruiters niet werd bepaald door belangrijkheid of persoonlijke voorkeur, maar door de wijze waarop de paarden op elkaar reageerden.

'Als jullie de volgorde willen veranderen,' zei hij, 'dan kunnen we het daar later altijd nog over hebben. Misschien moeten we later de volgorde wel veranderen om de vrede te bewaren. Maar voorlopig moeten jullie de kont van de ruiter en van het paard voor je in jullie geheugen prenten en daar achteraan rijden. Paarden hebben een vaste hiërarchie. Ze hebben ook vrienden en vijanden. We kennen die paarden beter dan we jullie op dit moment kennen, dus dat moeten jullie maar van ons aannemen. Veiligheid voor alles, mensen. Als jullie op eigen houtje de volgorde veranderen, vergroot je de kans op ongelukken.'

Gracie op Strawberry was de een na laatste. Toen Jed haar de teugels van het roze paard in handen gaf, vertelde hij dat het paard een schat was en 'geen greintje kwaad meer in zich had, als ze dat al ooit had gehad.' Strawberry was ouder dan Gracie, zei hij, en misschien was dit wel haar laatste tocht voor ze met pensioen ging om verder als fokmerrie te dienen. Het enige waar Strawberry behoefte aan had was vriendelijkheid, zei Jed, en dat zou ze terugbetalen met trouw en voorspelbaarheid. 'Jij bent vast heel aardig,' had Jed gezegd.

'Meestal,' had Gracie geantwoord.

'Heb je al eens eerder paardgereden?'

'Heel wat keren eigenlijk,' had ze geantwoord.

Hij schonk haar een vaderlijke glimlach. 'Dat zullen we dan nog wel zien,' zei hij.

11

'HEB JIJ EEN koplamp die het doet?' vroeg Cody Hoyt. Het was halfelf in de ochtend en de monteur leunde tegen een rode metalen gereedschapswagen en dronk een kop koffie. Boven zijn hoofd hing een kalender waarop een blondine met een moersleutel in haar hand stond te knipogen. De kleine garage was donker en benauwd en het rook er naar smeerolie en benzine. Stof dwarrelde in de lichtbundels die door de vuile ramen naar binnen vielen. De monteur droeg een grijze overall en een petje van de Rocky Mountain Elk Foundation. Hij was klein en pezig met donkere, diepliggende ogen en kortgeknipt melkboerenhondenhaar. Hij had zich geschoren maar had een driehoekje pluishaar boven zijn adamsappel overgeslagen. Cody had een uur lang voor de garage staan wachten terwijl de monteur op zijn dooie gemak bij de naastgelegen cafetaria met andere omwonenden zijn ochtendkoffie had zitten drinken.

'Dat zou zomaar kunnen,' zei de monteur, 'dat hangt van jouw houding af.'

Cody was de man bijna aangevlogen, maar wist zich te beheersen en keek de andere kant op. Oranje vonken dansten langs de periferie van zijn gezichtsveld. Hij wilde met zijn penning zwaaien of zijn wapen tevoorschijn halen. Hij wilde de monteur in een cel gooien en bedreigen met zijn pepperspray – als die man eindelijk maar eens in beweging kwam. Hij vond het *vreselijk* om een gewone burger te zijn. En hij vond het vreselijk dat hij in het geniep en op eigen houtje moest opereren. Als hij die verkeersagent de vorige nacht had verteld waar hij heen ging en waarom, dan zou de man zich verplicht hebben gevoeld het te melden en zijn verhaal te controleren. Cody moest tegen elke prijs vermijden dat de sheriff erachter kwam dat hij verdwenen was en de afstand tussen Townsend en Helena was klein genoeg voor Bodean om iemand te sturen om hem terug te halen. Dus had hij knarsetandend de verkeersagent terug naar de stad gevolgd en had hij volgzaam geknikt toen de man hem beval zijn auto te parkeren.

Als hij de monteur het mes op de keel zette dan zou de agent terugkomen en zou hij misschien nooit aankomen in Townsend, Montana, 1898 inwoners.

'Zeg,' zei Cody, 'doe me nou een lol en laat je andere klusjes net even lang genoeg liggen om er een nieuwe koplamp op te zetten.'

De monteur keek Cody met halftoegeknepen ogen monsterend aan. Cody had de indruk dat hij wilde dat hij nog dieper door het stof ging.

'Ik ben hier de hele nacht geweest,' zei Cody. 'De verkeersagent zei dat jij momenteel de enige monteur in de stad bent. Ik moet echt hoognodig op weg en hij wil me niet laten gaan voordat die koplamp is gerepareerd.'

Uiteindelijk zei de monteur: 'Ik vraag me af of ik wel een passende koplamp op voorraad heb. Misschien moet ik er een laten komen uit Helena of uit White Sulpher Springs...'

Cody viel hem in de rede. 'Het hoeft er niet mooi uit te zien. Hij hoeft niet eens te *passen*. Als hij maar licht geeft.'

De ochtend was fris en zonnig en er waren geen voetgangers op straat. De Commercial Bar aan de overkant van de straat was, zoals altijd, open. Cody keek hoe een boerenkar aan de stoep-rand parkeerde en hoe een oude verfomfaaide cowboy uitstapte om zijn ontbijtbiertje te gaan drinken. Hij droeg hoge kaplaar-zen en een van zweet doortrokken strohoed. *Jezus*, dacht hij, *een ontbijtbiertje.*

Onder het lopen dacht hij aan Justin en hij kreeg een wee gevoel in zijn maag. Daarom *moest* hij doorzetten. Hij *moest* zijn zoon vinden en niet verslappen. Dat was hij aan de wereld verplicht.

Hij haalde zijn mobieltje tevoorschijn en belde Larry via de sneltoets.

'Met Olson.'

'Larry, met mij.'

Het duurde heel even voordat Larry zijn keel schraapte en zei: 'Pardon, wat was uw naam precies?'

'Doe me een lol, Larry.'

'En voor welk bedrijf werkt u?'

'Aha,' zei Cody, 'Bodean is in de kamer. Ik heb het begrepen.'

'Ja,' zei Larry op afgemeten toon.

'Kan ik met je praten?'

'Nee. Hoe komt u aan dit nummer?'

'Dan bel ik je wel terug op je mobieltje.'

'Ik koop geen printerinkt of wat dan ook in voor het bureau, mevrouw. Ik ben een rechercheur in dienst van het bureau van de sheriff, nota bene. Ik heb belangrijk werk te doen.' En hij smeet de hoorn op de haak.

Cody belde drie minuten later terug en moest constateren dat Larry zijn mobieltje had uitgezet.

Verbaasd klapte Cody zijn mobieltje dicht. Larry zette zijn telefoon *nooit* uit. Dus Bodean was nog steeds in de kamer of er was iets anders loos. Maar wat?

Cody hoorde de beltoon van zijn mobieltje en keek naar het schermpje. Het was een onbekend nummer, maar het netnummer was van Montana.

'Hallo,' zei Cody.

'Met mij,' zei Larry. Afgaande op de geluiden op de achtergrond vermoedde Cody dat zijn partner voor een wandelingetje de deur uit was gelopen.

'Je moet me niet meer bellen op mijn mobieltje of op mijn nummer op kantoor,' zei Larry. Ze weten niet dat je er vandoor bent. Er mogen geen gesprekken tussen ons worden geregistreerd. En als ze me vragen of ik iets van je heb gehoord, dan vertel ik de waarheid. Ik kan niet voor je liegen, Cody.'

'Ik begrijp het. Maar wat is het dan voor telefoon die je nu gebruikt?'

'Weet je, dat is er een die ik heb geleend,' stamelde Larry.

'Je begint het te leren.' Cody glimlachte in zichzelf. Hij dacht terug aan de middag dat hij Larry had laten zien hoeveel telefoons er in de bewijskamer lagen die allemaal bij een bepaalde zaak hoorden. Sommige waren nog steeds opgeladen. Hij vertelde hoe hij, toen hij nog in Denver werkte, in beslag genomen telefoons gebruikte om gesprekken te voeren die niet tot hem konden worden teruggevoerd. Soms belde hij, om een misdadiger te pesten, willekeurige nummers in Bolivia en Ecuador, alleen maar om hun telefoonrekeningen tot astronomische hoogten te laten oplopen.

'Waar ben je nu?' vroeg Larry.

Cody zuchtte. 'Ik ben tot Townsend gekomen waar een verkeersagent me heeft aangehouden en me heeft gedwongen terug te keren naar de stad vanwege die klotekoplamp.'

Larry lachte. 'Townsend? Verder ben je niet gekomen? Je maakt een *geintje*.'

'Vannacht ben ik dus vrijwel voortdurend tegen de muren van het Lariat Motor Lodge opgelopen. Ik kan het alleen maar aanbevelen omdat het waarschijnlijk de enige plek in Amerika is die nog zwart-wittelevisies op de kamers heeft en beddenspreien die doen terugdenken aan het huis van je grootmoeder.'

'Je had beter thuis kunnen blijven,' zei Larry.

Cody gromde: 'Mooi niet. Over een paar minuten ben ik weer onderweg.'

Larry zuchtte.

'Heb je nog iets gehoord van viCAP of RMIN?'

'In zekere zin,' zei Larry. 'RMIN controleert de politiedossiers van het meest recente slachtoffer in Jackson Hole, en heeft beloofd me terug te bellen. De zaak werd als een ongeluk geclassificeerd, maar de toedracht komt ons nogal bekend voor. Een gescheiden vrouw van zesenveertig die Karen Anthony heet en alleen woont, werd dood aangetroffen in haar woning even buiten Wilson. Soortgelijke situatie, Cody. Haar huis was om haar heen afgebrand en ze werd de volgende dag onder het puin aangetroffen. Verwonding aan het hoofd is de waarschijnlijke doodsoorzaak.'

'Was daarbij ook sprake van zoiets als een open kachelluik of een fles?' vroeg Cody.

'Nee. Tot dusverre komen de bewijsstukken niet overeen met de onze. Maar de omstandigheden waaronder ze dood is aangetroffen zijn identiek.'

Cody liep in snelle pas over het trottoir. Hij herkende een bekend gezicht dat hem van achter het raam van de Commercial Bar in de gaten hield. Het was de cowboy die hij eerder had gezien. De man tikte zijn hoed even aan en nam een grote slok uit een bierpul als om hem te treiteren. De cowboy dronk een rood bier – gekruide tomatensap en Budweiser Light. Daar begon Cody vroeger de dag mee. Het helende effect ervan was magisch te noemen.

'Klootzak,' zei Cody.

'Wat?' vroeg Larry.

'Ik heb het niet tegen jou. Wat deed Karen Anthony? Wat voor baan had ze?'

'Eens even kijken,' zei Larry. 'Aha, hier heb ik het. Ze was een zelfstandige ziekenhuisconsulente. Ze had haar eigen bedrijf en boerde blijkbaar goed. Ze had een kantoor in Jackson en in Denver, Minneapolis en Omaha.'

Cody wreef over zijn gezicht. 'Een van de slachtoffers kwam toch uit Minnesota? Is er ergens een verband?'

'Ik zou het niet weten. Het is nog te vroeg om dat te zeggen. Ik heb voor later op de dag een telefonische vergadering belegd met een analist van viCAP, dus misschien kunnen we dan bepalen of ze iets met elkaar te maken hadden. Het enige wat me zo te binnen schiet ligt voor de hand en dat is dat Winters in de farmacologie werkzaam was en dat Karen Anthony een ziekenhuisconsulente was. Dus misschien hebben ze samengewerkt of kenden ze elkaar. Maar om daarachter te komen zullen we nog heel wat dieper moeten graven.'

'Ja,' zei Cody. 'We weten nog steeds niets over de sterfgevallen in Minnesota en Virginia. Ze zouden met deze twee in verband kunnen staan of niet. Daar kan viCAP ons misschien mee helpen.'

'En Cody,' zei Larry, 'niets brengt Winters en Anthony met elkaar in verband, behalve dat allebei hun huizen zijn afgebrand en dat de data waarop dat gebeurde dicht bij elkaar liggen. Dat is zo'n dunne draad…'

'Ik weet het,' zei Cody. 'Hou me op de hoogte, oké? Mijn mobieltje zou het moeten doen tot ik in Yellowstone ben.'

'Je gaat dus nog steeds,' zei Larry.

'Als je dat maar weet. Hé... heb je het kantoor van Jed McCarthy al kunnen bereiken?'

Larry wachtte even tot er een dieselwagen met ronkende motor voorbij was gereden. Toen zei hij: 'Ik heb nog twee keer een boodschap ingesproken dat ze me terug moeten bellen.'

Cody bleef stilstaan. 'Wil je beweren dat je de politie van Bozeman er nog niet op af hebt gestuurd? Kom nou toch, Larry!'

Stilte. Toen drong het tot Cody door, maar voor hij de kans had zijn excuses aan te bieden was Larry alweer aan het woord.

'Vuile klootzak,' zei Larry. 'De afspraak was dat jij bij het kantoor voor de deur zou staan als die openging. De afspraak was niet dat jij in dat klote-Townsend, Montana, een beetje met jezelf zou gaan zitten spelen. En hoe zou het voor jou zijn geweest als jij gelijk met de plaatselijke politie bij Wilderness Adventures zou aankloppen? Dacht je niet dat die vragen zouden stellen? Dacht je niet dat die er pijlsnel achter zouden komen dat jij een geschorste rechercheur was en hierheen zouden opbellen om een praatje te maken met Tub?'

'Ik weet het,' zei Cody, 'neem me niet kwalijk. Jij houdt je hoofd koel en ik doe dat niet. Bedankt, Larry.'

'Ik ben het beu om jou diensten te bewijzen,' zei Larry.

'Ik weet het. Dat kan ik je niet kwalijk nemen.'

'Af en toe ben jij een onnadenkende hufter,' zei Larry.

'Oké,' siste Cody, 'nu weet ik het wel.'

'Mooi zo,' zei Larry op besliste toon.

Cody hoorde het donderend geraas waarmee de garagedeur openging. Hij keek om en zag dat de monteur zijn suv achteruit naar buiten reed. Er zat inderdaad weer een koplamp op. Hij paste niet in het beschadigde spatbord, maar was aangesloten en met plakband bevestigd in het ingedeukte gat. Het leek net een losse oogbal.

'Ik ben klaar om te vertrekken,' zei Cody. 'Hou me op de hoogte over wat ViCAP EN RMIN boven water halen.'

Larry zuchtte.

'Bel jij mij maar, dan bel ik jou niet,' zei Cody, 'maar hou die geritselde telefoon bij de hand en uit het zicht, oké? Voor het geval mijn bezoek aan het kantoor in Bozeman iets oplevert.'

'Komt voor de bus,' zei Larry.

'Bedankt, makker.'

Cody zwaaide en haalde diep adem toen hij de wagen van de verkeersagent, die anderhalve kilometer buiten Townsend langs de kant van de weg stond, passeerde. De agent liet zijn sirene even schallen en gebaarde hem dat hij moest stoppen.

Cody zat ziedend van woede achter het stuur te wachten toen de agent traag uit zijn auto stapte en langzaam naar zijn kant van de auto slenterde. Hij draaide zijn raampje open.

'Wat nu weer?' vroeg Cody.

'Ik zie dat je een koplamp hebt. Maar hij ziet er niet best uit,' zei de agent. 'Ik hoop wel dat je die voorkant laat repareren en die koplamp zo snel mogelijk vervangt.'

'Dat zal ik doen.'

'Ik wil je nog wat vragen,' zei de agent, terwijl hij zijn hoed een beetje naar achteren schoof en Cody's gezicht aandachtig bestudeerde op zoek naar zenuwtics of aanwijzingen. Cody kende het klappen van de zweep. Hij stond op het punt hem een vraag te stellen die hij niet wilde beantwoorden, en de agent hoopte hem op een leugen te betrappen. 'Ik heb je kenteken nagetrokken. Volgens de Rijksdienst voor het Wegverkeer bestaat dit voertuig niet. Met andere woorden: het kenteken staat op niemands naam.'

'Dat verbaast me niets,' zei Cody snel. 'Ik heb hem op een openbare veiling in Helena gekocht. Ze hadden hem gebruikt voor undercoveracties, vertelde de veilingmeester me. Hij zei dat het bureau van de sheriff er nepnummerplaten op had gezet zodat de boeven niet wisten wie ze waren. Ik denk dat ze die platen erop hebben laten zitten.'

De agent wreef nadenkend over zijn kin.

'Ik zal nieuwe nummerplaten bestellen zodra ik terug ben in Bozeman,' zei Cody. 'Dat beloof ik. Ik zal je het ontvangstbewijs sturen om het te bewijzen.'

Op dat moment begon de walkietalkie in de hand van de agent te kraken. Cody hoorde dat de centrale melding maakte van een over de kop geslagen auto acht kilometer ten noorden van Townsend.

'Ik zou er maar gauw op afgaan,' zei Cody.

De agent aarzelde even en zei toen: 'Stuur me dat ontvangstbewijs. Maar er is iets verdachts aan dat verhaal van jou.'

'Controleer het maar,' zei Cody. 'Dan zul je zien dat het klopt.'

De agent maakte een geringschattend gebaar dat hij door kon rijden en keerde terug naar zijn auto. Cody bedankte in stilte degene die ten noorden van de stad de macht over het stuur had verloren en reed langzaam de rijweg weer op.

Het kantoortje van Wilderness Adventures bevond zich ten zuiden van Bozeman aan de U.S. 191 bij de Gallatin Gateway Inn aan de weg naar West Yellowstone en Yellowstone Park. Cody kwam er om halftwee 's middags aan en vervloekte opnieuw het incident in Townsend dat ervoor had gezorgd dat hij twaalf uur achterliep op zijn schema.

Het kantoor was een aangepaste oude woning in de luwte van oude populieren en omringd door glooiende weilanden en bijgebouwen en kralen in redelijke staat. Een stuk of zes, zeven paarden graasden, zwiepten met hun staarten tegen de vliegen en keken niet op om hem welkom te heten. Het was niet het soort kantoor dat bedoeld was om gasten te ontvangen, dacht hij, maar het was vast en zeker een geschikte plek voor grootschalige paardenoperaties. In het weiland konden de paarden grazen als ze terugkwamen van een trektocht. Het bordje van Wilderness Adventures was zelfgemaakt: een modern vloeiend logo geschilderd op een oude plank. Naast het gebouw stond een oude blauwe personenauto geparkeerd.

Hij zette de motor uit, liep de houten trap naar de veranda op en bonsde op de lijst van de hordeur.

'Jawel?' Een vrouwenstem. Ze klonk geschrokken.

'Ik ben Cody Hoyt,' zei hij. 'Ik wil iemand spreken die me meer kan vertellen over de trektocht door Yellowstone Park.'

'Och hemeltje,' zei een mollige oudere vrouw die plotseling achter de hordeur opdook. 'Je had je toch niet opgegeven voor die tocht, hè? Want ze zijn vanochtend al vertrokken.'

Ze heette Margaret Kerley en ze was de enige medewerker van Wilderness Adventures en was dat al vijfentwintig jaar, zei ze. Ze droeg een bril met dikke glazen en had stug krullend haar dat aan staalwol deed denken. Ze droeg een spijkerbroek, een witte blouse die in de buikstreek uitpuilde en een vest met een geborduurd wildwestpatroon van cowgirls en lasso's. Het halletje van het kantoor stond vol met grote kartonnen dozen waar DELL op stond.

'We zijn aan het automatiseren,' zei ze, bedroefd haar hoofd schuddend. 'Jed gaat me leren hoe ik met zo'n ding moet omgaan. Hij zegt dat het ons efficiënter zal maken, maar zelf vind ik het maar *malligheid*, weet je. Een oude vos moet je geen nieuwe trucjes leren. Ik doe de zakelijke kant van dit bedrijf al zoveel jaren en ik heb geen machine nodig. Alles wat ik nodig heb zit hierin,' zei ze, en ze wees op een batterij oude metalen archiefkasten. 'Ik word geacht al die gegevens in het apparaat op te nemen en Jed wil dat ik de website bijhoud zodat hij dat niet vanuit zijn huis hoeft te doen. Kun je je zoiets voorstellen? Het World Wide Web? Daar wil ik niets mee te maken hebben.'

Cody knikte kortaf. Hij zag dat de lampjes op de telefoon op haar bureau knipperden van de ingekomen boodschappen.

'Neem je de telefoon niet op?' vroeg hij. 'Mijn collega heeft al de hele ochtend geprobeerd je te bereiken.'

'Natuurlijk neem ik de telefoon wel op,' zei ze en haar ogen schoten heen en weer achter de dikke brillenglazen. 'Maar dat is een beetje lastig als je de hele ochtend in een computerklasje zit om te leren hoe je met een programma moet omgaan dat Excella heet.'

'Excel,' zei Cody. 'Dus je bent ook nog maar pas binnen?'

'Ik ben een halfuurtje geleden aangekomen,' zei ze, nog steeds nijdig op hem. 'Ik was aan het werk. Ik was simpelweg niet aanwezig. Jed staat erop dat ik eens per week die cursus volg en dat is vandaag.'

'Heb je een lijst met deelnemers aan de huidige tocht? Die zou ik even willen inzien.'

'Natuurlijk heb ik die,' zei ze. 'Maar kun jij me zeggen waarom je wilt zien wie eraan meedoen? Is dat niet een soort inbreuk op de privacy?'

Cody wilde zijn ogen ten hemel slaan maar wist zich te beheersen. 'Ik zou niet weten waarom,' zei hij. 'Luister, ik moet weten of mijn zoon aan die tocht meedoet. Het is belangrijk. In verband met dringende familieomstandigheden.'

'Je zult ze toch niet kunnen bereiken,' zei ze hoofdschuddend. 'Het is onmogelijk om contact op te nemen met een trektocht als die eenmaal in het park is. Ze hebben daar geen mobiele dingen.'

'Zendmasten,' zei hij. 'Luister, dat weet ik. Maar ik moet weten of hij mee is. De rest dokter ik zelf wel uit.'

166

Ze keek hem met halfdichte ogen aan en tuitte haar lippen.
'Jij bent wel erg bruusk.'

'Dat spijt me,' zei hij, terwijl hij een stap dichterbij kwam.
'Maar laat me nu maar die *lijst* zien.'

Ze zuchtte theatraal, keerde zich toen om en liep naar de archiefkasten toe. 'Ik weet waar alles is,' zei ze. 'Ik heb mijn eigen systeem. Blijkbaar zit het Jed dwars dat hij niets kan vinden, ook al heb ik hem proberen uit te leggen hoe het systeem werkt. Eens even kijken, vandaag is het 1 juli, 07/01 dus. De zeven correspondeert met de G in het alfabet, de zevende letter. De één correspondeert met de A...' Ze trok een la in het midden open en begon door hangmappen te bladeren die gemarkeerd waren met handgeschreven letters.

Cody probeerde zijn kalmte te bewaren.

'Hier heb ik het,' zei ze en ze trok er een dossiermap uit. 'Alle aanmeldingsformulieren en vrijwaringsverklaringen. En hier,' zei ze, en ze trok een handgeschreven velletje papier uit de map, 'is de complete lijst op alfabetische volgorde.'

Hij griste hem uit haar hand en las wat erop stond.

1. Anthony D'Amato
2. Walt Franck

'Zijne Rijkheid,' mompelde Cody. 'Verdomme.'

3. Justin Hoyt

'*Verdomme*,' fluisterde Cody. 'Hij is met ze mee.'
Cody bestudeerde de rest van de lijst:

4. James Knox
5. Rachel Mina

6. Tristan Glode
7. Donna Glode
8. André Russell
9. Ted Sullivan
10. Gracie Sullivan
11. Danielle Sullivan
12. K.W. Wilson

Geen van de andere namen deed een belletje rinkelen. Maar hij sloot de mogelijkheid niet uit dat een van die namen bij VICAP iets zou opleveren.

'Ik wil hem wel terug,' zei ze.

'Een ogenblikje,' zei hij, terwijl hij de inschrijfformulieren doorbladerde. Hier, in de map die hij in zijn hand hield, bevonden zich de namen, adressen, signalementen en bijzonderheden van alle deelnemers aan de tocht. Hij was in de wolken. 'Waar staat je fax?'

'Is het interlokaal?' vroeg ze. 'Weet je, elke fax is net als een interlokaal telefoongesprek.'

Cody graaide in zijn zak en wierp haar een biljet van twintig dollar toe. 'Dat moet voldoende zijn.'

'Waar fax je die papieren naartoe?' vroeg ze.

'Vertel me nu maar waar dat kloteapparaat staat,' zei hij.

'Je hoeft niet zo'n toon aan te slaan,' zei ze, wijzend op een voorraadkamer achter zich.

Terwijl Cody de ene pagina na de andere door het apparaat haalde en naar Larry toezond, zette hij het kopieerapparaat naast de fax aan. Nadat alle inschrijfformulieren waren verzonden maakte hij kopieën voor zichzelf. Margaret Kerley zat achter haar bureau ingesproken telefonische boodschappen te beluisteren en had hem verder met rust gelaten. Hij hoopte dat ze het niet erg vond dat hij kopieën maakte, maar dat maakte niet uit – hij moest en zou die inschrijfformulieren meenemen. Want een van die mensen, dacht hij, heeft Hank Winters vermoord en bevindt zich in de nabijheid van mijn zoon.

Toen hij klaar was stopte hij alle originele documenten terug in de map en stak de kopieën onder zijn overhemd.

Hij gaf haar de map terug.

'Waarom denk je dat een rechercheur mij opbelt?' vroeg ze. 'Is dat jouw collega? Ben jij van de politie?'

Hij knikte.

'Waarom heb je dat niet meteen gezegd?' vroeg ze en ze ging plotseling meer rechtop zitten.

'Undercover,' zei hij. 'En dit is een vertrouwelijke kwestie. Vertel alsjeblieft niemand dat ik hier ben geweest. Heb je dat goed begrepen?'

Ze knikte verwoed.

'Nu moet ik eerst eens even goed nadenken,' zei hij. 'Wat is de beste manier om die trektocht te onderscheppen? Je wilt me toch niet vertellen dat de reisleider niet over een satelliettelefoon of een andere manier beschikt om contact op te nemen met de buitenwereld?'

Ze schudde haar hoofd. 'Het spijt me, maar dat heeft hij niet.'

'Hoe is dat nog mogelijk in deze tijd?' riep Cody uit. 'En als Bosbeheer hem nu eens nodig heeft? Als er een noodgeval is, bij voorbeeld een deelnemer die een hartaanval krijgt?'

Ze glimlachte begripvol. 'Dan moet hij een boswachter zien te vinden en dan belt die naar de buitenwereld. Je hebt geen idee hoe die lui kunnen zijn. Bosbeheer, bedoel ik. Wat een bureaucratie! Zij zijn de reden dat Bull Mitchell uiteindelijk de zaak verkocht heeft. Ik wilde dat hij dat nooit had gedaan. Ik weet zeker dat *hij* nooit van me zou hebben gevraagd achter een computer te zitten.'

Cody haalde diep adem. 'Oké, ik kan ze dus niet opbellen. Maar hoe moet ik ze dan vinden? Is er een vaste route? Staat er niet op de website dat ze elke nacht op een van tevoren gekozen plek overnachten?'

Ze knikte. 'Tenzij ze ergens anders hun tenten opslaan,' zei ze. 'Er gebeurt daar altijd wel wat. Soms kamperen ze op een andere plek of kiezen ze zelfs een ander pad, als het pad dat ze hadden uitgestippeld onder water staat of als er bomen zijn omgevallen of zoiets. Het enige wat ik weet is waar ze beginnen en waar ze eindigen en het daartussen liggende gebied is in zekere zin... willekeurig.'

Van frustratie gaf hij een klap op het bureau. Toen zei hij: 'Waar kan ik Bull Mitchell vinden?' En onderwijl dacht hij: *Woont hij eigenlijk wel in Bozeman? Leeft hij nog?*

Ze keek op haar horloge.

'Het loopt tegen tweeën,' zei ze. 'Dat betekent dat hij wel in de bibliotheek zal zijn.'

'In de *bibliotheek*?'

Er kwam een wazige blik in haar ogen. 'Je zult het wel zien,' zei ze.

12

GRACIE VOND HET helemaal niet erg dat ze zo ver achteraan in de rij liep. Ze vond het juist leuk om de andere ruiters voor haar te kunnen observeren, iets wat ze niet had kunnen doen als haar rijdier hoger in de paardenhiërarchie had gestaan.

Jed reed helemaal vooraan, met vlak achter zich de drie muilezels, zwaarbeladen met materieel en proviand. Hij draaide zich voortdurend om in het zadel om zich ervan te verzekeren dat iedereen nog in de volgorde die hij had bepaald achter hem aan reed. Achter de muilezels volgde het oudere echtpaar, Tristan en Donna Glode. Tot dusverre had Gracie Tristan nog weinig horen zeggen, maar hij had iets zakelijks en ernstigs over zich, vond ze. Zijn vrouw leek gereserveerd en kil, maar Gracie had wel gezien hoe gracieus ze haar paard had bestegen en hoe elegant ze in het zadel zat. Ze was de enige deelnemer die echte Engelse rijlaarzen droeg. Gracie probeerde Donna Glodes rijstijl te imiteren – ontspannen, niet onderuitgezakt, hoofd geheven, teugels losjes in de hand. Maar dat was meteen het enige wat Gracie van Donna Glode wilde overnemen.

Daarachter volgden Walt en Justin. Gracie zag hoe vaak Walt zich in het zadel omdraaide om met tevredenheid naar zijn stiefzoon in de dop te kijken. Ze vroeg zich af wat Justin uitspookte dat de knikjes met het hoofd rechtvaardigde, want zij had de indruk dat Justin niets anders wilde dan gewoon voortsukkelen en steelse blikken naar Danielle werpen. Justin reed goed, vond Gracie, zoals een geboren atleet zou rijden. Hij was geen gladjanus, maar maakte een sterke en evenwichtige indruk. Hij beschikte over een zekere stijl, een houding: zelfverzekerd, vrijpostig, misschien een beetje vol van zichzelf. Hij wist dat hij het enige jonge haantje in het gezelschap was. Hij zag blijkbaar geen reden om zijn voeten in de stijgbeugels te steken bijvoorbeeld, en die bungelden losjes aan weerszijden van het paard.

Rachel, de gescheiden vrouw of de weduwe of wat ze ook mocht zijn, reed achter Justin op een glanzende koolzwarte ruin. Gracie vond het paard, dat Midnight heette, verreweg het mooiste exemplaar van de kudde. Midnights vacht was zo zwart dat hij een donkerblauwe glans had, als het haar van Superman, dacht Gracie. En Rachel Mina bereed hem met verve. Ze was niet zo zelfbewust als Donna Glode, maar het was duidelijk dat ze vaker paard had gereden. Ze had een goede houding, vond Gracie, terwijl ze zelf ook meer rechtop in Strawberry's zadel ging zitten. Het leek Gracie wel interessant om met Rachel Mina een praatje aan te knopen om erachter te komen wat haar reden was om aan zo'n trektocht mee te doen. Ze had het gevoel dat die vrouw wel iets te melden had of in ieder geval een mooi verhaal zou kunnen vertellen. En vergiste ze zich nu, of had Rachel Mina op een bijna vertrouwelijke manier naar haar geglimlacht? Alsof ze elkaar al eerder hadden ontmoet, hetgeen nooit was gebeurd, daar was Gracie zeker van.

Achter Rachel Mina reden de drie Wall Streeters: James Knox, Drey Russell en Tony D'Amato. Gracie dacht dat Knox *wellicht* eerder in het zadel had gezeten en heel misschien ook Drey. Maar dat gold zeker niet voor Tony, die steeds opnieuw zei: 'Waar zit de rem op dit ding?' en 'Wat heb je aan een zadelknop als je er niet mee kunt toeteren?' Tony maakte de andere twee voortdurend aan het lachen met zijn stomme commentaren en opmerkingen en Gracie vermoedde dat het een soort pose was. Elke keer als de lange penis van Knox' ruin zich ontvouwde en terwijl het paard liep losjes heen en weer zwabberde, wees Tony erop en zei dan: 'Wat is die ontspannen,' of 'Hij doet me aan *mij* denken als hij dat doet.' De drie mannen samen waren interessant, dacht ze. Ze had in haar leven nog maar weinig vriendschappen tussen mannen aanschouwd en vermoedde dat de manier waarop ze elkaar plaagden en beledigden een vorm van affectie tonen was. Als vrouwen zo tegen elkaar spraken zou het niet lang duren voor ze hun nagels uitsloegen en er bloed vloeide. Ze bedacht ook hoe snel het zou gaan vervelen als het om de andere opmerking over hun geslachtsdelen zou gaan, zoals dat tussen de Wall Streeters het geval was. Ondanks hun malligheden vond Gracie het leuk dat de drie mannen erbij waren. Ze leken een hechte en verankerde eenheid te vormen. Beter dan drie vrouwen, dacht ze. Vooral op een reis als deze.

De vreemde man, K.W. Wilson, reed achter hen op een vaalgrijze ruin. Hoewel hij geen zwarte hoed of shirt aanhad, had hij iets duisters over zich. Somber, maar zo nu en dan ook in zichzelf glimlachend. Alsof hij een geheim koesterde of een vermakelijke inval had. De spookachtige bleekheid van zijn paard versterkte die indruk nog. De man was mager en zijn gezicht was opgebouwd uit hoekige vlakken die tegen elkaar aan waren geschoven, alsof hij ooit een normaal gezicht had gehad, maar iemand het van opzij had geplet waar het omboog als bladmetaal. Zijn ogen stonden vlak bij de scherpe rug van een haakneus. Hij was nu al ongeschoren en de reis was nauwelijks begonnen. Hij leek niet te lachen om de grappen van de Wall Streeters, totaal niet. Gracie was op haar hoede voor hem en had, anders dan bij Rachel Mina, totaal geen behoefte hem beter te leren kennen.

Achter Wilson reed haar vader en Danielle reed vlak voor haar. Danielle reed goed, ook al had ze geen flauw benul waar ze mee bezig was. Gracie wilde dat haar houding in het zadel net zo goed was als die van Danielle en vroeg zich af wanneer haar billen niet meer zo mager en schonkig zouden zijn als van een jongen. Het deed nu al pijn. Ze zou best wat van het zitvlees van Danielle kunnen gebruiken, dacht ze.

'Hoe bevalt het paard?' vroeg Dakota Hill op een toon die luid genoeg was voor Gracie om te verstaan, maar niet luid genoeg om door de anderen te worden opgevangen.

'Goed,' zei Gracie. 'Ze is echt een schat.'

'Strawberry is een braaf paardje. Je kunt van haar op aan. Zorg alleen dat ze niet al te dicht bij de andere paarden voor je komt. Pas vooral op voor Midnight, die zwarte. Midnight heeft een hekel aan Strawberry.'

'Wat zonde,' zei Gracie, terwijl ze naar voren leunde en Strawberry een klopje op haar hals gaf, 'want ze is juist zo'n lieve meid.'

'Ja.'

Gracie vond dat Dakota Hill eruitzag als een geboren cowgirl, terwijl Jed er daarentegen niet uitzag als een geboren cowboy. Zij is het type vrouw, dacht Gracie, dat bijna mooi zou zijn als ze zich zou opmaken. Maar Dakota leek vastbesloten zich daar niets van aan te trekken en nuchter en korzelig te blijven. Welke vrouw zou nou bekend willen staan als 'ezeldrijfster'? Gracie wist niet goed wat ze van haar moest denken, maar vond haar tegelijkertijd fascinerend.

Toen ze zich, nog met een glimlach op haar gezicht, terugdraaide in haar zadel, werd ze getroffen door twee paar ogen die op haar gericht waren. Vanaf de voorkant van de rij wierp Jed McCarthy haar een ogenschijnlijk afkeurende blik toe. En van een paar paarden afstand keek K.W. Wilson haar meesmuilend aan.

Ze reden over het midden van een grote groene heuvelrug die van vier kanten door bomen werd omringd. Het rook er enigszins naar zwavel. Jed had met zijn muilezels het pad verlaten en liet de anderen passeren. Gracie zag dat hij met elke ruiter een paar woorden wisselde toen ze langs hem reden.

Toen zij bij hem aankwam vroeg hij: 'Kun je goed opschieten met dat paard?'

'Ja.'

'Jij hebt een fijn rijdier getroffen,' zei hij, terwijl hij zijn paard zo manoeuvreerde dat ze naast elkaar kwamen te lopen.

'Ik heb tegen iedereen gezegd dat ze vooral op het pad moeten blijven,' zei hij. 'Dat is in Yellowstone belangrijker dan waar ook.' Hij wees op een groot wit stuk grond op een meter of dertig rechts van hen. 'Zie je dat daar?'

'Ja.'

'Zie je er iets ongewoons aan?'

'Ik zie dat er geen gras op groeit.'

'Kijk nog eens goed. Kijk een centimeter of twee, drie boven de grond.'

Ze tuurde ernaar en zag dat de lucht enigszins leek te golven, alsof het onder water was. In het midden van de witte plek kwam een dunne sliert stoom of rook kringelend omhoog uit een gat ter grootte van een kwartje.

'Wat is dat?'

'Dat is typisch voor deze omgeving,' zei hij. 'Het is een fumarole, of een dampbron. Het witte is een opgedroogde mineraalkorst die een plek bedekt waar oververhit water uit de grond omhoogborrelt. Door dat gaatje ontsnapt stoom. Anders zou de druk te groot worden en zou er een uitbarsting volgen.'

'Wauw,' zei ze hoofdschuddend.

'De korst is broos,' zei hij. 'Als je eroverheen zou lopen of er met je paard overheen zou rijden, zou je er dwars doorheen gaan. Het water eronder zou jou en je paard levend koken. Het zou je zelfs je leven kunnen kosten als je erin zou worden afgeworpen.'

'Echt waar?'

'Echt waar. Dat is de reden dat we bij elkaar op het pad moeten blijven en niet mogen afdwalen. Die dingen zijn overal en sommige zijn nog veel erger,' zei hij. 'Er is een klein ravijn in het park waar in de grond spontaan zoveel methaangas wordt geproduceerd dat ieder levend wezen dat erin loopt binnen enkele minuten sterft. De bodem van het ravijn is overdekt met skeletten van elanden en bizons en misschien zelfs ook nog met beenderen van indianen.'

Hij had zijn stem gedempt en ze vond dat die merkwaardig melodieus klonk. Ze voelde een koude rilling over haar rug gaan.

'Maar als je naar die witte plek kijkt,' zei hij, 'dan wil ik dat je je iets anders voorstelt. Stel je Yellowstone zelf voor als zo'n wit stuk land. Er ligt een heel dun korstje op dat de hel bedekt die probeert over te koken. Die *wil* overkoken. En ooit, op een kwade dag, zal dat gebeuren. Dat noemen ze de Yellowstone Caldera. Weet je, lieve kind, als die uitbarsting komt dan kost dat twee miljoen mensen het leven. In de geschiedenis is dat al eerder gebeurd en we zijn inmiddels zestigduizend jaar over tijd.'

'Waarom vertel je me dit?' vroeg ze.

'Om te zorgen dat je extra waakzaam blijft,' zei hij. 'Ik wil dat al mijn reisgenoten hun ogen en oren wijd open houden.'

'Ik ben klaarwakker,' zei ze.

13

HOEWEL HET OOIT had geleken alsof hij er in eentje woonde, was Cody Hoyt al in geen jaren in een bibliotheek geweest. En zodra hij de Openbare Bibliotheek van Bozeman aan
East Main Street betrad, had hij het gevoel dat hij terug werd
geworpen in het verleden naar de tijd dat hij op zijn fiets naar
de bibliotheek reed, na zijn vrienden te hebben gezegd dat hij
naar huis ging. Hij was dol op de bibliotheek, hoewel hij dat
aan niemand vertelde. Alleen het personeel van de bibliotheek
wist het en dat verschafte hem de ruimte en hun overduidelijk
de voldoening dat een Hoyt van de gewelddadige en onbehou-
wen Hoyts daadwerkelijk hun tempel van beschaving bezocht.
Vaak gaf een van de bibliothecaressen hem een boterham omdat het duidelijk was dat het avondeten voor hem erbij inschoot
en dan peuzelde hij die op aan zijn eigen tafeltje achter in de
leeszaal.

Hij las alles: kranten, tijdschriften, boeken over de jacht en het
vissen, misdaadromans, biografieën van Amerikaanse presiden-
ten, alles wat hij kon vinden over de Tweede Wereldoorlog. Hij
las naslagwerken en *Ripley's Believe It or Not* en handboeken
over seks die hem helemaal opwonden. Nooit leende hij een boek
om het mee naar huis te nemen, want hij wilde niet het risico

lopen dat zijn vader het zou zien en hem ermee zou plagen. En voor zover zijn vader wist, was hij niet thuis omdat hij naar voetbal- of worsteltraining was. Omdat zijn vader toch nooit naar een wedstrijd kwam kijken, kwam hij er ook nooit achter dat Cody niet meedeed aan de sporten waaraan hij zei mee te doen.

Het liegen tegen zijn vrienden dat hij naar huis ging en het liegen tegen zijn vader over zijn sporttraining groeiden uit tot een opmerkelijk patroon in zijn leven, besefte hij later. Zijn vermogen om een geheim tweede leven te leiden en onafgebroken leugens te vertellen hielp hem bij de voorbereidingen voor de beproevingen en ontberingen van volledig alcoholisme wat op zichzelf een tweede – zij het geheime – volledige dagtaak inhield. Hij leerde al vroeg wat multitasken inhield.

Cody leerde niets op school en alles wat hij wist had hij opgestoken in de bibliotheek. Hij las nog steeds veel en voortdurend en ging nooit van huis zonder een boek in zijn handschoenenkastje (behalve een fles whisky). Het afgelopen jaar had hij zijn aandacht verdeeld over romans van Jim Harrison, non-fictie van John McPhee, korte verhalen van Flannery O'Connor en de misdaadromans van John Sandford, Ken Bruen en T. Jefferson Parker. Zijn boeken lagen in zijn zitkamer en kelder als Griekse zuilen hoogopgestapeld. Als hij eindelijk die boekenkasten had gebouwd, zou hij een indrukwekkende verzameling tentoon kunnen stellen. Maar hij was er nooit aan toegekomen.

Hij was enigszins verwonderd over de rijen computers en de tieners en iets oudere jongeren die daarachter zaten. Toen hij erlangs liep zag hij dat ze grotendeels met hetzelfde bezig waren – het bijwerken van hun Facebook-pagina's. *Vroeger ging men naar de bibliotheek om iets te leren. Nu komt men er om over zichzelf te schrijven,* dacht hij.

Hij liep naar de informatiebalie en een slank meisje met een pony en een ringetje door haar neus wendde zich naar hem toe en trok haar wenkbrauwen op alsof ze hem wilde vragen waarmee ze hem kon helpen.

'Iemand heeft me verteld dat Bull Mitchell hier was,' zei hij. 'Heb je enig idee waar ik hem kan vinden?'

Ze wees voorbij de kast met naslagwerken. Daar was een poortje beschilderd met figuren uit Moeder de Gans en Dr. Seuss en een bordje waarop KINDERKAMER stond.

'Nee,' zei Cody, 'ik ben op zoek naar een oude man die Bull Mitchell heet.'

'Ja,' zei ze, 'en ik vertel je waar je hem kunt vinden.'

Cody keek op zijn horloge toen hij de kinderafdeling betrad. Hij vroeg zich af hoeveel tijd hij bezig was te verspillen, terwijl hij eigenlijk over de snelweg richting Yellowstone Park moest scheuren. Maar omdat hij nu eenmaal toch hier was, ging hij de kamer binnen en liep door naar achteren waar hij een norse, donkere stem hoorde.

Hier ben ik weer, Hank de Drijfhond.
Ik kreeg zojuist geweldig nieuws. Er is een moord gepleegd op de boerderij…

'Jezus Christus,' mompelde Cody.

Twee jonge moeders stonden in het gangpad en zij draaiden zich om toen ze hem hoorden en een van hen bracht een vinger naar haar lippen om hem tot stilte te manen. Ze droeg een trainingspak en haar blonde haar werd bijeengehouden in een paardenstaart. Ze was aantrekkelijk maar nu al boos op hem, dus keek hij de andere vrouw aan. Ze was lang en slank met roodbruin haar en vriendelijke ogen en een leuke mond. Ze had een heel openhartig gezicht. Ze was mooi op een natuurlijke, atletische manier.

Hij haalde verontschuldigend zijn schouders op en ging naast hen staan. Hij zag andere moeders bij de ramen en aan de overkant van de kamer staan.

'Ik ben op zoek naar Bull Mitchell,' zei hij. 'Ken jij hem?'

'Natuurlijk,' zei de lange vrouw fluisterend. 'Hij is degene die zit voor te lezen.'

Ach, je kent me. Ik ben niet op mijn achterhoofd gevallen. De grens tussen heldendom en dwaasheid is maar vaag en ik probeer aan de goede kant te blijven...

'Is dat Bull Mitchell?' vroeg Cody. 'Ik kan hem niet zien.'

'Kom hier,' zei de lange vrouw, terwijl ze een stapje opzij deed. Cody bedankte haar met een knikje.

Daar, omringd door een stuk of twaalf, dertien kinderen die op de grond zaten, bevond zich een grote man die op een koddig ondermaats stoeltje zat in een dik wollen shirt, een spijkerbroek en cowboylaarzen. Zijn hoofd was een blok beton geplant op brede machtige schouders en in zijn enorme handen hield hij onbeholpen *De oorspronkelijke avonturen van Hank de Drijfhond*, als een grizzlybeer die een zuurstok vasthoudt. Hij had zilverwit haar maar uitzinnige koolzwarte wenkbrauwen die eruitzagen als roetvlekken. Hij was een ongeoefende en onzekere voorlezer, vond Cody, maar als zijn stem opzwol in uitroepen als *Brave hond!* en *Wil je nou je mond eens houden?* leken de muren te trillen en joeg hij de kinderen waarschijnlijk de stuipen op het lijf.

Toen viel zijn oog op een piepkleine vrouw met grijs haar die in een rolstoel vlak bij de kinderen zat. Ze had een wollen woudlopersplaid over haar benen gespreid en leunde met een wazige glimlach van pure verrukking naar voren.

'Wat is er met die oude dame?' vroeg Cody aan de lange vrouw. 'Wat doet zij hier?'

Ze reageerde alsof hij haar een klap in haar gezicht had gegeven. De blonde vrouw sloeg haar ogen ten hemel en snoof
verachtelijk.

'Wat?' zei Cody, oprecht verbaasd en verbluft.

O Hank, er is hier op de boerderij een moord gepleegd en wij
zijn er pardoes doorheen geslapen…!

De lange vrouw zei: 'Hij is mijn vader en "die oude dame" is
mijn moeder. Zij is in een vergevorderd stadium van Alzheimer
en dit is de enige manier waarop hij de laatste tijd nog met haar
kan communiceren, door haar kinderverhalen voor te lezen.'

Cody liet zijn hoofd hangen en zuchtte. 'Wat ben ik toch een
hufter,' zei hij.

'Ja, dat ben je zeker,' zei de lange vrouw. 'Maar ik begrijp dat
je het niet wist.'

De blonde moeder gebaarde hun stil te zijn.

Cody zei tegen de lange vrouw: 'Als hij klaar is, zou je me dan
aan hem willen voorstellen?'

Ze schoot bijna in de lach. 'Hoe kan ik je nou voorstellen als
ik niet eens weet wie je bent?'

'Cody Hoyt,' zei hij. 'Ik ben politieman.'

Ze keek hem argwanend aan. 'Is dit een officieel onderzoek?
Zo te zien heb je geen penning bij je.'

'Het is van het grootste belang,' zei Cody. 'Als je me een paar
minuten wilt aanhoren, dan zal ik het uitleggen.'

'Angela Mitchell,' zei ze, terwijl ze haar hand uitstak. 'Ik ben
de trotse dochter.'

Onder andere omstandigheden zou ik deze vrouw best beter wil-
len leren kennen.

De blonde vrouw boog zich naar hen toe en siste: '*Ssssssst.*'

En Bull Mitchell las:

… Als je hoofd van de boerderijbeveiliging bent, dan leer je dat je je niets van dat soort gevoelens moet aantrekken. Ik bedoel, om dit te kunnen doen moet je hard en meedogenloos zijn…

Cody schuifelde achter Angela en Bull aan, die zijn vrouw in de rolstoel door de gangen in de richting van het busje duwde om haar terug te brengen naar het verzorgingstehuis. De kinderen hadden zich weer bij hun moeders of hun kindermeisje gevoegd en waren uiteengegaan. 'Zeg, wie is die gozer?' vroeg Bull aan Angela, op een effen, gedragen toon die veel leek op zijn voorleesstem.

'Hij zegt dat hij Cody Hoyt heet. Hij wil kennis met je maken.'

'Hoyt?' blafte Bull.

'Ja.'

'Ik heb een paar kerels gekend die Hoyt heetten. De een was een zuipschuit en de ander een crimineel. Waarom wil hij kennis met me maken?'

'Hé,' zei Cody, 'ik ben hier, hoor. Ik kan wel voor mezelf spreken.'

Bull bleef even stilstaan en keerde zich een kwartslag om, alsof hij niet zeker wist of Cody wel de moeite waard was om zich helemaal voor om te draaien. Hij nam Cody van het hoofd tot de voeten op, zweeg even en zei toen tegen zijn dochter: 'Zeg tegen hem dat hij niet door mijn verhalen heen moet kletsen, verdomme.'

'Mijn verontschuldigingen,' zei Cody. 'Ik verwachtte een vent die Bull heet niet in de kinderkamer aan te treffen.'

Bull bleef met zijn rug naar hem toe staan en manoeuvreerde zijn vrouw in de rolstoel door de deur van de bibliotheek naar buiten. De begeleider in het busje stapte uit om te helpen haar rolstoel in de lift te zetten. Cody zag dat ze nog steeds glimlachte en dat ze een weemoedige blik in haar ogen had. Ze was klein en broodmager en haar lichaam leek gekrompen alsof ze zich in zichzelf opsloot. Ze had een kromme rug, wat maakte dat haar hoofd eerder naar voren dan omhoog leek te steken. Een klein vogeltje, dacht Cody, ze verandert in een jong vogeltje dat zijn lange nekje uit het nest steekt. Hij beklaagde haar, Bull, Angela en zichzelf, omdat hij daar op dat moment aanwezig was.

Met een wankele stem die zo ijl was als de mist zei ze tegen haar man: 'Dat was een prachtig verhaal, meneer Bull. Een van mijn lievelingsverhalen. Ik wilde dat ik het aan mijn dochter Angela had kunnen voorlezen, weet u.'

'Ik weet het,' zei hij op zachte toon.

Cody merkte dat Angela verstarde toen ze hoorde wat haar moeder zei. Ze zei niet: 'Hier ben ik, mam.' Dat zou geen enkele zin hebben gehad.

Bull ging op zijn hurken zitten zodat hij zich op gelijke hoogte met zijn vrouw bevond. Ze glimlachte naar hem met grote tanden die bruin waren van tientallen jaren koffiedrinken.

'Dag, lieverd,' zei hij en hij boog zich naar haar toe en gaf haar een kus op haar voorhoofd. 'Volgende week kom ik je weer voorlezen.'

Op haar wasbleke gelaat verscheen een roze blos en ze giechelde en knipperde met haar oogleden en zei op vermanende toon tegen hem: 'Meneer *Bull* toch...'

Hij boog zich opnieuw naar haar toe en fluisterde iets in haar oor en haar blos werd nog roder en ze wapperde met haar piepkleine handjes alsof ze verrukt was over zijn ondeugende opmerking. Cody wendde zijn blik af.

De chauffeur van het busje stelde de hydraulische lift in werking, zorgde dat ze veilig vaststond en reed weg.

'Ze vond het heerlijk,' zei Angela.

Bull gromde.

'Volgens mij heeft ze een oogje op je,' zei Angela.

'Wie niet?' antwoordde Bull. Toen richtte hij zich tot Cody. De toon waarop hij sprak was nors. 'En wat moet jij nu eigenlijk van me?'

'Mag ik jou en Angela uitnodigen voor een kop koffie? Ik wil je hulp inroepen.'

'Je kunt een biertje voor me bestellen,' zei Bull. 'Kom maar mee, ik weet een tentje een paar straten verderop.'

In het halfduister van de Crystal Bar, het soort oude kroeg waar Cody verzot op was, met zijn schaarse verlichting en het 's middagse geklik van biljartballen van een tafel achterin, zei Bull tegen de serveerster: 'Doe mij maar een PBR.'

Cody aarzelde een ogenblik en bestelde toen een tonic. Angela bestelde een kop koffie.

Bull keek hem van de andere kant van het tafeltje onaangenaam lang aan en zei toen: 'Hou je niet van Pabst Blue Ribbon of ben je een alcoholist?'

'Waarom vraag je dat?'

'Omdat alleen alcoholisten tonic drinken. Het doet hun op de een of andere manier aan een echt drankje denken. Dat hebben ze me tenminste verteld.'

'Je hebt gelijk,' zei Cody.

'Dat dacht ik al,' zei Bull. 'Het is je aan te zien. Geloof me, in deze streek zie ik die blik wel vaker.'

Cody keek Angela aan om om steun te vragen. Ze haalde haar schouders op met een gebaar van het-is-niet-anders.

'Dus,' zei Bull Mitchell, 'waarom ben je hier?'

Cody wierp een snelle blik op Angela en vertelde toen het hele verhaal zonder iets weg te laten. Hank Winters, zijn zuippartij, de lijkschouwer, zijn schorsing. Bull luisterde zwijgend. Angela wist zich tegen het einde van zijn verhaal geen raad meer en begon zich steeds grotere zorgen te maken.

'Zo staan de zaken dus,' zei Cody. 'Ik moet zo snel mogelijk een trektocht opsporen maar ik ken het park niet goed genoeg en ik moet er mijn kop over houden anders kost het me op zijn minst mijn baan. Jij bent de enige die ik kan bedenken die Jed McCarthy en "Het Grote Onbekende: Op avontuur in het hart van Yellowstone" goed kent.'

Bull keek hem geërgerd aan. 'Zo heb ik het niet genoemd. Dat was Jeds idee. Hij denkt dat hij alles kan met woorden.'

'En met vrouwen,' zei Angela op bijtende toon.

Cody wachtte op meer, maar dat kwam niet en aan de manier waarop ze ging verzitten, kon je duidelijk zien dat ze liever helemaal niets had gezegd.

Cody zei tegen Bull: 'Jij hebt hem vaker gemaakt, hè, die tocht waarover ik het heb?'

'Tientallen keren,' zei Bull. 'Ik was de eerste die de route heeft uitgestippeld, nadat de boswachters destijds zeiden dat het praktisch onmogelijk was om een paardentrektocht te organiseren naar waar ik heen wilde. Ik moest dus bewijzen dat ze het mis hadden. Ik heb die tocht *uitgevonden*, verdomme.'

Cody probeerde zich kalm en overtuigend te gedragen, maar zou het liefst zo snel mogelijk zijn opgestapt. 'Kun jij me zeggen hoe ik ze kan vinden?' vroeg hij. 'Waarvandaan ze zijn vertrokken, welk pad ze hebben gevolgd? Waar ze op dit ogenblik waarschijnlijk zijn?'

Bull knikte. 'Zo ongeveer wel. Maar wat heb je daaraan? Wilde je ze *te voet* achternagaan?' vroeg hij sarcastisch.

'Pap,' zei Angela ontsteld, 'hij wil dat je met hem meegaat.'

Cody hield zijn mond.

'Dat soort dingen doe ik niet meer,' zei Bull. 'Al jaren niet meer.'

'Ik zal je ervoor betalen,' zei Cody, terwijl hij probeerde zich niets van Angela's woedende blikken aan te trekken.

'Hoeveel?' vroeg Bull en hij gebaarde naar de serveerster dat hij nog een bier wilde. 'Jed McCarthy rekent meer dan tweeduizend dollar per persoon.'

'Ik ben bereid je vierduizend te betalen,' zei Cody, terwijl hij heel goed wist dat hij op zijn betaal- en spaarrekening niet meer dan achttienhonderd dollar had staan en dat hij misschien nog duizend zou kunnen vangen als hij zijn pick-uptruck weer aan de praat kreeg en die zou kunnen verkopen. Misschien zou hij nog duizend dollar van Jenny kunnen lenen, die kon scheppen uit de bodemloze schatkist van Zijne Rijkheid...

Bull wreef nadenkend over zijn kin.

'Pap,' zei Angela, 'dit is gekkenwerk. Dat zou levensgevaarlijk kunnen zijn. Je hebt zelf gezegd dat het maken van zulke trektochten iets voor jonge mensen is – daarom heb je de zaak immers van de hand gedaan, weet je nog?'

'Ik heb de boel verkocht omdat ik al dat gedonder met de politie zat begon te worden,' zei Bull en hij wierp een blik in de richting van Cody om zijn reactie te peilen.

Angela legde haar hand op de arm van haar vader. 'Pap, als je ze vindt, dan vind je ook iemand die misschien mensen heeft vermoord. Denk aan mam.'

Hij keek haar alleen maar aan. Hij sprak op gedempte toon. 'Jouw moeder is de enige aan wie ik denk en dat zou je inmiddels moeten weten. Heb jij enig benul hoeveel dat tehuis waar ze woont kost? 3500 dollar per *maand*. Per *maand*. Het spaarpotje begint aardig leeg te raken.'

Maar Angela liet zich niet vermurwen. 'Pap – als je wat hulp zou kunnen krijgen...'

'Ik wil helemaal geen hulp, verdomme,' zei hij op effen toon. 'Daar heb ik nooit om gevraagd en dat zal ik nu ook niet doen.'

Ze wendde zich terloops tot Cody en zei: 'We hebben ditzelfde gesprek al heel wat keren gevoerd. Er zijn rijkssubsidies waarvoor mijn ouders in aanmerking komen maar hij weigert het geld aan te nemen. Eerlijk gezegd stuurt hij het terug, vergezeld van gemene briefjes. Ik heb er een paar gelezen en mijn nekharen gingen rechtovereind staan.'

Bull knikte. 'Als iedereen dat deed zouden we nu niet zo diep in de ellende zitten.'

'En je wilt ook niet dat ik jullie help,' zei ze.

'Nee,' zei hij. 'Een aalmoes aannemen van mijn dochter is wel het laatste wat ik ooit zou doen. Als het daarom gaat kan ik mezelf net zo goed meteen door mijn kop schieten.'

'Dan zou je in ieder geval niet serieus hoeven overwegen om terug te keren naar het park,' zei Angela tegen hem. 'Zoals ik al zei: Denk toch aan mama.'

'Jouw moeder,' zei Bull tegen haar, 'weet allang niet meer wie ik ben, Angela.'

'Doe het dan voor *mij*.'

Bull legde zijn massieve hand boven op de hare.

Cody zei: 'Vijfduizend dollar als je maar een poging wilt wagen. En nog twee duizend erbovenop als je erin slaagt ze te vinden.' Hij zou Zijne Rijkheid gewoon meer laten dokken. 'Dat is meer dan twee maanden verzorging.'

Angela keek hem aan met een blik die bedoeld was om hem ter plekke de mond te snoeren.

Bull pakte zijn tweede biertje en dronk het glas in twee flinke teugen halfleeg.

Angela zei tegen Cody: 'Met alle respect hoor, maar je zou je tot de boswachters moeten richten en niet tot mijn vader. Het is hun taak om dat soort dingen in Yellowstone te doen. En als je zelf niet zo'n stampij had gemaakt, zou je niets in het geheim hoeven doen.'

'Met de bureaucraten praten?' zei Bull. 'Voordat je dit allemaal bij Bosbeheer uit de doeken hebt gedaan en ze er daar een paar keer over hebben vergaderd en ze een budget hebben vastgesteld... Jezus, zoveel tijd heb je niet. En ik geloof niet dat er daar iemand is die het gebied voldoende kent om zo'n tocht te ondernemen. Dan zouden ze mij waarschijnlijk toch in de arm moeten nemen, hoe lullig ze dat ook mogen vinden.'

'Precies,' zei Cody.

Bull boog zich naar voren en zijn dochter liet zijn arm los. Hij zei tegen Cody: 'Ik heb wat tijd nodig om alles bij elkaar te zoeken. Ik heb mijn uitrusting al een hele tijd niet gebruikt.'

Cody knikte.

'En we moeten binnen een week weer terug zijn,' zei Bull. Eén week is het maximum, want ik mag mijn voorleesuurtje niet missen. Begrepen? En ik breng je een boete van drieduizend dollar in rekening als het toch langer duurt.'

'Oké,' zei Cody, die botweg weigerde de gevolgen daarvan onder ogen te zien. Hij kon aan Bulls ogen zien dat hij de deal onmiddellijk zou afblazen als hij bezwaar zou maken of zou proberen af te dingen.

'Ik neem aan dat Margaret het niet erg zal vinden als we een paar van Jeds paarden en draagmanden lenen,' zei Bull tot zichzelf.

'Pap, je kunt dit niet serieus overwegen,' zei Angela. 'Wees nou verstandig – jullie allebei – en bel de boswachters.'

'Die maken er een janboel van,' snauwde Bull. 'We kunnen geen levens in gevaar brengen door die te laten aanklungelen.'

Angela stond op en beende naar het toilet.

'Ze is ontdaan,' zei Bull Mitchell. 'Naar haar idee ben ik er veel te lang uit geweest.'

'Weet je,' zei Cody, 'wat je in de bibliotheek doet, getuigt van verdomd veel toewijding.'

Bull wuifde het compliment weg. 'Ik moet toch wat. Ze heeft

vijfenveertig jaar lang voor me klaargestaan en geloof het of niet, maar met mij samenleven is niet altijd gemakkelijk.'

'Op de een of andere manier,' zei Cody, 'kan ik me daar iets bij voorstellen.'

Bull onderdrukte een glimlach.

Cody vroeg: 'Dus jij hebt mijn vader en mijn oom Jeter gekend?'

'Ja,' zei Bull en zijn gezicht vertrok alsof hij op iets zuurs had gebeten. 'Ik heb je oom aan de politie uitgeleverd wegens het stropen van elanden in Yellowstone, en hij heeft gedreigd me daarom te vermoorden. Ik zei: "Dan moet je naar Bozeman komen, Jeter Hoyt." Ik geloof dat hij onderweg was toen de rechter hem voor de eerste keer naar de staatsgevangenis in Deer Lodge stuurde. Sindsdien heb ik eigenlijk altijd wel een beetje naar hem uitgekeken. Leeft hij nog?'

Cody keek een andere kant op. 'Daar kunnen we het later nog wel over hebben. Waarom noemen ze je eigenlijk Bull?' vroeg hij vervolgens.

'Omdat ik een stierenlul heb,' zei hij en hij dronk zijn bierglas leeg.

Toen Angela terugkeerde naar hun tafeltje zei Bull tegen Cody: 'Ik zie je wel bij Jeds kantoortje om halfvijf morgenochtend. Koop een paar degelijke laarzen en kleren en pak je persoonlijke spullen bij elkaar in een plunjebaal die niet meer weegt dan tien kilo.'

Cody knikte. Hij zag de reisleider weer in Bull ontwaken. 'Denk je dat we misschien eerder zouden kunnen vertrekken?' vroeg Cody. 'Ik bedoel, ik heb al een dag verspild.'

'Dat is jouw probleem, niet het mijne,' zei Bull. 'Ik moet nog wat zaken regelen en voorbereidingen treffen.'

Angela zei: 'Ik neem aan dat het geen zin heeft er verder nog woorden aan vuil te maken.'

'Nee,' antwoordde Bull. 'Sorry schat. We moeten het kind van deze vent ophalen.'

Ze zei tegen haar vader: 'Dit heeft niets te maken met zijn kind. Dit heeft ermee te maken dat jij je als een kind gedraagt.'

Bull sloeg zijn hand tegen zijn borst en zei: 'Recht in het hart.'

Cody was de deur van de Crystal Bar al uit toen Angela hem achternagesneld kwam en hem bij zijn schouders greep.

Haar gezicht stond strak. Ze zei: 'Als mijn vader op die tocht gewond raakt, dan heb je aan mij een kwaaie.'

'Ik begrijp het,' zei Cody.

'Volgens mij begrijp je het niet,' zei ze. 'Ik denk dat jij uitsluitend oog hebt voor de belangen van je zoon. Maar als mijn vader iets overkomt of als hij niet terugkomt – dan is dat jouw schuld. En als je denkt dat het vervelend is om door de sheriff te worden geschorst, wacht dan maar eens tot je mij tegenover je vindt.'

Cody zei, terwijl hij speelde met haar kaartje waarop ANGELA MITCHELL, ADVOCAAT EN PROCUREUR stond: 'Ik had eigenlijk gehoopt dat wij goede maatjes zouden kunnen worden. Maar ik heb nooit erg goed met advocaten kunnen opschieten.'

'Daar sta ik versteld van,' zei ze met vlammende ogen. 'Ik zal vanmiddag nog een dossier aanleggen waarop Cody Hoyt staat. Tegen de tijd dat ik je terugzie weet ik alles van je wat er te weten valt. En ik heb zo'n gevoel dat dat een lijvig dossier zal worden.'

Hij knikte. 'Daar zou je best eens gelijk in kunnen hebben.'

'De enige manier waarop jij er zonder kleerscheuren van afkomt is door hem beter terug te brengen dan toen jullie vertrokken en dat binnen een week tijd te doen. Anders bel ik de sheriff en elke diender die ik kan vinden om achter je aan te gaan.'

'Begrepen,' zei hij, terwijl hij het kaartje in zijn zak stak.

'Mooi zo,' zei ze. 'Als je me dan nu wilt verontschuldigen, ik moet mijn vader helpen met zijn voorbereidingen.'

Hij keek haar na toen ze terug de bar in stormde. Hij vond dat ze er prachtig uitzag toen ze dat deed. Hij probeerde zich voor te stellen hoe haar gezicht eruit zou zien als ze zijn doopceel had gelicht.

'Nog een reden om te maken dat ik hier wegkom,' zei hij hardop tegen zichzelf.

14

Nadat Jed de reisleider van het pad was afgeweken, tussen de bomen door was gereden en had uitgeroepen: 'Welkom in Kamp Een, mensen!' volgde de lange rij paarden zijn voorbeeld, blij dat er een einde was gekomen aan de werkdag. Het was bijna komisch, vond Gracie, zoals de dieren plompverloren het pad verlieten en tegelijkertijd het psychische contact met hun ruiters verbraken. Ze *wisten* dat hun dienst erop zat. Jed en Dakota brachten de dieren een voor een naar de geïmproviseerde kraal die was gecreëerd door één enkele schrikdraad die Jed tussen de bomen had gespannen.

'Hé, Jed,' riep D'Amato. 'Wat – zijn dat bespannen paarden?'

Waarom bijna alle ruiters moesten lachen of glimlachen.

Gracie wachtte op haar beurt om af te stijgen achter Danielle, die rusteloos heen en weer bewoog in haar zadel.

'Wat is het probleem?' vroeg Gracie.

Danielle wendde zich tot Gracie. Op een gespannen fluistertoon zei ze: 'Ik moet plassen. Maar moet ik het zó doen? In het bos als een beest?'

Gracie haalde haar schouders op. Dat was precies wat *zij* had gedaan toen niemand het in de gaten had.

Het was namiddag en in het oosten bescheen de zon glinsterend het oppervlak van de zuidoostelijke uitloper van het Yellowstone Lake. Kleine golfjes kabbelden traag tegen de roze voetbalgrote rotsen langs de oever en leverden achtergrondmuziek als *cool jazz* filmmuziek. In de verte, aan de overkant van het meer, leken donkere dikbeboste bergen tot in het water te reiken. De zwoele warme middag werd belaagd door lichte golven koudere lucht die van de bergen in het westen tussen de bomen door omlaagkwamen.

Gracie was moe, stijf, hongerig en mentaal overweldigd door die overdaad aan beelden en geluiden en geuren van de reis tot op dat moment. Ze was niet alleen verliefd geworden op Strawberry, ze was ook bezig verliefd te worden op het park zelf. Ze hadden een mannetjes- en een vrouwtjeseland tussen de wilgen gezien en vijf bizons die op een met alsemstruiken begroeide helling stonden te grazen en een zeearend die een vis verorberde. Het nationale symbool stond aan de oever van de rivier en rukte bloedrode repen vlees van de zijden van de forel en keek ondertussen naar de ruiters die voorbijkwamen. Toen ze over de bergkam reden, strekte het dal van de Yellowstone River zich voor hen uit. Het uitzicht bestond uit bergen, meren, wolken en bomen voor zover het oog reikte. En alles baadde in gouden middagzonlicht. De uitgestrektheid en de hoogte benamen haar enigszins de adem en putten haar uit.

Het was een andere wereld en ze zou zich daar best, zonder veel bedenkingen, aan willen overgeven.

'Hoe gaat het?' vroeg Jed kortaf aan Gracie, terwijl hij de teugels van haar overnam en het paard wegleidde naar de andere dieren.

'Ik ben er ondersteboven van,' fluisterde ze. 'Pap had me al verteld dat het mooi zou zijn, maar dit is verbluffend.'

Hij glimlachte plichtmatig – zijn ogen waren elders omdat Danielle was afgestegen en nu langs hem liep – en zei: 'Morgen wordt het nog mooier.'

'Mooier dan verbluffend?' zei ze en ze besefte dat hij geen woord had verstaan van wat ze had gezegd.

Ze stond met Danielle op haar vader te wachten. Danielle danste van de ene voet op de andere en trok grimassen. De meesten leken al spierpijn te hebben van de rit, merkte Gracie op. De Wall Streeters stonden komisch te kreunen, waarbij D'Amato zich languit op zijn rug liet vallen en zich uitstrekte alsof hij een sneeuwengel wilde maken. Walt had vlak aan het water zijn werphengel al tevoorschijn gehaald en was bezig een lijntje te spannen, terwijl Justin naast hem stond, toekeek en op zachte toon vragen stelde over de kunst van het vissen. Ze keek op haar horloge: het was nog maar vijf uur geleden dat ze van het parkeerterrein waren vertrokken, maar het was net alsof ze zich op een andere planeet bevonden.

Gracie keek toe hoe Jed en Dakota alle ontzadelde paarden uit de geïmproviseerde kraal tussen de bomen door naar een zonbeschenen grazige weide brachten. Evenals de andere paarden had Strawberry een nat vierkant van zweet op haar rug, waar het zadeldek had gelegen. Dakota deed een soort riemen om Strawberry's vetlokken en keerde terug om het volgende paard op te halen.

'Dat moeten kluisters zijn,' zei Gracie. 'Zodat de paarden zich wel kunnen bewegen, maar er niet vandoor kunnen gaan. Ik heb erover gelezen.'

'Ga je nog iets doen om erachter te komen?' vroeg Danielle op ongeduldige toon aan Gracie.

'Jij bent degene die zo nodig moet.'

'Uiteindelijk zul jij ook moeten. Je kunt het geen vijf dagen ophouden.'

'Wel, hoor,' zei Gracie, 'ik heb getraind.'

'Ach kind, je moet niet zeiken.'

Gracie keek haar zus even aan om te zien of ze het grappig bedoeld had. Maar nee, hoor.

'Misschien kunnen we pap overhalen het te vragen,' zei Danielle. 'Het is nogal gênant. Ze doen net alsof we alles moeten weten, terwijl we hier nog nooit eerder zijn geweest.'

Hun vader voelde duidelijk ook de gevolgen van de eerste dag in het zadel en kwam strompelend naar hen toe. Ondanks de onmiskenbare pijn straalde hij.

'Moet je hem zien,' zei Gracie. 'Moet je zijn gezicht zien.'

'Wat is daarmee?'

'Ik heb hem nog nooit zo gelukkig gezien,' zei ze. 'Moet je die grijns zien.'

Danielle keek naar hem terwijl hij naderbij kwam. 'Mijn God, je hebt gelijk. Wie heeft onze vader ingepikt en hem ingeruild tegen deze kerel? Hij lijkt wel *geschift*.'

Daar moest Gracie om giechelen.

'Wat heb ik jullie gezegd, meiden?' zei hij, zijn hoofd schuddend van plezier. 'Heb ik jullie niet gezegd dat het geweldig zou zijn? Ik bedoel, kijk nou toch eens! Het is net alsof wij de eerste ontdekkingsreizigers in de Tuin van Eden zijn of zoiets. Kijk,' zei hij, terwijl hij zich tussen hen in wrong en naar de bomen aan de overkant van het meer wees. 'Je kunt de stoom van een fumarole daar boven de boomtoppen uit zien komen.'

'Van een wat?' vroeg Danielle.

'Van een fumarole, een dampbron. Er bestaan op aarde drie soorten thermische fenomenen en je kunt ze alle drie in Yellowstone vinden: geisers, slijkvulkanen en fumaroles. Dat is een fumarole. We bevinden ons niet alleen in een spectaculaire wildernis, we bevinden ons ook nog eens in een van de meest actieve thermische gebieden. Jed vertelde dat er meer dan duizend thermische verschijnselen in het park te vinden zijn. Het is verbazingwekkend.' Onder het praten stak hij zijn armen uit en trok de twee meisjes tegen zich aan. Hij zei: 'En er is niemand op de wereld met wie ik dit liever deel dan met mijn twee meiden.' Gracie glimlachte en voelde in haar ooghoeken iets van traanvocht opwellen.

'Ik moet plassen,' zei Danielle. 'Weet jij waar de wc is of moeten we gewoon ergens de rimboe in lopen als holbewoonsters?'

Gracie zag dat haar vader een kleur kreeg. 'Er zijn helemaal geen wc's,' zei hij.

'Het is maar bij wijze van spreken, pap,' zei Danielle terwijl ze haar ogen ten hemel sloeg en van de ene voet op de andere hupte. 'Zou je het ze willen vragen?'

Haar vader trok een grimas, maar zei: 'Tuurlijk,' en liep in de richting van Dakota en Jed die stapels opgerolde tenten naar een grazig stukje grond brachten dat uitzicht bood op het meer. Gracie keek haar zus kwaad aan.

'Sorry, hoor,' zei Danielle met vlammende ogen. 'Ik weet dat het een intiem moment van saamhorigheid was, maar...'

Terwijl hun vader met Jed praatte, observeerde Gracie de groep. Walt en Justin waren zich nog steeds aan het voorbereiden om te gaan vissen. James Knox, Tony D'Amato en Drey Russell strekten zich uit op de rotsen en dode boomstammen in hun buurt en luisterden naar Walt die aan Justin uitlegde hoe de werphengel gehanteerd moest worden en deed alsof hij er ervaring mee had. Het was duidelijk dat hij klaar was om de hengel van zijn stiefvader over te nemen en eindelijk te beginnen met vissen. Tristan Glode stond een stukje verderop aan de oever een sigaar te roken en over het water uit te kijken. Donna Glode had zich omgekleed in een strakke fietsbroek en een topje en deed een soort yogaoefeningen midden op een open plek tussen de bomen waar naar Gracie vermoedde zou worden gekookt en gegeten. Hoewel de vrouw afgezonderd stond van de anderen, had Gracie de indruk dat Donna wilde dat er naar haar werd gekeken als ze haar lange ledematen strekte en zich vooroverboog zodat haar strakke achterwerk omhoogstak.

Verderop op het grazige veldje waar hun vader heen was gelopen, stond Rachel Mina enigszins onzeker met haar plunjezak in de buurt van Jed en Dakota en zij leek bijna niet te kunnen wachten tot haar tent was opgezet en ze zich daarin kon terugtrekken.

Gracie kneep haar ogen halfdicht en speurde het gebied nogmaals af. K.W. Wilson was nergens te bekennen. Misschien, dacht ze, hoefde hij niet te horen van Jed en Dakota waar hij zijn behoefte kon doen.

'Je zult dit niet erg leuk vinden,' zei haar vader tegen Danielle toen hij bij hen terug was gekomen. Gracie kon zien dat hij probeerde een glimlach te onderdrukken.

'Wat?' vroeg Danielle.

'Er staat een klein draagbaar toilet verder tegen de berg op,' zei hij en hij wees ergens tussen de bomen, weg van het meer. 'Dakota zei dat het pad begint op die plek daar, waar we straks eten en waar die dame zich staat uit te sloven. Het is ongeveer vierhonderd meter verder op de berghelling, zei Dakota.'

'Vierhonderd meter?' riep Danielle uit.

'Voorschriften van Bosbeheer, vertelde ze erbij,' zei haar vader, die zijn grijns nog steeds wist te bedwingen. 'Trouwens, Dakota zei ook nog dat ze het zojuist heeft klaargezet, dus jij bent de eerste die er gebruik van mag maken. Vlak bij het kampvuur ligt een rol toiletpapier in een plastic zakje.'

Danielle knikte en liep in de richting van de bomen.

'Nog één ding,' zei hij met een knipoog naar Gracie, die Danielle niet kon zien. 'Bosbeheer heeft ook een regel voor gebruik van het papier. Als je klaar bent moet je het mee terugbrengen en in het vuur gooien. Het moet worden verbrand zodat er geen spoor van overblijft.'

'Wat?' Ze was des duivels. 'Moet ik mezelf afvegen en het papier mee terugbrengen? In mijn hand?'

Hij haalde zijn schouders op. 'Regels zijn regels.'

Danielle wendde zich tot Gracie. 'Jij gaat met me mee.'

'Ik moet niet.'

Danielle kneep haar ogen halfdicht. 'Je moet me helpen het te vinden.'

'*Maar ik hoef helemaal niet!*'

'Gracie,' zei haar vader, het zou wel lief zijn als je met haar meeging.'

'Nu *meteen*,' siste Danielle.

'Pffff,' zei Gracie.

'Ik wacht hier op jullie,' zei hun vader. 'Dan probeer ik erachter te komen in welke tenten we worden ondergebracht, zodat jullie een tukje kunnen doen of jullie kunnen omkleden of zo.'

Het was frappant, dacht Gracie, hoe koel het was in de schaduw van de bomen op een afstandje van het meer en de open plekken langs de oever. Ze sukkelde achter haar zus aan die met grote passen onder het hoge baldakijn van de bomen doorliep. Ze klauterden omhoog tussen de kniehoge varens. Op een zeker moment draaide Gracie zich om en zag het door de zon beschenen meer door een opening tussen de takken en een glimp van een gele koepeltent die op het stukje grasland werd opgezet. Haar vader stond naast de gele tent met Rachel Mina te praten. Het leek alsof ze gemakkelijk – zelfs geanimeerd – met elkaar spraken. Dat fascineerde Gracie, want ze zag haar vader maar zelden in gezelschap van anderen. Vooral in gezelschap van single vrouwen van zijn eigen leeftijd. Ze vroeg zich af of haar vader zich tegenover Rachel Mina anders zou gedragen. Misschien minder gespannen en stug als tegenover hen. En ze vroeg zich af wat Rachel Mina van hem vond.

'Hmmm,' zei Gracie.

'Schiet op,' zei Danielle, 'blijf niet steeds stilstaan.' En vervolgens: 'Mijn God – we moeten nu toch al vierhonderd meter hebben afgelegd. Ik vraag me af of we er voorbij zijn gelopen?'

'We zijn er niet voorbijgelopen,' zei Gracie. 'Loop nou maar door.'

'Misschien moet ik gewoon mijn broek laten zakken en het hier doen.'

'Van mij mag je,' zei Gracie. 'Ik hou je niet tegen.'

'Misschien een stukje verderop,' zei Danielle. 'Maar als ze denken dat ik met pleepapier in mijn handen terug ga lopen dan zijn ze niet goed bij hun hoofd. Dan gaat Jed het *zelf* maar ophalen.'

'Ja, hoor,' zei Gracie, 'laten we de reisleider meteen de eerste dag van de reis maar afzeiken. Goed idee, Danielle.'

Haar zus baande zich een weg tussen de dennentakken en opeens stonden ze voor een klein draagbaar toilet op vier metalen pootjes met daarbovenop een vierkant van multiplex met een rond gat in het midden. Onder de zitting hing een donkere plastic zak tot net even boven het tapijt van dennennaalden. Vlak bij het toestel stonden jonge dennen, maar in feite was het onbeschut.

'*O. Mijn. God,*' zei Danielle en ze keek om zich heen of ze de ontbrekende wanden van het buitentoilet probeerde te vinden.

'Niet al te veel privacy, hè?' zei Gracie om haar zus te stangen. 'Iedereen zou zich in de bosjes kunnen verschuilen om je te bespieden. Of er zou opeens een beer uit het bos tevoorschijn kunnen komen en je in je blanke blote bil bijten.

Of kraaien,' zei Gracie, die zich verkneukelde toen ze zich

herinnerde dat Danielle haar ooit had toevertrouwd dat ze bang was voor die zwarte vogels. 'Misschien duiken er kraaien uit de hemel omlaag als je daar op je hurken zit en nemen ze een flinke hap uit je rechterbil! Dan heb je een litteken! Dan moet je worden geopereerd. Dan kun je je nooit meer in je bikinislipje vertonen zonder dat de mensen je nawijzen en in de lach schieten bij het zien van het meisje met één lelijke bil!'

'Soms,' zei Danielle, terwijl ze haar broek liet zakken, boven het gat hurkte en dodelijke blikken afvuurde in de richting van haar jongere zusje, 'zou ik je wel kunnen vermoorden.'

Gracie wendde haar hoofd af. Het zou nog leuker zijn geweest, bedacht ze, als zij zelf de kleine wc later ook niet zou hoeven gebruiken.

En als ze het gedempte gekraak niet had gehoord van een tak, veroorzaakt door iemand die na hen het pad op kwam lopen.

'Wat was dat?' vroeg Danielle op fluistertoon. 'Ik hoorde iets. En maak me niet wijs dat het beren of kraaien waren.'

Gracie drukte haar wijsvinger tegen haar lippen om Danielle te beduiden stil te zijn, dat zij het ook had gehoord. Danielles ogen werden groot van angst en ze vroeg geluidloos: *Wie is het?*

Gracie haalde haar schouders op en tuurde naar het bos beneden hen. Het was zo groen, nat en donker daar, zo anders dan het kamp en het meer. Zoveel bladeren. Zoveel plaatsen waar een mens of een dier zich schuil kon houden.

'Hou ze tegen tot ik hier klaar ben,' zei Danielle.

Gracie plantte haar handen in haar zij en riep: 'Hé – wie je ook wezen mag – geef ons even de tijd. Wij zijn hier nu. Wacht alsjeblieft tot het jouw beurt is.'

Er kwam geen reactie, wat op zichzelf verontrustend was. Achter haar hoorde ze een straal tegen de binnenkant van de plastic zak kletteren. Danielle plaste zo snel als ze kon.

Toen, een paar tellen later, hoorde ze het luide kraken van een twijg. Alleen dit keer kwam het geluid niet van beneden, maar van de zijkant van de berghelling. Wie het ook was – of wat het ook was – had doelbewust het pad verlaten en zich een weg gebaand door het vochtige kreupelhout. Maar waarom, vroeg Gracie zich af – om een beter uitzicht te hebben?

'Hé,' riep Gracie, 'wie is daar?'

Geen antwoord. Ze wilde dat ze berenspray bij zich had. Of een mes of een knuppel of een of ander wapen. Ze keek om zich heen, maar zag niets waarmee ze zich kon bewapenen. Er lag een oude, dikke, dorre tak vlak voor haar voeten en ze bukte zich om die te pakken, maar hij was vermolmd en brak af toen ze hem optilde.

Eindelijk was Danielle klaar. Het had maar een paar seconden geduurd maar voor Gracie leek het een eeuwigheid. Danielle vloekte, stond op en graaide naar haar string en haar lange broek. Toen ze haar riem vastmaakte, schreeuwde ze: 'Dit is niet leuk, viezerik. Helemaal niet leuk. Hoor je me? *Niet leuk.*'

'Altijd even diplomatiek,' zei Gracie binnensmonds.

Toen hoorden zij een diep gekuch uit het struikgewas. Het klonk dichterbij dan Gracie voor mogelijk had gehouden, terwijl ze toch nog steeds niemand kon onderscheiden.

Die kuch deed het hem. Gracie en Danielle keken elkaar heel even doodsbang aan en renden toen met stampende laarzen naar het pad. Gracie overwoog te gillen, maar deed het niet.

Danielle haalde Gracie onderweg in toen die even stil bleef staan om achterom te kijken of ze achterna werden gezet. Ze zag niemand, hoewel ze dacht dat ze iemand hoorde grinniken.

'Heb je dat gehoord?' vroeg Gracie aan Danielle toen ze voorbijsnelde.

'Wat?'

'Er lachte iemand.'

'*Vuile viezerik!*' zei Danielle over haar schouder voordat ze haar weg over het kronkelige pad vervolgde. Gracie volgde haar. Ze renden nog een meter of zeven, acht door tot Danielle plotseling van richting veranderde om een kortere route dwars door het kreupelhout te kiezen. Danielle duwde takken opzij die terugzwiepten in Gracies gezicht, totdat ze leerde die te ontwijken.

Danielle snelde naar een niet te passeren wirwar aan gevelde boomstammen. De stammen waren oud en grijs en in de aanhechtpunten van de takken hadden zich blauwgroene plukken mos gevormd. Iets kleins, langs en donkers vluchtte uit de warboel en door het lange gras ritselend voor hen weg. Gracie kon niet zien wat voor dier het was.

'Shit,' zei Danielle. 'Ik weet niet of we daar overheen kunnen klimmen. Zo te zien zijn we in de val gelopen.'

'*Jij* hebt ons in de val laten lopen,' zei Gracie die haar ergernis niet onder stoelen of banken stak. 'Ik dacht dat jij wist waar je heen ging.'

Danielle keerde zich tegen haar en zei met ijzeren logica: 'Wanneer heb ik dat nou ooit geweten?'

'Je hebt gelijk. Ik mag je niets kwalijk nemen.'

Danielle knikte triomfantelijk.

'We zullen moeten omkeren tot we het pad vinden. Dan kunnen we terug naar het kamp. Degene die niet beneden is, moet boven zijn geweest. Dan weten we meteen wie er naar je heeft zitten gluren.'

'Wie van hen denk jij dat de viezerik is?' vroeg Danielle.

Gracie haalde haar schouders op en ging vooraan lopen totdat ze het struikgewas achter zich konden laten en terug waren op het pad. Ze dacht in ieder geval dat dit het goede pad was. Even wist ze niet goed welke kant ze op moest.

'Rechtsaf,' zei Danielle en Gracie deed het, ook al had ze net zo weinig vertrouwen in Danielles richtingsgevoel als in dat van zichzelf. Ze nam zich voor voortaan beter uit haar doppen te kijken en meer op haar omgeving te letten. Ze kon niet in het wilde weg achter Danielle of Jed of Dakota of zelfs achter haar vader aanhobbelen. Ze wilde ervoor zorgen dat ze nooit meer zou verdwalen. Ze verlengde haar pas en meerderde vaart. De helling en de bomen kwamen haar weer bekend voor. Ze rende bijna door een modderpoel, maar wist die nog net te ontwijken. De poel werd gevoed door een dun straaltje water dat afkomstig was van een bron ergens hoger tegen de berghelling. Ze herinnerde zich die plek van de heenweg en kreeg een warm gevoel van opluchting nu ze zeker wist dat ze de goede kant op liepen. Maar toen ze voorbijsnelde, merkte ze een verandering op en ze bleef even stilstaan. Danielle botste zowat tegen haar aan.

'Wat?' vroeg haar zus.

Gracie wees op de modder. 'Kijk.'

De helft van een grote schoenafdruk aan de rand van de poel, alsof degene die hem had gemaakt op het laatste moment had geprobeerd de modder te vermijden en daar bijna in was geslaagd.

Gracie wilde dat ze meer wist van herenmaten van schoenen. Maar ze vermoedde dat het maat vierenveertig was, want haar vader had veertig en deze waren duidelijk groter. De schoen had een scherpe afdruk achtergelaten in de modder, een diepe hielafdruk en een klein ruitvormig merkteken waar de voetholte van de drager zich had bevonden. De afdruk wees omhoog naar het pad.

'Die heb ik op de heenweg niet gezien, jij wel?' zei ze.

'Nee, maar ik heb niet opgelet.'

Gracie knikte. 'Prent de afdruk in je geheugen. Misschien komen we er later achter wie zulke schoenen draagt.'

Toen ze uit het bos terugkeerden in het zonlicht liep Danielle Gracie opnieuw voorbij en allebei renden ze op hun vader af. Hij stond nog steeds naast Rachel Mina. Alle tenten waren opgezet en Dakota was net bezig de laatste haringen in de zachte grond te duwen. Gracie zag een geamuseerde blik op het gezicht van haar vader toen ze dichterbij kwamen.

'Is het gelukt?' vroeg hij.

Danielle antwoordde met een woordenstroom. 'Iemand heeft ons daar *begluurd*. We zijn ons *rot* geschrokken.'

In plaats van bezorgdheid verscheen er een onderdrukte grijns op het gezicht van haar vader. 'Kom nou toch, meiden. Wie zou zoiets doen?'

Gracie negeerde hem en keek nauwlettend om zich heen. Er was niet veel veranderd, hoewel ze zag dat er vier mannen ontbraken: Wilson, Tony, Knox en Jed.

'Jullie hebben het je vast maar verbeeld,' zei haar vader. 'Weten jullie wel hoeveel dieren er daar rondlopen?' Het was duidelijk dat hij hen niet wilde geloven en niet wilde dat de reis al op de eerste dag zo'n onaangename wending nam. Haar vader hield niet van wendingen of van verrassingen of van gebeurtenissen die geladen waren met emoties. Ongeacht wat de situatie of de crisis ook inhield, zijn eerste woorden luidden meestal *Ik wilde dat ik dat van tevoren had geweten*, alsof het mogelijk was alles van tevoren te weten en je met die voorkennis elk probleem uit de weg kon gaan. Het was een trekje dat Gracie ergerde omdat hij daarmee altijd de verantwoordelijkheid bij *haar* legde. Van Danielle werd nooit verwacht dat ze iets van tevoren wist.

Haar vader keek hen allebei aan. Geen van beiden gaf een krimp.

'Dieren dragen geen laarzen,' zei Gracie.

Hij zuchtte en zei: 'Goed dan, laten we maar eens gaan kijken.'

Gracie knikte en draaide zich om om hem voor te gaan.

'Is het goed als ik ook meega?' vroeg Rachel Mina hun toen ze aanstalten maakten het pad op te lopen. 'Ik hoorde jullie praten en ik vind het ook geen prettig idee om te worden begluurd.'

'We weten niet precies wat er is gebeurd,' zei haar vader. En aan Danielle vroeg hij: 'Heeft die vent ook maar iets gezegd?'

'Nee. Hij kuchte alleen maar en hij lachte.'

'*Lachte* hij?'

Gracie en Danielle keken elkaar beschaamd aan.

'Gracie dacht dat hij lachte,' zei Danielle.

'Voelden jullie je bedreigd?' vroeg Rachel Mina aan hen beiden.

'Dat kun je wel zeggen, ja,' zei Danielle.

'Ze zouden het goed moeten vinden dat we berenspray bij ons droegen.'

'Of ze zouden verdomme een behoorlijke plee moeten bouwen,' mopperde Danielle.

'Let op je woorden,' zei hun vader en Gracie betrapte hem toen hij een snelle blik op Rachel Mina wierp om te zien hoe zij op de krachtterm reageerde.

'Sorry.'

'Hebben jullie je nooit afgevraagd of hij zich misschien opgelaten voelde toen hij jullie daar aantrof?' vroeg haar vader. 'Ik bedoel, ik ben ooit ook wel eens de badkamer in gestormd toen zich daar al iemand bevond. Je schrikt altijd weer en voelt je vreselijk opgelaten. Ik herinner me dat ik bij een benzinestation een keer de deur van de wc opende en daar een dikke vent zag zitten die me aanstaarde. We waren allebei ontsteld.'

Rachel Mina lachte beleefd.

Hun vader vervolgde: 'Ik weet nog dat ik geen woord kon uitbrengen – ik was te rood aangelopen. Ik deed de deur weer dicht en liep naar buiten. Toen die vent eindelijk ook naar buiten kwam keken we elkaar geen moment aan. Hij ging de ene kant op en ik de andere. We deden allebei zo'n beetje alsof het nooit was gebeurd, begrijp je?'

Zo had Gracie het nog niet bekeken en ze voelde een zweem van twijfel bij zich opkomen. Misschien hadden ze de zaak inderdaad overdreven met hun geschreeuw en Danielle die hem een viezerik noemde en zo. Wie zou willen reageren nadat hij voor viezerik was uitgemaakt? Een deel van de paniek die ze eerder had gevoeld was eerder een gevolg van de gedachte dat ze in het bos verdwaald was dan van wat iemand had gedaan.

Maar toch...

Toen ze het bos in liepen maakte Gracie een volledige draai om te zien of iemand hen in de gaten hield. Dakota stond bij het kampvuur takken tot brandhout te breken en zwaaide. Verder keek niemand hun kant op.

Binnen vijf minuten hadden ze de poel gevonden. De voetafdruk was verdwenen, in de modder uitgewist met een knokige dode tak die er bovenop was gegooid. Wie de afdruk had achtergelaten had hem ook weer weggevaagd.

'Hier was het,' zei ze tegen haar vader en Rachel.

'Dat zal wel,' zei hij, waarbij hij zijn wenkbrauwen op en neer bewoog alsof hij wilde suggereren dat ze zich best eens vergist kon hebben.

'Echt waar,' zei Gracie minder zelfverzekerd.

'Wie weet wat we dachten te zien?' zei Danielle. 'Je weet hoe dat gaat. Weet je nog dat je beweerde dat er een weerwolf onder je bed zat?'

Haar vader onderdrukte een glimlach. Rachel keek de andere kant op.

Op dat moment haatte Gracie haar zus.

Toen ze terugkwamen in het kamp was Jed bezig het aluminium kookstel te installeren – een serie dozen achter elkaar die samen een aanrecht, gootsteen en een opscheptafel vormden – en Dakota hing een koffiepot boven het vuur. James Knox, Drey Russell en K.W. Wilson zaten op afzonderlijke boomstammen in het kampvuur te staren. Ze keken allemaal op toen de Sullivans en Rachel uit het bos kwamen aanlopen.

'Alles in orde?' vroeg Jed.

'Prima,' zei Gracies vader haastig. Hij wilde allebei zijn dochters de loef afsteken. Nu zou het dwaas zijn om nog iets te zeggen. Gracie zeeg neer op een boomstam tegenover haar vader en Danielle, die op een andere stam plaatsnamen, om naar het vuur te kijken. Rachel ging naast Gracie zitten en zei niets, maar het feit dat ze vlak naast Gracie plaatsnam gaf haar het gevoel dat de vrouw met haar meevoelde. En dat was prettig.

'Misschien kunnen jullie vast je spullen in jullie tenten uitpakken,' zei Dakota. 'We gaan over ongeveer een uur eten en het wordt snel donker. Dan hoeven jullie niet te proberen alles uit te pakken bij het licht van een zaklantaarn.'

Haar vader sloeg op zijn knieën en zei: 'Dat lijkt me wel zo handig.'

Toen Gracie opstond zag ze dat Wilson zijn laarzen had omgeruild voor mocassins. Misschien om te voorkomen dat ze zouden zien dat er modder aan zijn laarzen zat.

207

15

CODY ROOKTE DE ene sigaret na de andere in zijn kamer in de Gallatin Gateway Inn. Hij brak de filters eraf en stak de nieuwe sigaret aan met de peuk van de oude. Het had hem slechts twee minuten gekost om de rookmelder aan het plafond onklaar te maken door het kapje eraf te schroeven en de witte en rode draadjes los te trekken. Hij hoopte dat hij niet zou vergeten het weer in orde te maken voor hij de volgende ochtend vertrok.

Hij ijsbeerde en onderzocht zijn nieuwe uitrusting die op het bed uitgestald lag. Voordat de winkels sloten had hij bij Powder Horn Sportsman's Supply aan Main Street Ariat cowboylaarzen gevonden die lekker zaten en ook een strooien cowboyhoed, beenkappen, een spijkerbroek een stel nylon zadeltassen en een spijkerjack. Hij voelde zich een beetje dwaas toen hij al die cowboyspullen aanschafte, maar Bull had erop aangedrongen. Alles wat hij verder nodig had – slaapzak, matje, waterfilter, dagrugzak, .40 kaliber Smith & Wesson-patronen, .223 kogels voor zijn AR-15 met vizier, een zadelholster voor het geweer en een Steiner verrekijker – vond hij bij Bob Ward Sporting Goods aan Max Avenue. Zijn aankopen werden gecompleteerd door een plastic boodschappentas met twee sloffen sigaretten, een hele ris pakjes Stride-kauwgom, plastic flessen met tonic en oploskoffie. Hij had vijf hartverscheurende minuten naar een halve literfles Wild Turkey achter het hoofd van de winkelbediende staan kijken – *Eén half litertje maar, ééntje maar, wat kon dat nou voor kwaad?* Jezus, dacht hij, hij zou het bewaren tot hij Justin bij zich had en de moordenaar in de boeien geslagen of dood was. Het zou zijn *beloning* zijn.

Terwijl hij in tweestrijd verkeerde, probeerde hij het beeld op te roepen van Hank Winters die zei: 'Als je eenmaal begint, kun je niet meer ophouden. Dat is onze vloek.' Maar in plaats daarvan was het beeld van Hank een verbrande en opgezwollen arm die in de regen omhoogstak uit het zwarte slijk. En toen de enthousiaste jongeman achter de balie vroeg: 'Waarmee kan ik u van dienst zijn?' had Cody hem toegebeten: 'Ach, lazer op,' en hij had stampvoetend de winkel verlaten.

Daar voelde hij zich nu schuldig over.

Tot zijn opluchting waren er kamers beschikbaar in de Gallatin Gateway Inn – een gerestaureerd chic hotel uit de begindagen van de spoorwegen – want het lag op nauwelijks een halve kilometer afstand van het kantoortje van Wilderness Adventures. De receptioniste droeg een kraakhelder wit schort, rook aan hem en zei: 'Vergeet u niet dat roken hier ten strengste verboden is.'

'Ik dacht dat dit een spoorweghotel was,' zei Cody. 'Spoorwegvolk *rookt*.'

'Vroeger,' zei de receptioniste. 'Heel heel lang geleden. En er is nu geen spoorwegvolk meer, zoals u kunt zien.'

'Dit is dus een hotel voor snobs,' zei hij.

'Helemaal niet,' reageerde ze kortaf.

Hij knipoogde naar haar en gaf haar zijn creditcard. Nadat ze die had uitgeprint, bracht hij zijn spullen naar zijn kamer om ze uit te pakken, de prijskaartjes eraf te knippen en twee nieuwe plunjezakken van camouflagestof in te pakken. Bull Mitchell kon de boom in met zijn limiet van tien kilo, dacht hij.

Het was donker tegen de tijd dat alles was ingepakt. Hij was verschillende keren heen en weer naar zijn Ford gelopen. Er zaten spullen in de gereedschapskist en materiaalkistjes die hij wilde meenemen, waaronder zijn regenpak. Hij was blij dat hij eraan had gedacht de Motorola Iridium 9505A satelliettelefoon mee te nemen. Die had hij een paar maanden geleden in zijn SUV verstopt nadat hij hem uit de bewijskamer had gestolen. Drugsdealers hadden die telefoon gebruikt om te voorkomen dat ze via hun mobieltje door de politie konden worden opgespoord, en de zaak was een doorslaand succes want de boeven hadden elkaar verlinkt, waardoor de telefoon nooit als bewijsstuk opgevoerd werd. Hij was klein voor een satelliettelefoon, woog minder dan vier ons en kostte in de winkel zeshonderd dollar. De gesprekstijd bedroeg drieënhalf uur zonder op te hoeven laden en achtendertig uur stand-by tijd. Hij propte hem in een zadeltas.

Toen ging hij aan het bureautje in de hotelkamer zitten, deed het ouderwetse notarislampje aan en legde zijn mobieltje binnen bereik in afwachting van Larry's telefoontje. Hij vond dat hij al veel te lang niets had gehoord sinds hij zijn gegevens had doorgefaxt. Zijn partner moest langzamerhand toch iets zijn opgeschoten – hij had de papieren al de hele middag. Cody nam zich plechtig voor dat hij, als Larry hem niet voor middernacht zelf had gebeld – zijn belofte zou breken en hem opjagen als een hond.

Hij schonk een glas tonic met ijs in, stak opnieuw een sigaret op en opende de dossiermap die hij van Margaret Kerley had gekregen. Hij keek naar zijn lijst met verdachten:

1. Anthony D'Amato
2. Walt Franck
3. Justin Hoyt
4. James Knox
5. Rachel Mina
6. Tristan Glode
7. Donna Glode
8. André Russell
9. Ted Sullivan
10. Gracie Sullivan
11. Danielle Sullivan
12. K.W. Wilson

En daaronder krabbelde hij:

13. Jed McCarthy
14. Dakota Hill

Iedereen op die lijst zou een moordenaar kunnen zijn, dacht hij. Met uitzondering van Justin uiteraard.

De inschrijfformulieren waren verspreid over het afgelopen jaar op Jed McCarthy's kantoortje binnengedruppeld. Ze waren bedoeld om informatie te verschaffen die Jed nodig had om de tocht voor te bereiden en geschikte paarden voor de ruiters uit te zoeken. Er zat een korte vragenlijst bij over dieetbeperkingen, paardrijvaardigheid, allergieën, medische zaken en personen die in geval van nood dienden te worden gewaarschuwd. De laatste vraag op de lijst luidde: 'Wat verwacht je te bereiken met deze trektocht door de wildernis?' Cody wilde dat er meer vragen en gegevens waren, maar hij was dankbaar voor wat hij had. Hij hoopte dat Larry ze allemaal door alle mogelijke criminele databases haalde die hij kon vinden.

Anthony D'Amato, 34, kwam uit Brooklyn, New York en werkte bij Goldman Sachs. Hij was getrouwd, geen kinderen. Hij woog 72 kilo en hij had zijn vrouw opgegeven als degene die in geval van nood moest worden gewaarschuwd. Hij had één keer eerder paardgereden, op een kermis in Iowa, toen hij als tiener bij familie op bezoek was. De laatste vraag had hij beantwoord met: 'Niet door een wild dier te worden verscheurd.'

Walt Franck, 54, bezat huizen in Aspen en Fort Collins, Colorado en Omaha. Hij was makelaar in onroerend goed en projectontwikkelaar van winkelcentra in het westen en het midwesten van de Verenigde Staten. Hij zou spoedig in het huwelijk treden met Jenny, Cody's ex, en noemde haar als contactpersoon in geval van nood. Cody snoof spottend toen hij zag dat Zijne Rijkheid beweerde dat hij bijna 100 kilo woog en hij nam zich voor hem van nu af aan 'Zijne Dikke Rijkheid' te noemen. Walt was een ongeoefend ruiter en hij hoopte tijdens de tocht op 'unieke plekjes om te vissen en het leek hem een uitgelezen mogelijkheid om een emotionele band met zijn toekomstige stiefzoon op te bouwen.' Cody snoof opnieuw.

Justin Hoyt, 17, Fort Collins, 75 kilo, stiefzoon van Zijne Dikke Rijkheid, was de volgende. Cody herkende het handschrift op het inschrijfformulier als dat van Jenny en dat maakte een plotseling verlangen in hem wakker dat de avond tevoren al was aangewakkerd. Hij schudde het van zich af en las verder. Ze had geschreven dat Justin 'de vrije natuur wilde ervaren en het buitenleven wilde leren kennen.'

'Shit,' zei Cody, 'Stuur hem dan naar mij toe in Montana. *Dat* had ik hem ook kunnen leren. Maar hij betwijfelde dat Justin het inschrijfformulier ooit had gezien, laat staan dat hij het met zijn moeder had besproken.

James Knox, 37, Manhattan. Niet getrouwd maar samenwonend met ene Martha, die in geval van nood ook moest worden gewaarschuwd. Werkte als beleidsfunctionaris bij Millenium Capital Advisors en woog 81 kilo. Hij had geen ervaring met paarden en schreef dat hij en zijn twee vrienden 'de natuur en diversiteit van Yellowstone wilden ervaren in afwachting van een aantrekkende markt.'

Daar moest Cody om glimlachen en hij zocht even verder in het stapeltje tot hij het derde van de drie maatjes had gevonden.

André Russell, 39, Manhattan, gehuwd, twee kinderen, een zoon van 12 en een dochter van 9. Vrouw en contactpersoon in geval van nood heette Danika. Hij was onderdirecteur bij J.P. Morgan en had paardgereden bij maneges in Central Park om zich voor te bereiden op de reis. Daar had Cody ontzag voor. Zijn streven tijdens de tocht was: 'Proberen te voorkomen dat Tony D'Amato door wilde dieren wordt opgegeten.'

Grapjassen, dacht Cody. Of leugenaars. Een driemanschap van moordenaars van de oostkust? Hij schudde zijn hoofd. Het wilde er bij hem niet in en leek te fantastisch en vergezocht. Hij las verder.

Rachel Mina was single. Ze gaf niet aan of ze gescheiden, weduwe of nooit getrouwd was geweest. Een ziekenhuisbestuurder met verlof uit Chicago. Ze was 37 en woog 51 kilo. Uit ervaring wist Cody dat het betekende dat hij er rustig wat kon bijtellen, dus streepte hij de cijfers door en vulde '40' en '53' in op de pagina. Mina gaf aan dat ze vegetariër was (maar wel vis at) en een beetje kon paardrijden. Verder schreef ze: 'Op verkenningstocht.'

Hij vroeg zich af wat 'met verlof' betekende. In een eerste opwelling bedacht hij dat zij tot dusverre de enige van de deelnemers was die over de tijd – en de middelen – leek te beschikken om mensen in vier verschillende staten te bezoeken en lijken en as achter te laten. Maar een vrouw en dan bovendien nog een alleenstaande?

Verkenningstocht, zei hij nogmaals hardop, terwijl hij door de rook naar het vel papier keek. Het klonk onoprecht en new-age-achtig, dacht hij. Of schertsend. En een relatie tussen een ziekenhuisbestuurder en Hank Williams behoorde tot de mogelijkheden.

Hij legde haar inschrijfformulier apart van de andere op wat hij als zijn stapeltje 'verdacht' beschouwde.

Tristan Glode was de president en algemeen directeur van de Glode Company in St. Louis. Cody wist niet wat die maatschappij deed maar nam zich voor dat uit te zoeken. Glode was 61 en beweerde een ervaren ruiter te zijn. Hij had gemeld dat hij 95,5 kilo woog en in de kantlijn had hij erbij geschreven dat hij zwakke knieën had en de voorkeur gaf aan een Tennessee Walker-paard. In de kantlijn had iemand anders (Jed?) gekrabbeld: 'Pat bellen.' Cody vermoedde dat Pat, wie het verder ook mocht zijn, iemand kende die zo'n paard verhuurde.

In de ruimte waar Tristan geacht werd aan te geven waarom hij zich voor deze tocht had ingeschreven, stond 'NTB.' Nader te bepalen.

'Wat heeft dat verdomme te betekenen?' gromde Cody en hij vond dat de man arrogant klonk. Hij verlangde een speciaal soort paard, hij beweerde dat hij een ervaren ruiter was en dat hij 95,5 kilo woog. Een normaal mens zou '96 kilo' hebben genoteerd, dacht Cody.

Hij legde Glodes aanvraagformulier op het stapeltje 'verdacht' bij dat van Mina. Nu had hij twee hoofdverdachten.

Toen las hij het volgende formulier: Donna Glode, 60, St. Louis, 59 kilo. Alweer een ervaren ruiter. Als oogmerk van de reis had ze genoteerd: 'Yellowstone te paard. Een harmonieuze reis.'

Zo man, zo vrouw. Cody pakte Tristans formulier en legde het, samen met dat van zijn vrouw, op het stapeltje 'onverdacht.'

Ted Sullivan, 45 jaar, was gescheiden en woonde in Minneapolis. Hij woog 84 kilo en was systeembeheerder bij een bedrijf dat Anderson Sullivan Hart heette. Hij had een kruisje gezet tussen onervaren en gemiddelde ruiter, maar toch iets dichter bij onervaren. Heel analytisch en exact, dacht Cody. En in een zorgvuldig handschrift had Sullivan geschreven: 'Ik hoop een betere en hechtere relatie te krijgen met mijn twee dochters, Gracie en Danielle. Ik hoop dat het de mooiste gedeelde ervaring van ons leven zal worden.'

Leuk, vond Cody. Aandoenlijk. Hij nam de inschrijfformulieren van Sullivans dochters vluchtig door maar sloot hen bijna onmiddellijk uit.

Hij wilde de drie formulieren net op het stapeltje 'onverdacht' leggen, maar bedacht zich plotseling. Hij hield het formulier van Ted in zijn hand en keek er nog eens goed naar. Aanvankelijk achtte hij het uitgesloten dat de vader die misdaden had kunnen plegen met die meisjes in huis in Minneapolis. Maar omdat de man gescheiden was, bestond de mogelijkheid dat de meisjes tot voor kort niet bij hem hadden gewoond. Cody had nog nooit gehoord van Anderson Sullivan Hart, maar uit het feit dat het eenvoudigweg een opsomming van drie namen was en dat men het blijkbaar niet nodig vond daar het woord 'software' of 'adviesbureau' of 'business solutions' aan toe te voegen maakte hij op dat ze gerenommeerd wilden overkomen of dat ook echt *waren*. Dat maakte het waarschijnlijk dat Sullivan reisde. Cody had op vliegvelden zo vaak mannen als Sullivan gezien: kilometervreters die voortdurend met hun Bluetooth-mobieltjes en computers in de weer waren, van die dingen uit hun oor hadden hangen en met cliënten overal in het land spraken en met hun collega's overlegden welke strategieën en oplossingen de beste waren. De contactpersoon in geval van nood was zijn ex-vrouw.

Maar zou een koelbloedige moordenaar een pauze inlassen

om met zijn dochters een trektocht door de wildernis te maken? vroeg Cody zich af. Het leek hem niet waarschijnlijk. Maar evengoed kon hij het niet geheel uitsluiten en dus legde hij het formulier tussen de twee andere stapeltjes in.

Cody keek naar het laatste inschrijfformulier en floot tussen zijn tanden. Onder het lezen knikte hij met zijn hoofd. Jezus:

K.W. Wilson, 58, Salt Lake City, Utah. Huwelijkse staat was niet vermeld. Behalve 'vervoerssector' stond zijn beroep niet aangegeven. 77 kilo en een redelijk ervaren ruiter. Bij dieetrestricties had Wilson 'geen kaas' gekrabbeld. Als doel van zijn reis had hij opgegeven: 'Vissen en avontuur.'

Cody zei tegen het inschrijfformulier: 'Gefeliciteerd, jij staat nu op nummer één,' en hij legde het op het stapeltje 'verdacht.'

Maar nog steeds was hij er niet zeker van dat hij op het goede spoor was.

Cody herinnerde zich in de lobby een werkruimte te hebben gezien met twee computers voor de gasten. Hij stopte de formulieren terug in de map om mee naar beneden te nemen. Hij wilde meer achtergrondinformatie over de deelnemers zoeken en meteen wat meer te weten komen over The Glode Company, Anderson Sullivan Hart, het ziekenhuis waar Rachel Mina werkte en alles wat hij kon vinden over K.W. Wilson.

Zijn mobieltje ging en danste gelijktijdig over het bureaublad omdat hij de ringtone en trilfunctie allebei had aangezet.

Hij keek op het schermpje: Larry.

'Dat werd hoog tijd,' zei hij.

'Zit je op dit moment?' vroeg Larry.

16

GRACIE WILDE DAT ze haar dikke jack had uitgepakt, want toen de zon was ondergegaan achter de bergen werd het binnen enkele minuten een stuk kouder, alsof de ijle berglucht niet in staat was de middagwarmte vast te houden. Ze overwoog even terug te gaan naar haar tent om haar sweater met capuchon op te halen, maar de plotselinge duisternis nodigde niet uit tot een wandelingetje en de warmte en het licht van het kampvuur hielden haar op haar plaats alsof ze een sterke aantrekkingskracht op haar uitoefenden.

Ze zat samen met Danielle en Justin op een afgeplatte boomstam. Ze kon haar blik niet afhouden van het vuur dat haar biologeerde. Het maal was overdadig geweest en bestond uit ingrediënten waar ze gewoonlijk niet veel om gaf: biefstuk, gebakken aardappels, gebakken bonen, een halve maïskolf die droop van de boter. Ze had het meeste ervan naar binnen geschrokt en alleen een kwart van de biefstuk laten liggen. Ze had geen flauw idee waarom ze zo'n honger had of waarom het eten opeens zo goed smaakte. De appeltaart die in een gitzwarte braadpan was gebakken, was een van de lekkerste dingen die ze ooit had gegeten en ze had zelfs een tweede keer opgeschept. Ze proefde de kaneel van de taart en het hete vet van het vlees nog in haar mond. Nu lag de hele maaltijd als een steen in haar maag en voelde ze zich slaperig en ongemakkelijk.

Gewoonlijk vond Gracie het vervelend als de verschillende gerechten op een bord elkaar raakten. Maar ditmaal kon het haar niet schelen dat de biefstuk naar bonensaus smaakte en de aardappels roze kleurden omdat ze in een plasje jus lagen. Het was allemaal zo heerlijk dat ze bijna vergat wat er eerder was gebeurd. Maar niet helemaal.

Eerder, toen Dakota een ijzeren staaf tegen de binnenkant van een metalen triangel had geslagen om aan te geven dat het eten klaar was, waren ze allemaal gestopt met waar ze ook mee bezig waren en waren ze met hun lege tinnen borden voor de opschepbalie in een rij gaan staan. Een voor een staken ze hun bord uit zodat Jed McCarthy en Dakota de lappen vlees en de bijgerechten konden opscheppen. De rij werd één keer verstoord toen Tony D'Amato een schreeuw gaf – en achteruitsprong – toen hij een slang door het gras tussen zijn voeten zag wegglibberen.

'Godver!' riep hij met overslaande stem. 'Hij ging dwars over mijn *laars* heen.'

Dakota reageerde heel snel, wierp haar opscheplepel terzijde en joeg achter de slang aan. Ze greep hem achter zijn kop, hield hem omhoog en vroeg of iemand hem als avondeten wilde. Daar moesten D'Amato en zijn vrienden om lachen en hij leek zich te schamen vanwege zijn angstkreet. Danielle, die vóór Gracie in de rij stond, had zich omgedraaid en gezegd: 'Geweldig. Slangen. Dat ontbrak er nog maar aan. Wat is dít een doffe ellende.'

'Hij doet niemand kwaad,' zei Gracie. 'Het is maar een slangetje. Misschien zouden we het ook eens moeten proeven.'

'Maar een slangetje,' zei Danielle. 'Jezus, jij bent maf.'

Gracie zat stilletjes terwijl Justin en Danielle praatten. Ze luisterde met een half oor naar hen, terwijl ze in gedachten het voorval bij de mobiele wc, dat Danielle geheel leek te zijn vergeten, de revue liet passeren. Er was daar iets gebeurd wat haar dwarszat, omdat het erop kon duiden dat er iemand deelnam aan deze tocht die nog andere bedoelingen had dan het avontuur op zich. Het bracht haar in herinnering dat mensen slecht konden zijn, iets wat ze naarmate ze ouder werd steeds sterker ging geloven.

Maar Danielle was weer allercharmantst bezig. Onderwerpen die varieerden van school tot Facebook, van sport tot televisieprogramma's en popgroepen. Gracie sloeg onwillekeurig elke keer als Danielle en Justin weer iets gemeenschappelijks dat hen bond ontdekten haar ogen ten hemel. Toen Danielle vertelde dat hun ouders gescheiden waren, zei Justin: 'Shit, de mijne ook.'

Justin was knap en goedgebouwd, maar oppervlakkig, vond Gracie. Precies Danielles type. Gracie wilde hem nu vast waarschuwen, voordat het te laat was. Maar ze had de indruk dat hij niet zou willen weten hoe haar zus kon zijn, hoe ze jongens als hij om haar vinger wond en weer de rug toekeerde. En misschien kan het hem niet eens schelen, dacht Gracie. Hij was immers ook niet aan deze tocht begonnen om een diepgaande relatie op te bouwen, toch?

Hoe langer Gracie in het vuur staarde, hoe interessanter het werd. In tegenstelling tot het gesprek tussen haar zus en Justin.

'In de zomer wonen jullie dus bij jullie vader?' vroeg Justin aan Danielle.

'Zo'n beetje,' zei haar zus op gedempte toon, zodat alleen Justin – en helaas ook Gracie – haar konden verstaan. 'Mijn vader heeft al een jaar lang zijn mond vol van deze reis. Er schijnt een soort vader-dochterband te moeten worden opgebouwd, geloof ik.'

Justin zei: 'Dat is in mijn geval hetzelfde, alleen is Walt mijn stiefvader. Hij denkt dat we hierna voor de rest van ons leven gezworen kameraadjes zullen zijn of zoiets. Hij ziet die hengel als iets, iets *religieus* of zoiets. En ik vind alles best, hoor, maar Walt is nogal oud en zo. Dus ik weet niet goed wat ik ermee aan moet.'

'Hoe is je echte vader?' vroeg Danielle, terwijl ze iets dichter naar hem toeschoof. 'Zie je hem nog vaak, bedoel ik?'

Justin aarzelde en schudde toen zijn hoofd. 'Hij is oké. Hij is bij de politie. Je kunt moeilijk hoogte van hem krijgen. Soms is hij een geweldige kerel en soms is hij gewoon een klootzak.'

Danielle deed alsof dat het grappigste was wat ze ooit had gehoord en ze sloeg haar hand voor haar mond, leunde achterover en schaterde het uit, waarbij ze er wel voor zorgde dat ze Justins dij vastgreep om haar evenwicht te bewaren.

'Hij woont in Montana,' zei Justin, 'maar hij belt me op en zo. Hij weet nooit wat hij moet zeggen en ik evenmin. Hij stuurt me dingen – hengels, computerspelletjes, cd's, dingen waarvan hij denkt dat ik ze leuk vind. Maar,' zei hij, terwijl hij zich nog dichter naar haar toe boog en zijn stem dempte, 'soms vergeet hij de bewijslabels eraf te halen. Ik bedoel, dan krijg ik een walkietalkie met een plakkertje eraan waarop "bewijsstuk A" staat of zoiets stoms.'

Wat maakte dat Danielle het uitproestte van het lachen. Gracie probeerde te doen alsof ze lucht was.

Na een paar minuten gaf Danielle haar een por en duwde haar bijna van de boomstam af. Justin grinnikte.

'*Wat?*' zei Gracie.

'Ik had het tegen jou,' zei haar zus op zachte toon, om te voorkomen dat de anderen het zouden horen.

'Ik dacht dat je met Jason zat te praten.'

'Justin,' verbeterde ze haar. 'En dat zat ik ook. Ik vertelde hem wat ons eerder hoger op de berg is overkomen en ik zei dat jij mijn getuige was.'

Gracie keek hun kant op. Hun gezichten werden belicht door het kampvuur. Justin was écht knap om te zien, maar de manier waarop het vuur door zijn ogen werd weerspiegeld gaf hem iets griezeligs. Even vroeg ze zich af of hij het was geweest. Toen liet ze die gedachte onmiddellijk weer varen want hij was de hele tijd met Walt aan het vissen geweest.

Justin boog zich naar haar toe en legde zijn hand op Danielles knie. Dat leek haar zus best te vinden.

'Jij denkt dus dat het Wilson was?' fluisterde Justin.

'Ik weet het niet,' zei Gracie. 'Maar ik weet wel dat hij vanavond mocassins draagt zodat we zijn laarzen niet kunnen zien.'

Justin maakte aanstalten zijn hoofd om te draaien om te kijken of dat echt waar was, maar Danielle legde haar handen aan weerskanten van zijn gezicht en zei: 'Niet kijken, mallerd. Dan weet hij dat we hem in de smiezen hebben.'

Toen stond ze op. 'Houd hem in de gaten. Ik moet even plassen.'

'Alweer?' vroeg Gracie.

Danielle keek haar zus met halfdichtgeknepen ogen aan en zei: 'Dit keer ga ik niet naar dat stomme toilet. Ik ben zo terug. Probeer Justin niet van me af te pakken, alsof je dat zou kunnen.'

Toen ze weg was bleven Gracie en Justin een beetje ongemakkelijk zitten. Dat gold in ieder geval voor Gracie.

'Je zus lijkt me aardig,' zei Justin.

'Dat is ze niet.'

Justin grinnikte. 'Ik bedoelde dat ze aardig kan zijn als ze dat zou willen.'

'Ik zou er niet op rekenen,' zei Gracie, die hem sympathiek begon te vinden. 'Ik ken haar.'

'In iedereen schuilt wel iets goeds, Gracie.'

Ze keek hem aan om te zien of hij het serieus meende. Ja,

hoor. Hij zei: 'Ik verwacht altijd het beste van mensen. Ik denk dat je, als je dat doet, ook meestal het beste krijgt. Ik hobbel maar zo'n beetje voort, verwacht het beste en dan gebeuren er gewoon goede dingen. Dat is mijn geheim.'

'Waarom vertel je mij je geheim?' vroeg ze. Ze voelde zich gevleid. Ze had gedacht dat een stoere, knappe jongen als Justin in alle opzichten onbenaderbaar zou zijn. Hij was te knap, te zelfverzekerd en te cool.

'Ík vertel het iedereen die het horen wil,' zei hij op gedempte toon. 'Wat ik niet begrijp is waarom niet iedereen het doet. Van het beste uitgaan, bedoel ik. Het is heel simpel en het maakt het leven gemakkelijker.'

Gracie keek hem alleen maar aan. Hij was te mooi om waar te zijn, dacht ze. Haar intuïtie zei haar hem te wantrouwen.

'Het klinkt goed, geloof ik,' zei ze tegen haar schoenen.

'Dat is het ook. Aanvaard jezelf zoals je bent en zoek naar het goede in anderen. Het is niet ingewikkeld.'

'Zie je ook iets goeds in mij?' vroeg Gracie.

Hij glimlachte. Hij had zelfs een leuke glimlach. 'Natuurlijk. Jij past goed op je zus en op je vader, geloof ik.'

'En wie past er op mij?'

'Dat doe ik als je wilt,' zei hij oprecht.

Gracie schudde haar hoofd. Ze had nog nooit iemand ontmoet die zo goed in zijn vel zat. Ze wist niet hoe ze het had. Hij moest toch ook iets onaangenaams in zich hebben. Een duistere kant. Maar toen ze in zijn openhartige gezicht keek met die onmogelijke glimlach, kon ze niets ontdekken. Niemand was zo goedhartig. Misschien was hij een *psychopaat*. En ze voelde zich onmiddellijk schuldig dat er zo'n gedachte bij haar opkwam.

'Begrijp je hoe het werkt?' vroeg hij, alsof hij haar gedachten kon raden.

Gracie was blij toen Danielle plotseling terugkeerde en Justins gezicht tussen haar handen nam voordat ze ging zitten.

Justin wendde zijn hoofd niet af en glimlachte schaapachtig naar Danielle. Hij vond het prettig. Gracie sloeg haar ogen ten hemel en staarde weer in het vuur. 'Hé, moet je kijken,' zei Justin tegen Danielle, 'daar in het meer. Zie je wat er gebeurt?'

'Wat?' vroeg haar zus.

'De vissen komen naar boven.'

Gracie volgde de richting van zijn uitgestrekte arm. Het maanlicht hulde het gladde wateroppervlak in een lichtblauwe gloed en ja hoor, overal verschenen kringetjes, alsof het ondersteboven regende.

Justin zei: 'Gaan jullie mee naar de waterkant om te zien of we er eentje kunnen vangen?'

Danielle schoot overeind. Ze ging voor Gracie staan en hield de gloed en de warmte tegen en Gracie had het gevoel dat ze de kou in werd gegooid. Ze maakte aanstalten om op te staan, maar Danielle stak haar hand naar achteren en legde die op haar schouder om te voorkomen dat ze opstond. Danielle keerde zich om, boog zich dicht naar haar toe en zei: 'Jij niet.'

Justin knipoogde en vroeg aan Gracie: 'Ga je mee?'

'Nee,' zei Danielle. 'Zij gaat niet mee.'

En Gracie dacht: *Ze is hem niet waard.*

Toen ze eenmaal weg waren overwoog Gracie Dakota te vragen of ze mocht helpen bij het vangen van de slang, zodat ze die onder in haar zusters slaapzak kon stoppen.

Ze sloeg haar armen om zich heen tegen de kou, nu haar zus haar in de steek had gelaten. Het leek héél erg laat, maar het was nog niet eens tien uur. De hemel was een helder uitspansel van sterren, waarvan ze nooit eerder het bestaan had vermoed, en het volle firmament en de volslagen duisternis van alles voorbij het vuur maakten dat ze zich kleiner voelde dan ze zich ooit had gevoeld.

Het kampvuur was het centrum waarom alles draaide. Als het begon uit te doven verlieten Dakota of Jed hun plaats achter de opscheptafel waar ze de afwas deden en wierpen er een nieuw blok hout op.

Ze observeerde de anderen zonder ze aan te staren.

De Glodes bemoeiden zich niet met de anderen. Zij zaten het verst van Gracie vandaan, aan de overkant van het kampvuur. Tristan Glode rookte een grote donkere sigaar, waarvan het gloeipuntje danste in het duister. Donna staarde in het vuur alsof ze comateus was. Gracie zag dat ze, hoewel ze zich niet met de anderen inlieten, ook niet echt samen waren. Het was alsof er een muur tussen hen was opgetrokken, hoewel ze nauwelijks een meter van elkaar af zaten. Wat een droefenis, dacht ze.

Twee van de drie Wall Streeters, Tony D'Amato en Drey Russell, zaten stukjes hout te besnijden en daar grapjes over te maken. Het leek wel of alles voor hen één grote grap was. Lichtgekleurde houtflinters hoopten zich op rond hun laarzen en hun zakmessen glinsterden in het licht van het vuur.

'Een jaar geleden,' zei D'Amato, met een lijzige, bluesachtige intonatie: 'keek ik vanuit mijn bungalow met airconditioning in Baja uit over de Zee van Cortez. Nu zit ik in de steenkoude bergen op een boomstam houtjes te snijden.'

'Jij bent een snijdertje,' zong Russell met hem mee.

'Ik ben een snijdertje,' zong D'Amato op zijn beurt. 'En ik snij tot er niets meer te snijden valt.'

'Jij bent een snijdertje…'

'En ik snij me een bootje en dan vaar ik naar Baja…'

'Hij is een snijdertje en niet bang voor slangen!' zong Russell lachend en ze vielen elkaar proestend van het lachen in de armen. Gelukkig hielden ze hun messen langs hun zij.

'Ik schaam me voor jullie,' zei James Knox, die bij de opscheptafel stond.

Gracie keek hen niet zonder ontzag aan. Knox zag het, glimlachte en vroeg: 'Vind je ons rare snuiters?'

'Ik heb nog nooit mensen uit New York ontmoet,' zei ze, in
verlegenheid gebracht. 'Ik heb over jullie gehoord en gelezen en
jullie op televisie gezien, maar...'

D'Amato lachte. 'Maar je hebt ons nog nooit in levenden
lijve gezien. 'Jij maakt dat ik me een soort dier in de dierentuin
voel of zoiets.'

'Sorry,' zei ze en ze sloeg haar ogen neer. Het was gewoon dat
ze precies zo waren als ze werden afgeschilderd en ze had altijd
gedacht dat ze onmogelijk zo konden zijn: snelpratend, etnisch,
geanimeerd. Alsof ze hun rol van New Yorker speelden volgens
een scenario. Net als op de televisie. Maar dat zei ze niet.

Rechts zat Gracies vader op een groot rotsblok naast Rachel
Mina, die met haar bordje op schoot in het gras zat. Het was
Gracie opgevallen dat Rachel geduldig had gewacht tot iedereen zijn biefstuk had gekregen voor zij haar maaltijd – gebakken
vis met bonen en maïs – ging halen. Ze vond het bewonderenswaardig dat Rachel niet moeilijk had gedaan en geduldig had
gewacht op haar vleesloze maal. Veel te veel van Gracies vege-
tarische vriendinnen bleven in de schoolkantine maar door-
emmeren over hun voorkeuren, vond ze. Over wat ze wel aten
en wat ze niet aten. Ze konden nog iets leren van Rachel Mina.
Het geklik van haar bestek op het tinnen bord was ritmisch en
zacht en Gracie hoopte dat ze ooit nog eens net zo gracieus en
vrouwelijk kon zijn als ze at.

Toen stak haar vader, duidelijk in de veronderstelling dat niemand op hem lette, zijn hand uit en griste een klein stukje vis
van Rachels bord en stak het in zijn mond. Ze keek hem aan,

maar in plaats van te protesteren, lachte ze hem toe. Haar vader trok zijn wenkbrauwen op met zo'n *Hmm, best lekker eigenlijk*-gebaar. Rachel ging weer rechtzitten en at haar bord leeg.

Het was allemaal heel snel en geluidloos gebeurd. Maar Gracie zat stokstijf stil alsof ze door de bliksem was getroffen.

Ze kenden elkaar, dacht ze. Het tafereel had iets teders en intiems gehad, alsof het vaker was gebeurd en een grapje tussen hen was geworden.

Ze kenden elkaar. En goed ook.

Ze had het gevoel dat ze een klap in haar gezicht had gehad. Haar ogen werden vochtig. Ze sloot ze en wendde haar hoofd af.

Toen ze ze weer opendeed, zag ze Wilson, die opeens uit de richting van de tenten aan was komen lopen. Hij stond haar aan te kijken, met een oranje gloed op zijn gezicht van het kampvuur.

'Wat moet *jij*?' vroeg ze op te luide toon.

De anderen die om het vuur zaten hielden op met praten en met waar ze mee bezig waren. Jed en Dakota keken, met de droogdoeken nog in hun hand, op van achter het geïmproviseerde aanrecht.

'Grote goedheid, meisje,' zei Wilson. 'Wat is *jouw* probleem?' Hij keek de anderen met zijn handen met de palmen omhoog voor zich opgeheven aan. 'Ik ben hier alleen maar heen gelopen om me te warmen. Ik heb niks gedaan.'

Niemand zei iets. Er ging een seconde voorbij en ze was blij dat niemand kon zien dat ze bloosde. Met de achterkant van haar mouw veegde ze boos de tranen uit haar ogen.

Rechts van haar zei haar vader: 'Gracie, scheelt er iets aan?'

Ze stond op en weigerde hem aan te kijken. 'Ik ga naar bed,' zei ze en ze liep in de richting van de tenten.

Ze was weg voordat haar ogen zich na de gloed van het vuur

konden aanpassen aan de totale duisternis en ze struikelde over een boomwortel of een steen en viel voorover. Ze landde plat op haar buik en kreeg gras in haar mond.

Iemand – D'Amato of Russell of Jed – bulderde het uit van het lachen. Iemand anders zei: 'Kap daarmee, dat is onbeschoft.'

'Sorry.'

Ze krabbelde overeind, spuugde het gras en het dode onkruid uit en beende naar de tenten toe. D'Amato riep haar na: 'Sorry, schat, het was niet mijn bedoeling om je uit te lachen. Kom weer bij ons zitten.'

Haar vader liep achter haar aan en zei: 'Gracie, wat is er aan de hand? Is alles in orde, Gracie?'

Ze bleef doorlopen totdat ze bij het groepje tenten was aangekomen. Aanvankelijk wist ze niet zeker welke van haar was – ze zagen er allemaal hetzelfde uit. Negen lichtgewicht koepeltenten, die er in het zachte maanlicht uitzagen als ronde kussens.

'Gracie,' zei haar vader en hij pakte haar hand.

Ze trok zich los. De derde, dacht ze. Haar spullen lagen in de derde tent van boven.

Hij pakte haar hand opnieuw en zei: 'Lieverd…'

Ze keerde zich naar hem toe. 'Wanneer was je van plan het ons te vertellen?' vroeg ze, haar stem haperend alsof ze haar tranen moest bedwingen. 'Is dit de reden dat je ons hebt meegenomen? Zodat je samen kon zijn met je *vriendinnetje*?'

Haar vader stond daar maar. Ze kon de wezenloze uitdrukking op zijn gezicht zien. Zijn lippen bewogen maar er kwam geen geluid uit. Ten slotte zei hij: 'Gracie… Echt…'

Maar wat ze hoorde was geen duidelijk ontkenning.

'Blijf van me af!' zei ze en ze dook door de opening van haar tent naar binnen. Het was klein binnen, maar de slaapzakken vingen haar val op. Ze draaide zich snel om en ritste de tent dicht. Terwijl ze dat deed, ving ze nog net een laatste glimp op van haar vader die nog naar de juiste woorden stond te zoeken – alsof die bestonden. 'Ga weg,' zei ze. 'Dit is de vreselijkste reis van mijn leven.'

Binnen kon ze hem horen. Vijf minuten lang bleef hij daar oppervlakkig ademend staan. Toen kreunde hij en zei: 'Ik wachtte op het geschikte moment om met jullie te praten. Heus, lieverd.'

Ze gaf geen krimp.

Uiteindelijk keerde hij zich om en sjokte terug naar het kampvuur.

Een uur later hoorde Gracie voetstappen naderen en ze deed haar ogen open. Ze hoopte dat het niet haar vader was die was teruggekomen en als dat wel zo was, dan zou ze zich slapende houden.

Ze hoorde het geluid van de rits van de tentopening en ging op haar hoede rechtop zitten.

'O mijn God, ik *hou* van hem,' zei Danielle.

Gracie liet zich weer achterovervallen.

'Hij is zo'n schatje dat ik hem wel zou willen opeten,' zei Danielle. 'Hij heeft geprobeerd me te helpen een werphengel uit te gooien, maar ik werd helemaal wee vanbinnen omdat hij zijn armen om me heen had geslagen. Allemachtig wat een lekker ding, en ik hou van hem.'

'Heb je er ook maar één moment aan gedacht dat ik wel eens zou kunnen slapen?'

Danielle aarzelde en zei toen: 'Nee.' Toen vervolgde ze: 'Voordat ik hier terugkwam heeft hij me een kusje gegeven – een kleintje maar, hoor – en toen zei hij: "Wordt vervolgd." Is dat niet vet cool of wat? Is dat niet onwijs gaaf of wat?'

Gracie rolde van haar weg.

'Wat heb jij nou weer?' vroeg Danielle.

Gracie vertelde haar zus van haar vader en Rachel Mina.

'Dat meen je niet,' zei Danielle ten slotte.

'Mooi wel.'

Danielle schudde haar hoofd. 'Maar dat kan toch eigenlijk niet,' zei ze.

Voordat Gracie daarmee kon instemmen, zei Danielle: 'Zij is veel te gaaf voor *hem*. Wat ziet ze in die vent?'

In het donker sloeg Gracie haar hand voor haar gezicht en kreunde.

'Ze zijn allemaal nog buiten,' zei Danielle, haar verhaal vervolgend en het nieuws over haar vader verder negerend. 'Behalve Justin, bedoel ik. Hij is ook naar zijn tent. Goh, ik vraag me af wat hij daar in zijn eentje uitvoert,' zei ze giechelend.

Gracie zei niets.

'Ik heb een van de Wall Streeters een fles zien openen,' zei ze. 'Ik denk dat ze die aan elkaar doorgeven en verhalen gaan vertellen of zoiets. Ik hoop niet dat ze al te laat opblijven of te luidruchtig worden, want we hebben onze slaap hard nodig.'

'Dacht je?' zei Gracie.

'Ja, morgen is het een grote dag,' zei Danielle, die haar kleren uittrok op haar sportbeha na en een lichte trainingsbroek aantrok. 'In ieder geval een grote dag voor *mij*.'

'Dat is het enige wat telt,' mopperde Gracie.

'Probeer je sarcastisch te zijn?'

'Nooit van mijn leven.'

'Je laat het, hoor,' zei Danielle, terwijl ze in haar slaapzak gleed en de rits omhoogtrok. 'Dat is niet leuk.'

'Justin is te mooi om waar te zijn,' zei Gracie.

'Ja hè, vind je ook niet?'

Gracie bedacht dat een voortzetting van het gesprek alleen maar op ruzie kon uitdraaien.

'Welterusten, Gracie.'

Ze lag nog uren in het donker te piekeren. Zo nu en dan hoorde ze een uitroep of gelach uit de richting van het kampvuur. Danielles ademhaling vertraagde en verdiepte en ze sliep als een roos en Gracie wilde dat ze Dakota om die slang had gevraagd.

Ze had haar vader nog nooit eerder gehaat.

17

'In dit soort zaken tekent zich doorgaans een patroon af,' zei Larry tegen Cody.

Cody voelde zijn hoofdhuid verstrakken. Hij stond op. 'Behalve de manier waarop de moord is gepleegd, bedoel je, hè?'

'Ja.'

'Waar ben je nu?'

'Op kantoor. Onbetaald overwerk, zoals gewoonlijk.'

'Mooi,' zei Cody, die met zijn ene hand zijn dossier bij elkaar graaide en met zijn andere de telefoon vasthield. Hij maakte zijn sigaret uit, stak de sleutelkaart in zijn zak en liep de gang op. 'Ik ben in een hotel en ik heb beneden een werkruimte gezien. Ik ga daarheen en zet een van de computers aan zodat we allebei het internet op kunnen.'

'Wil je dat ik je later terugbel?'

'Helemaal niet,' zei Cody. 'Ik wacht al de hele avond op een levensteken van jou. Maak je geen zorgen, ik kan lopen en praten tegelijk.'

De hal was schemerig en spelonkachtig en hij liep over het vaste tapijt naar een wenteltrap aan het einde. Toen hij dichterbij kwam hoorde hij een golf van gepraat en gelach afkomstig van de lounge op de begane grond.

Cody liep de trap af. De receptioniste aan de overkant zag hem en knikte. Hij knikte terug, maakte een gebaar in de richting van de dichte deur van de werkruimte en de receptioniste gaf aan dat hij open was voor gebruik. Hij ging achter een computer onder het raam zitten dat uitzicht bood op de lobby. De deur naar de lounge bevond zich recht voor hem en hij kon zien dat er mensen aan de bar zaten. De mannen en vrouwen waren goed gekleed: de vrouwen in jurken en de mannen in colbertjes zonder das, wat in Montana ongeveer het summum van vormelijkheid was. Ze leken jong en welvarend; de elite die na een concert of liefdadigheidsbijeenkomst een glaasje dronk. Het soort mensen dat hij doorgaans uit de weg ging.

'Wat is het verband?' vroeg Cody aan Larry terwijl hij de dossiers op de tafel naast de computer legde.

'Voor ik je dat vertel,' zei Larry, 'moet ik er wel bij zeggen dat het op dit moment nog pure speculatie is.'

Cody zuchtte. 'Uiteraard.'

'En ik ben op het ogenblik de enige. Ik heb niemand anders om wat ik zeg te bevestigen of te ontkrachten.'

'Ja, Larry,' zei Cody ongeduldig.

'Ik zal het even voor je op een rijtje zetten,' zei Larry. 'Heb je een pen bij de hand?'

'Natuurlijk,' zei Cody, terwijl hij de computer aanzette en wachtte tot hij was opgestart. Hij pakte een van de dossiermappen om op de voorkant daarvan aantekeningen te maken.

'Allereerst,' zei Larry, 'is er van deze kant niks nieuws te melden. De forensische technici zijn nog steeds de uitgebrande blokhut aan het onderzoeken en hebben alles bevestigd wat wij dachten. Ik heb vandaag nog met een van hen gesproken en hij zei dat er geen spoor was van brandversnellers, wat weer eerder op een ongeluk zou duiden dan op een moord, maar zelf vind ik dat niet overtuigend. Het bouwsel was al oud en droog en opgetrokken uit boomstammen. Dat soort woningen brandt als een lier, vooral als er alcohol op de grond is gemorst om het vuur nog een handje te helpen. Die man zei dat het vuur zich normaal heeft verspreid van rechts voor de open kachel door de gehele kamer.'

'Hebben die forensische technici nog iets anders gevonden?' vroeg Cody. 'Haar, vezels of iets dergelijks?'

'Nee. Het ziet ernaar uit dat degene die het op zijn geweten heeft geen enkele vingerafdruk heeft achtergelaten. Maar het is waarschijnlijker dat hij de hele tijd in het woongedeelte heeft vertoefd en helemaal niet in de keuken is geweest. Er zijn een paar verborgen afdrukken in de badkamer, zoals je weet, maar die hebben ze tot dusverre nog niet kunnen thuisbrengen.'

'Verdomme,' zei Cody. 'Bel me als dat iets oplevert.'

'Oké,' zei Larry. 'Ik denk dat de dader wist dat hij zijn sporen het beste kon uitwissen door als hij klaar was alles om hem heen te verbranden.'

Cody knikte. 'Dat denk ik ook. Daarmee bereik je twee dingen. Het vuur vernietigt niet alleen alle verborgen bewijzen, maar het verdoezelt ook de indruk dat er sprake is van moord.'

'Over moord gesproken,' zei Larry, 'de drie slachtoffers, behalve Hank Winters, heb ik via ViCAP achterhaald, zijn alle drie minder dan een maand geleden gestorven. Misschien zijn er meer en zijn er nog andere manieren waarop is gemoord, maar voorlopig beperken we ons tot hen, oké?'

Cody knikte alsof Larry hem kon zien. Hij hoorde Larry in papieren rommelen.

'Het eerste slachtoffer was ene William Geraghty, 63 jaar, uit Falls Church, Virginia. In het politieverslag staat dat hij een middenkader politieke consulent voor de democraten was. Hij werd drieënhalve week geleden in zijn strandhuis gevonden. Zijn zomerhuisje is rondom hem afgebrand en zijn lijk is tussen de puinhopen gevonden. De politie daar dacht aanvankelijk ook aan een ongeluk, maar een paar dagen later verklaarden getuigen dat ze, korte tijd nadat de brand was ontstaan, in het donker een voertuig uit die richting zagen wegrijden. Een duidelijk signalement van het voertuig of de chauffeur ontbrak, maar omdat het zomerhuisje aan een doodlopende weg lag en het midden in de nacht was, werd de auto als verdacht beschouwd. De sectie op Geraghty wijst in dezelfde richting: letsel door slagen met een stomp voorwerp aan het hoofd en geen rook in de longen. De politie daar sluit de mogelijkheid van moord niet uit en houdt de zaak open. Ik heb met de leider van het politieonderzoek in Falls Church gesproken en in feite zei hij dat er geen vorderingen zijn geboekt; geen enkel aanknopingspunt.'

'Dat komt me bekend voor,' zei Cody.

'Ja. Maar in dit geval was de vernietiging door het vuur totaal. Zij hadden geen regen die dat heeft voorkomen. En dat betekent geen haren of vezels en geen DNA dat kan worden getest.'

Terwijl Larry aan het woord was googelde Cody de naam 'William Geraghty' en vond artikelen waaronder zijn overlijdensbericht in de plaatselijke krant en oudere verwijzingen naar zijn betrokkenheid bij politieke campagnes overal in het land. Die zou hij later wel doornemen, als Larry was uitgepraat.

'Wat weten we van hem, behalve wat hij deed en hoe hij is gestorven?'

'Daar kom ik nog op, maar laat me dit op mijn eigen manier doen.'

Cody wist wel beter dan te proberen Larry over te halen voort te maken.

Larry zei: 'Het tweede slachtoffer is geïdentificeerd door viCAP als Gary Shulze, 59, Minneapolis. Dat was twee weken geleden. Hij was hoogleraar letteren aan de Universiteit van Minnesota in Minnealopis. Zijn stoffelijk overschot werd gevonden in zijn blokhut nabij een plaatsje dat Deer River heet in de noordoostelijke hoek van de staat aan Lake Winnibigoshish. Weer van hetzelfde laken een pak: uitgebrande hut, lijk daarbinnen, verwondingen aan het hoofd. Het verschil hierbij is alleen een diepe steekwond in de hersenen in plaats van een stomp voorwerp. De wond werd aanvankelijk aangezien voor een na de dood aangebracht letsel door vallend hout, maar de lijkschouwer sluit de mogelijkheid niet uit dat de wond het gevolg is van een mes dat in de hersens is gestoken en er weer uitgetrokken. Natuurlijk dachten de plaatselijke bewoners dat het zelfmoord of een ongeluk betrof, maar Shulzes vrouw Pat wist hen ervan te overtuigen dat haar man onlangs zijn leven had gebeterd en een soort persoonsverandering had ondergaan. Ze zei dat hij sprankelde van levenslust. Hij zou zichzelf nooit van het leven beroven, zei ze. Natuurlijk hebben we dat soort dingen wel vaker gehoord van dierbaren, maar de rechercheur vertelde me dat ze zo overtuigend overkwam dat ze de zaak toch open hebben gehouden, ook al hebben ze zo hun twijfels.'

Cody opende een ander venster op de browser en googelde de naam 'Gary Shulze.' Naast zijn deelname aan diverse literaire colleges en een personeelsmelding van de Universiteit van Minnesota stonden er ook overlijdensberichten in zowel de *Star Tribune* als de *Western Itasca Review* uit Minneapolis.

'Dezelfde totale verwoesting op de plaats delict als in het geval van Geraghty,' zei Larry. 'Geen spoor van bewijs gevonden dat duidt op iets anders dan een ongeluk met één dodelijk slachtoffer.'

Larry zuchtte. 'De laatste vóór Hank Winters is degene van wie we wisten, die in termen van tijd en afstand het dichtst bij lag.'

'Karen Anthony,' zei Cody.

'Ja, zij,' zei Larry. 'Zesenveertig jaar oude ziekenhuisconsulent die woonde in Jackson Hole en Boise. In haar geval ligt het iets anders omdat haar woning in Jackson – eigenlijk is het Wilson, Wyoming, buiten de stad – een soort historisch pand was dat ze had gerenoveerd. Evenals Geraghty woonde ze behoorlijk afgelegen en was haar woning uitsluitend bereikbaar via een tweebaansweg door het bos. Een buurman zag een halfuur voordat hij de vlammen op de heuvel opmerkte een auto over de weg die zij deelden wegrijden en waarschuwde de brandweer. De sheriff van Teton County vertelde me dat ze een signalement van het voertuig hebben: een donkerblauwe of zwarte SUV, één inzittende, lichtgekleurde nummerborden, waaruit we kunnen opmaken dat hij van buiten de staat kwam, hoewel de getuige niet kon zeggen uit welke.'

'Daar hebben we weinig aan,' zei Cody. 'Een SUV zoeken in Wyoming is net zoiets als een vlieg zoeken op een mesthoop – daar wemelt het van.'

'Ik weet het,' zei Larry.

'Dus,' zei Cody, terwijl hij een ander venster op zijn beeldscherm opende en de naam Karen Anthony intikte, 'we hebben drie slachtoffers die in wezen op dezelfde manier zijn gestorven: verbrand in hun huizen lang voordat de brand kon worden geblust. En alle slachtoffers zijn ongeveer van middelbare leeftijd en hebben een baan. En ze wonen alleen. Dat is een reeks overeenkomsten, maar niet iets waar we ons op kunnen verlaten.'

'Precies,' zei Larry. 'Ik ben een halve dag bezig geweest met het lezen en herlezen van politieverslagen en heb geprobeerd iets te vinden wat ze gemeenschappelijk hadden behalve het voor de hand liggende, en een verband proberen te vinden met Hank Winters.'

'En?' zei Cody.

'Nada,' zei Larry. 'De rechercheurs met wie ik heb gesproken konden ook niets bedenken. Toen ik ze van de andere zaken vertelde, waren ze verbaasd dat er zich soortgelijke incidenten hadden voorgedaan. Niemand had dit dus gezien als een terugkerend patroon, ook de FBI niet.'

'Dus,' zei Larry, 'heb ik een gokje gewaagd en Geraghty's vrouw in Falls Church opgebeld. Ik heb haar verteld wie ik was en wat mijn onderzoek behelsde en je weet hoe dat gaat. Ze deed haar uiterste best om me zoveel mogelijk te helpen. Ik vermoed dat ze sinds kort na de brand niets meer had vernomen van de plaatselijke politie omdat ze haar niets nieuws te melden hadden. Dus was ze blij verrast dat ik aan de zaak werkte.'

Cody knikte en zei toen: 'Hmm,' om Larry duidelijk te maken dat hij luisterde.

'Ik heb de gebruikelijke vragen gesteld. Of hij vijanden, exen, zakelijke problemen, concurrenten, financiële perikelen enzovoort enzovoort had.'

'Hmm.'

'Wat ze me vertelde was bijna te mooi om waar te zijn,' zei Larry. Ze zei dat ze in hun huwelijk met heel wat problemen te kampen hebben gehad, maar dat Geraghty de laatste jaren zijn leven had gebeterd en dat daarna alles rozengeur en maneschijn was. Ze zei dat dat het ergste van alles was – dat ze het zo goed hadden toen het gebeurde.'

Cody had het gevoel dat hij in zijn hoofd een belletje hoorde rinkelen. 'Had de vrouw van Shulze niet ongeveer hetzelfde gezegd?'

'Dat was me ook opgevallen,' zei Larry. 'Dus heb ik mevrouw Geraghty nog meer vragen gesteld. Aanvankelijk was ze een beetje terughoudend, maar uiteindelijk heeft ze open kaart gespeeld. Geraghty was een tijd lang een flinke innemer. Een vrolijke drinkebroer die heel vaak op reis was met andere politieke types. Tussen de regels door kreeg ik de indruk dat hij haar mishandelde als hij 'm had zitten. Maar ze zei dat hij zich ten slotte, nadat hij was veroordeeld wegens rijden onder invloed, had aangemeld voor een twaalfstappenprogramma en dat hij sindsdien niet meer de fout in was gegaan. Ze vertelde dat hij de afgelopen tweeënhalf jaar geen druppel meer had gedronken.

'Toen heb ik dus Pat Shulze gebeld,' zei Larry. 'Na enig aandringen kreeg ik hetzelfde verhaal te horen. Shulze had zich drie jaar geleden aangemeld bij een ontwenningsprogramma omdat de universiteit dat van hem had geëist. Dat had het gewenste effect, zei ze. Het was net alsof ze de man weer terughad met wie ze ooit was getrouwd. Hij was bezig een boek te schrijven over zijn ontwenningsproces en hij hield spreekbeurten op faculteitsbijeenkomsten door het hele land, vermoed ik. Hij had zelfs een website over ontwenning waarop hij vragen beantwoordde en zo.'

'Allemachtig,' zei Cody. 'En hoe zat het met Karen Anthony?'

'Ik heb haar zuster in Omaha opgebeld,' zei Larry. Van hetzelfde laken een pak. Ze vertelde dat Karen Anthony haar hele leven een geducht feestbeest was geweest tot vijf jaar geleden, toen zij Jezus en de AA vond. Het heeft er dus alle schijn van dat onze dader het op ex-alcoholisten heeft gemunt.'

'Jezus,' zei Cody, terwijl hij terugdacht aan Hank. 'Dat is gewoon *walgelijk*.' Toen vervolgde hij: 'Even voor alle duidelijkheid: zoiets bestaat niet. Maar daar hebben we het later nog wel eens over.'

'Ja, ja,' zei Larry.

Cody wachtte even. 'Ik probeer dit tot me te laten doordringen. We hebben dus een vent die het land door reist en afspraken maakt met ex-alcoholisten en ze vervolgens in hun eigen huis te lijf gaat. Ik zie een patroon maar ik zie geen motief.'

'Ik evenmin,' zei Larry. 'Ik pieker me suf. Wie kan het nou gemunt hebben op mensen die hun leven weer op de rails hebben gezet? Wat voor zin heeft dat?'

Cody gromde dat hij het niet wist, maar bedacht toen iets. 'Larry, heeft de politie in Virginia, Minnesota of Wyoming op de plaatsen delict nog ergens AA-munten aangetroffen?'

Hij hoorde Larry in de papieren rommelen. 'Daar wordt nergens melding van gemaakt,' zei hij. 'Maar dat zegt niet alles. Ze hebben niet alles wat ze hebben gevonden geregistreerd. Daar was geen reden voor.'

'Tenzij,' zei Cody, 'de boosdoener de munten heeft meegenomen, zoals hij dat ook bij Hank heeft gedaan. Op die manier had de plaatselijke recherche geen reden om het lidmaatschap van de AA in hun onderzoekingen te betrekken. Shit, we zouden hier nooit aandacht aan hebben besteed als ik niet toevallig had geweten dat Hank die munten overal waar hij heen ging bij zich droeg.'

'Verdomme, daar had ik niet aan gedacht,' zei Larry. 'Anders had ik het wel aan de rechercheurs gevraagd.'

'Dat kun je alsnog doen,' zei Cody.

'Dat doe ik morgen,' zei Larry. 'Maar we weten nog steeds niet eens waar de dader hen van kende.'

'Ik heb geen idee,' zei Cody, 'tenzij de slachtoffers die vent misschien iets hebben aangedaan voordat ze ophielden met drinken. Misschien, nou ja, ik weet niet,' zei hij. 'Ik kan geen scenario bedenken dat hout snijdt. Niet zonder te weten of de slachtoffers elkaar zelfs maar kenden of ooit op dezelfde plek zijn geweest.'

Daar was Larry het mee eens. 'We zitten met vier verschillende locaties op duizenden kilometers afstand van elkaar. Vier verschillende beroepen. Ik zie niet in waar hun wegen elkaar kunnen hebben gekruist.'

'Dit vereist nog meer verfijnd speurwerk,' zei Cody. 'Kun je de politie in al die staten vragen assistentie te verlenen?'

'Sommigen,' zei Larry op gedempte toon. 'Maar je kent het klappen van de zweep. Ze komen allemaal om in het werk. Ze zullen waarschijnlijk wel bereid zijn te helpen, maar niemand zal het boven aan zijn prioriteitenlijstje plaatsen. En dat kan ik ze niet kwalijk nemen. Als ze het mij vroegen zou ik hetzelfde doen. Ik zou het op een laag pitje zetten en me vooral bezighouden met mijn eigen overvloed aan taken. Ik zou niet alles opzijschuiven om op basis van mijn speculaties iets te gaan onderzoeken.'

'En hoe zit het met de FBI?' vroeg Cody.

'Die moet ik nog opbellen,' zei Larry. 'Wat betekent dat ik toestemming moest vragen aan de sheriff en Bodean. Gelukkig heb ik het Tubman gevraagd toen hij net weer een aanvaring had met de lijkschouwer die, tussen haakjes, heeft aangekondigd dat hij zich volgend jaar ook kandidaat stelt voor de functie van sheriff.'

'Heeft Tubman naar me geïnformeerd?' vroeg Cody.

'Nog niet. Maar Bodean ging door het lint. Ik heb hem verteld wat ik tot dusverre had bereikt in de hoop dat hij dan zou kalmeren, maar hij sprong uit zijn vel. Hij zei dat ik je, als ik je sprak, moest zeggen dat je als de wiedeweerga terug moest komen.'

Cody zuchtte diep. 'Voor kennisgeving aangenomen.'

'Het zou me niet verbazen als Bodean ook nog een gooi gaat doen naar het baantje van sheriff,' zei Larry. 'Hij is opeens druk bezig met schadebeperking.'

Cody's gedachten waren afgedwaald. Hij zei: 'Ogenschijnlijk zitten we op het goede spoor, maar ik zie ons nog geen snelle vorderingen maken. En daar heb ik sterk behoefte aan.'

'Ik heb behoefte aan een smak dingen die ik nooit krijg,' zei

Larry snuivend. 'Zoals loonsverhoging en meer haar op mijn hoofd.'

'Sorry,' zei Cody. 'Ik moet hierover nadenken. We moeten de slachtoffers met iemand of met een bepaalde plek in verband zien te brengen. Zodra ons dat is gelukt kunnen we de andere bureaus en afdelingen aan het werk zetten.'

'Mee eens. Maar dat eerste lijkt uitgesloten,' zei Larry somber.

'Jij kunt het,' zei Cody. 'Als iemand het kan dan ben jij het.'

'Ja,' zei Larry, 'ik weet het.'

'Ik ga morgen nog steeds achter Justin aan,' zei Cody. 'Ik zal de satelliettelefoon aanzetten. Bel me als je nieuws hebt, dan doe ik hetzelfde.'

Na een korte stilte zei Larry: 'Ga je Staatsbosbeheer waarschuwen dat je op het punt staat hun heiligdom te betreden?'

'Ik kijk wel uit.'

'Cody...'

'Ze maken er alleen maar een zooitje van. Ik heb geen tijd om te wachten tot ze een ris vergaderingen hebben belegd en alle superieuren hebben geraadpleegd. Ik moet mijn zoon zien te vinden en heb even geen tijd voor die moordenaar.'

Larry wist niet hoe hij het had. 'Hoeveel overtredingen denk je met deze actie te maken? Ik kan het niet meer bijhouden.'

Cody haalde zijn schouders op. 'Dat kan me niks schelen,' zei hij.

'Luister,' zei Larry, 'jou kan dat dan misschien niets schelen, maar ik ben medeplichtig aan elke stommiteit die jij uithaalt. Ik moet mezelf dus wel een beetje indekken. Ik heb al in de gaten gekregen dat de sheriff zo woedend is over het gedrag van Skeeter dat ik rustig kan volhouden dat ik hem alles al eens heb verteld en waarschijnlijk geloeft hij dat ook nog. Voor hem zal het hetzelfde zijn. Bodean zit uiteraard anders in elkaar. Ik moet nog een manier bedenken om hem te omzeilen.'

Daar was Cody het mee eens.

'En morgen bel ik een maatje van mij die Rick Doerring heet en bij Staatsbosbeheer werkt,' zei Larry. 'Hij is een boswachter die ik vorig jaar heb ontmoet.'

Cody schudde zijn hoofd omdat de kant die dit opging hem niet beviel. 'Vorig jaar?'

'Ja, weet je nog dat er iemand uit Bozeman opbelde om te melden dat ze een vliegtuigje richting Yellowstone hadden zien vliegen? Herinner je je dat? Die burger beweerde dat het vliegtuigje een beschadigde indruk maakte en heel laag vloog.'

Cody herinnerde zich het voorval vaag. Voor zover hij nog wist, had de verkeersleiding niets geweten van een vliegtuig en was nergens melding gemaakt van een vermist vliegtuig. Omdat Larry en Bodean de afgevaardigden waren van een overkoepelende Taakeenheid Binnenlandse Veiligheid, moesten zij hun beste beentje voorzetten, want onbekende vliegtuigen die richting regeringsgebied vlogen waren in die dagen groot nieuws. Rick Doerring maakte ook deel uit van die Taakeenheid. Het vliegtuigje werd nooit gevonden en niemand had ooit melding gemaakt van vermissing. Het incident werd snel vergeten.

'Rick is een beste kerel,' zei Larry. 'Bijna normaal, voor een rijksambtenaar. Ik kan hem dit onderhands wel eens vragen en zien wat hij ervan vindt.'

'Ik kan je niet tegenhouden,' zei Cody. 'Maar wacht daar in ieder geval mee tot vanmiddag. Dan ben ik inmiddels een flink stuk het park in waar hij – of jij – me nooit kunnen vinden. Ik wil hun hulp niet, tenzij op mijn voorwaarden.'

Daar was Larry het niet mee eens, maar hij maakte geen bezwaar.

'Bekijk het van de zonnige kant,' zei Larry. 'Je zoon is hoogstwaarschijnlijk geen ex-alcoholist.' Het was grappig bedoeld.

'Nee,' zei Cody, 'maar waarom heeft de dader juist deze tocht

242

uitgekozen? Waar is hij op uit, of is het een manier om zich schuil te houden na zijn seriemoorden? Hoe je het ook wendt of keert, die vent moet wel een beetje vertwijfeld zijn na alles wat hij heeft aangericht. Ik geloof niet dat iemand in zijn buurt echt veilig is,' zei hij, met zijn vingers trommelend op de dossiermap met Jed McCarthy's klanten.

'We weten nog steeds niet of hij deelneemt aan die tocht,' zei Larry.

'Dat *weet* ik,' antwoordde Cody. 'Je hoeft mij er niet aan te herinneren dat dit een grote gok is.'

'Waar ben je nu?' vroeg Larry.

Cody antwoordde: 'Vlak bij het park.'

Even was het stil. 'Je wilt het me dus niet vertellen?' zei Larry toen.

'Nee.'

'Vertrouw je me niet?'

'Larry,' zei Cody, 'jij bent de enige die ik vertrouw. Maar hoe minder jij weet, hoe beter het voor ons allebei is. Zoals je al zei, jij bent medeplichtig aan elke stommiteit die ik uithaal.'

Larry snoof. 'Ik begrijp je standpunt. Maar vertel eens op, cowboy. Hoe dacht je in hemelsnaam dat reisgezelschap op te sporen in het midden van de wildernis?'

'Ik heb een plan,' zei Cody.

'Ik hoop dat het een deugdelijk plan is.'

'Ik ook,' zei Cody.

Hij nam een douche, liet zijn kleren in een stapeltje achter op de grond van de badkamer en glipte naakt tussen de lakens. Hij zette zijn wekker op halfvier, belde de receptie en vroeg erom op hetzelfde tijdstip te worden gewekt.

Hij wist dat hij geen oog dicht zou doen. Hij kon het niet. De dingen die Larry hem had verteld speelden door zijn hoofd en schoten zijn bewustzijn in en weer uit. Hij hoopte dat de losse draadjes die hij kende zich op de een of andere wonderbaarlijke wijze met elkaar zouden verbinden en hij overeind zou schieten met een geniale inval en plotseling alle verbanden zou doorzien en alle antwoorden voorhanden zou hebben.

Het gebeurde niet.

Wat wel gebeurde was dat hij twee uur later de oude houten vloer in de gang voor zijn deur hoorde kraken. Hij draaide zijn hoofd om en keek op de digitale wekker die in rode cijfers aangaf dat het twee uur drieëndertig in de ochtend was.

Toen een doordringende geur zijn neusgaten bereikte, dacht hij eerst even dat het zijn slechte adem was. Toen herkende hij het als aanstekerbenzine.

Cody richtte zich op één elleboog op en keek naar de gele streep licht onder zijn hotelkamerdeur. Hij wreef zijn ogen uit en probeerde zich ervan te overtuigen dat hij het zich niet verbeeldde. Twee schaduwen van voeten tekenden zich midden in de streep licht af. Er stond iemand voor zijn deur. En over de plavuizen vloer stroomde een groeiende plas vloeistof naar binnen en strekten straaltjes zich als graaiende vingers uit naar zijn bed.

Toen klonk het onmiskenbare geluid van een lucifer die werd afgestreken.

18

JED MCCARTHY WAS tevreden over de manier waarop alles verliep. Hij zag zichzelf als een soort meester op het gebied van groepsdynamica en opnieuw had hij zijn gelijk bewezen. Hij probeerde niet te zelfvoldaan of te verwaand over te komen, hoewel hem dat zichtbaar moeite kostte.

Het was begonnen met een uurtje of wat verhalen vertellen na het avondeten, nadat Ted Sullivan was teruggekeerd van het tentenkampje. Hij had net de een of andere aanvaring gehad met zijn dochter. Sullivan had weer plaatsgenomen op de boomstam naast Rachel Mina en ze keken elkaar lang aan, wat Jed alles vertelde wat hij over hen wilde weten. Sullivan zat met zijn hoofd gebogen en zijn armen hingen slap langs zijn benen, alsof hij tijdens een spelletje hints een papiertje had gekregen met het woord ONTMOEDIGD erop. Jed had zijn plaats naast Dakota achter de kookeenheid verlaten en was demonstratief rond het kampvuur gelopen. Alle stemmen verstilden en hoofden werden zijn kant op gedraaid. Hij gaf Sullivan een fles Jim Beam. Sullivan pakte hem, zowel verbaasd als dankbaar voor het gebaar, aan en nam een flinke teug, die maakte dat zijn ogen begonnen te tranen en te sprankelen in het licht van het kampvuur. Sullivan hield Rachel de fles voor, maar zij bedankte. De man wilde de fles teruggeven, maar Jed zei: 'Hou maar. Neem nog een slok en geef hem dan door aan de anderen.'

Jed wist dat hij vanaf dat moment Sullivan voor zich had gewonnen. Voor zwakke mannen als Sullivan, die niet gewend waren aan een vriendelijk gebaar van mannen zoals Jed, die dat niet waren, was dat voldoende. Het gaf Sullivan meer aanzien in de ogen van de anderen dat Jed juist hem had uitgekozen. De enige die er niet van onder de indruk leek te zijn was Rachel Mina, die Jed argwanend aankeek. Jed deed net alsof hij niets merkte.

Hij keerde terug naar de kookeenheid en keek hoe de fles rond het kampvuur werd doorgegeven en het duurde niet lang of er waren meer flessen in omloop.

Naarmate de remmingen verdwenen werden de stemmen luider en Jed zorgde er wel voor dat het vuur bleef branden, zij het niet te fel. Net hard genoeg om hun gezichten en uitdrukkingen te kunnen zien en te weten dat ze zich allemaal gedroegen zoals hij dat wilde.

Hij voelde dat Dakota naar hem keek. Ze stond naast hem achter de kookeenheid de afwas te doen en de potten en pannen schoon te maken.

Uiteindelijk keek hij haar kant op en vormde met zijn lippen geluidloos het woord *Wat?*

'Waar ben je in hemelsnaam mee bezig?' vroeg ze op fluistertoon.

Hij grinnikte en keek een andere kant op.

'Waarom doe je dat?' vroeg ze op fluistertoon. 'Je hebt me altijd gezegd dat we onze drank in de tent verborgen moeten houden voor later. Je hebt nooit eerder een fles tevoorschijn gehaald en je hebt die al helemaal nooit rond laten gaan.'

Hij was bang dat ze luid genoeg sprak om te kunnen worden

afgeluisterd, dus keek hij snel even om zich heen om te zien of een van zijn gasten hun kant op keek. Nee.

'Ik weet wat ik doe,' zei hij. 'Spreek me niet tegen in het bijzijn van de gasten.'

Ze gromde instemmend.

Hij zei op heel zachte toon: 'En vergeet niet dat jij vanavond nog een klus te klaren hebt.'

'Welke tent is het?' vroeg ze zachtjes. Dat betekende dat ze nog steeds achter hem stond, ook al had ze de smoor in. Maar ze weigerde nog steeds hem aan te kijken.

'De blauwgroene Mountain Hardwear.'

'Die met die vlek aan de zijkant?'

'Dat is hem.'

Ze knikte om aan te geven dat ze het begreep.

Hij stak zijn hand opnieuw naar haar uit en zij deinsde achteruit en hij liet haar daar briesend achter.

'Ik hoop dat jullie het niet erg vinden als ik erbij kom,' zei Jed tegen zijn gasten, terwijl hij op de boomstam plaatsnam waarop eerder de zusjes Sullivan en Walts toekomstige stiefzoon hadden gezeten.

'Best hoor,' zei James Knox, 'kom er gezellig bij.'

'En wat verschaft ons dit genoegen?' vroeg Tristan Glode.

'Ik wil jullie wat later een voorstel doen,' zei Jed. 'Maar eerst wil ik iets drinken.'

'Probeer dit eens,' zei Walt Franck en hij bood hem een single malt aan.

Jed trok in gespeelde bescheidenheid zijn wenkbrauwen op, kreeg een paar lachers op zijn hand en nam een slokje van de zachte whisky. Met een aangenaam gloeiend gevoel gleed het vocht naar binnen. 'Het is geen Jim Beam, maar het smaakt niet slecht,' zei hij, onder meer gelach.

Jed liet zich door hen ondervragen over Yellowstone, de wilde dieren, de paarden en zijn bedrijfje. Hij beantwoordde hun vragen, maar hield het kort. Hij wilde dat ze naar meer zouden verlangen.

Hij maakte snel de inventaris op. De zusjes Sullivan en Walts stiefzoon Justin waren naar hun tent gegaan. Uitstekend, dacht hij. Hij wilde niet dat de jonkies zich ermee bemoeiden. Sullivan senior zat naast Rachel en kniesde nog steeds over wat zijn dochter overstuur had gemaakt, maar herstelde al een beetje. De alcohol hielp. Rachel keek naar Sullivan alsof ze hem taxeerde en niet precies wist wat ze van hem moest denken. Vrouwen *dachten* alleen maar dat ze zwakke mannen leuk vonden, vermoedde Jed. Jed vroeg zich af hoe ze zou zijn met een krachtige man. Waarschijnlijk strontvervelend, dacht hij.

De drie Wall Streeters zaten op de grond op een stuk zeildoek met hun rug tegen een gevelde boomstam en hun benen gestrekt in de richting van het kampvuur. Ze gaven de flessen regelmatig aan elkaar door. Ze waren moe en raakten gezellig aangeschoten. Hij geloofde niet dat ze het erg laat zouden maken, maar hij wilde niet dat het al te zeer uit de hand zou lopen voor hij met zijn voorstel op de proppen kwam. Drey Russell was al een hele tijd stil en niet zo luidruchtig als Knox of D'Amato. Jed vroeg zich af of Russell het wel naar zijn zin had of alleen zijn best deed om te doen alsof. Russell leek een binnenvetter. Jed vroeg zich af of Russell in zijn jeugd veel had gekampeerd of eerder onder zulke primitieve omstandigheden in de bergen was geweest.

Tristan en Donna Glode zaten op afzonderlijke stronken links van de Wall Streeters. Tristan nam een slokje van de single malt, maar sloeg de Jim Beam af, wat Jed niet verbaasde. Donna goot, onder gejuich van D'Amato en Knox, allebei naar binnen en Jed onderdrukte een glimlach. Deze vrouw was een *inneemster*. En ze moest vroeger een schoonheid zijn geweest. Jammer dat ze haar tijd had gehad. Jed had de indruk dat Donna een beetje te veel giechelde in de richting van D'Amato en Russell. D'Amato leek daarop te reageren, maar Russell moest er niets van hebben. Toen hij zag dat ze vooroverleunde en D'Amato's knie aanraakte om hem om een slokje van zijn tequila te vragen, zag hij dat Tristan het nog wel eens moeilijk zou kunnen krijgen.

Jed concentreerde zich op Tristan en dacht dat hij wel wist hoe die man in elkaar zat. Hij leek zich slecht op zijn gemak te voelen, maar niet vanwege Donna. Jed kreeg de indruk dat Tristan een man was die gewend was te worden gehoorzaamd en bediend en die zichzelf zag als een buitenmens, maar het gezelschap van andere deelnemers die niet uit hetzelfde maatschappelijke milieu kwamen daarom nog niet aangenaam vond. De plagerijtjes en het doorgeven van de flessen amuseerden hem niet, maar hij wist genoeg van de menselijke natuur om te weten dat als hij wegging er over hem zou worden gepraat en er grapjes over hem zouden worden gemaakt. Dus bleef hij en verdroeg het en hoopte gewoon dat er snel een einde aan de avond zou komen. Tristan had Jed duidelijk gemaakt dat hij de route van tevoren had bestudeerd en die net zo goed kende als wie dan ook.

Om die reden beschouwde Jed Tristan als een uitdaging. Hij hoopte dat hij hem voor zich zou kunnen winnen. En nu hij Donna met D'Amato zag sjansen, wist hij dat hij een overwicht had dat hij voorheen niet had.

K.W. Wilson zat in zijn eentje. Hij was somber en stil. Toen Walt Franck hem een slok whisky aanbood, maakte hij aanstalten de fles aan te pakken, maar bedacht zich toen en weigerde. Jed vond dat belangwekkend en vroeg zich af waarom Wilson niet dronk. Hij *zag eruit* als iemand die wel van een borrel hield. Zijn rusteloze ogen en holle wangen vertelden zelf al bijna drankverhalen. Maar hij nam geen slok, wat betekende dat hij ervoor koos om asociaal te zijn of een probleem had. Of andere plannen, iets waarvoor hij alert moest blijven. Jed wierp een vluchtige blik achter zich. Dakota was verdwenen. Hij glimlachte inwendig. Het zou niet lang duren voordat hij een heleboel meer wist over K.W. Wilson. Niet dat het veel zou uitmaken in zijn strategie die inhield dat hij Wilsons stugge persoonlijkheid zou gebruiken als instrument om hem te isoleren en te zorgen dat zijn mening er niet toe deed, ongeacht hoe die zou luiden.

Walt Franck was simpelweg een innemende kerel. Hij was iets jonger dan Tristan, Donna en Wilson, maar ouder dan de overigen. Hij lachte beleefd om de grapjes van anderen maar maakte ze zelf niet. Jed vroeg zich af of het hem misschien zorgen baarde dat zijn zoon Justin plotseling belangstelling voor iets nieuws aan de dag legde – voor Danielle Sullivan – wat het doel van de onderneming, het smeden van een hechte band tussen stiefvader en stiefzoon, zou kunnen dwarsbomen en vervangen door de roekeloze jacht op een lekker jong mokkeltje. Die ontwikkeling zou Walt vast en zeker niet toejuichen, hoewel hij er nagenoeg niets tegen kon beginnen. Jed wist dat een wig drijven tussen een door hormonen beheerste tiener en zijn geliefde ongeveer net zo link was als tussen een berin en haar jongen gaan staan, en Walt leek niet stom genoeg om een van beide te proberen. Maar Walts verwarring kwam Jed goed van pas en dat was het voornaamste.

Na een paar minuten stond Rachel Mina op en kondigde aan dat ze naar haar tent ging om te slapen. Ze zei het op een toon waaruit duidelijk bleek dat ze verwachtte dat Ted Sullivan met haar mee zou gaan. Tenminste, duidelijk voor iedereen behalve voor Ted, die een fles aanpakte van Knox en nog een slok nam.

'Voordat je weggaat,' zei Jed, 'wilde ik jullie iets voorstellen. Maar de beslissing blijft aan jullie. Dit is gewoon een kwestie van de meerderheid beslist en ik leg me neer bij die meerderheid, want het is jullie reis.'

Ze keek hem nog steeds argwanend aan en zette in afwachting van wat hij ging zeggen haar handen in haar zij. Op dat moment besloot hij dat hij haar voor zich moest zien te winnen of haar moest isoleren als ze dwars ging liggen. Welke van de twee het zou worden, lag aan haarzelf.

Jed stond op en schraapte zijn keel. 'Wat ik me afvraag,' zei hij, 'is hoezeer iedereen gebakken zit aan de route en de weg die we nemen om morgenavond bij ons volgende kamp te komen.'

Hij pauzeerde even om het te laten doordringen voor hij zijn verhaal vervolgde. 'Dit is mijn overweging. We hebben hier deze zomer een overvloed aan regen gehad, veel meer dan gewoonlijk. Ik had het er vanochtend al over met Tristan,' zei hij, met een knikje naar Glode. 'Weten jullie, dat pad langs de Yellowstone River is behoorlijk drassig, zelfs in een goed seizoen. Zoals ik al zei voor we vertrokken, heeft het dit jaar heel lang geduurd voor de sneeuw was gesmolten omdat er zoveel was gevallen en de temperatuur zo laag was en daarbij komt nog al die regen die we hebben gehad. Ik ben bang dat onze paarden, als we het gebruikelijke pad volgen, door vele kilometers smurrie zullen moeten ploeteren. Dat is geen pretje en het zal ons aanzienlijk vertragen. Het zal heel zwaar zijn voor de dieren en dan heb ik het nog niet eens over de muggen. Bovendien is het niet onmogelijk dat het pad zozeer is weggespoeld dat we heel wat tijd zoet zullen zijn met het vinden van een alternatieve route.'

Jed hield de palm van zijn linkerhand omhoog en wees erop met zijn rechterwijsvinger.

'Als mijn handpalm de kaart is, dan is de levenslijn de Yellowstone River,' zei hij, terwijl hij die van boven tot onder aanwees. 'Het pad loopt grotendeels evenwijdig aan de rivier, van het noorden naar het zuiden. Gewoonlijk, als we bijna bij de zuid-grens van het park komen,' hij tikte met zijn vinger op de muis van zijn hand, 'slaan we af bij South Boundary Creek, verlaten het rivierdal en lopen pal westwaarts de bergen in naar de Continental Divide en de Two Ocean Pass. Daar bevindt zich ons kampement voor morgennacht, aan de Two Ocean Pass.'

Hij keek op om te zien of iedereen oplette. Dat was het geval, hoewel alleen Tristan Glode en K.W. Wilson hun oren leken te hebben gespitst. De rest luisterde gedwee.

Hij bewoog zijn vinger twee centimeter over zijn handpalm en vervolgde zijn verhaal. 'Wat ik wil voorstellen is dat wij het pad eerder verlaten dan we gewoonlijk westwaarts koersen. Dat betekent dat we tussen Phlox Creek en Chipmunk Creek naar het westen afbuigen. Ik heb mijn topografische kaart bestudeerd en het lijkt uitvoerbaar. We moeten nog steeds door de bergen trekken en we zouden op tijd in ons kamp moeten kunnen aankomen, alleen zouden we een ongewone route volgen door een land waar waarschijnlijk in geen honderd jaar mensen zijn geweest.'

Iemand, waarschijnlijk D'Amato, floot.

'Neem me niet kwalijk,' viel Tristan hem in de rede, 'maar ik herinner me nog dat ik je vanochtend heb gevraagd naar de route. Toen zei je niets over eventuele moeilijkheden.'

'Meneer Glode,' zei Jed geduldig, 'volgens mij heb ik het daar wel over gehad. Ik heb gezegd dat het pad op sommige plekken weggespoeld kon zijn. Dit is de eerste keer dit jaar dat ik hier kom, dus ik kon het onmogelijk zeker weten. Zelfs Staatsbosbeheer stuurt nauwelijks boswachters naar waar wij heen gaan vóór het begin van het jachtseizoen wanneer ze het gebied moeten beschermen tegen stropers uit Wyoming. Er is afgelopen winter heel veel sneeuw gevallen met veel smeltwater dit voorjaar, gevolgd door zware regenval deze zomer. Ik geloof niet dat er dit jaar al iemand die kant op is geweest om verslag uit te brengen van de situatie.'

'Wat heeft je van gedachten doen veranderen?' vroeg Tristan. Zijn stem had een scherpe ondertoon.

19

DE AANSTEKERBRANDSTOF VATTE onmiddellijk vlam, minder dan een seconde nadat Cody de lucifer had horen afstrijken. Er klonk een *plof* die de meeste lucht uit de kamer en uit zijn longen opzoog en hem happend naar adem achterliet. Bittere rook werd hels verlicht door oranje en blauwe vuurtongen. Zijn ogen traanden en zijn longen schreeuwden het uit van de rook die hij inademde en hij meende te weten hoe Hank Winters en de anderen zich moesten hebben gevoeld als ze in hun laatste ogenblikken nog bij bewustzijn waren.

Voor de deur hoorde hij voetstappen die zich zo snel door de gang verwijderden dat hij zeker wist dat hij degene die dit had gedaan nooit te pakken zou krijgen.

Het vuur leek ook zijn gevoel voor tijd weg te branden. Hij had geen flauw idee of het seconden of minuten duurde voor hij zijn bed uit sprong en naakt in de kamer stond. Omdat het bed tegen de muur aan stond, kon hij slechts één kant op en dat was naar het vuur toe. Er waren sinds de *plof* waarschijnlijk een aantal seconden voorbijgegaan; hij voelde zich futloos en verward en kon door de rook geen hand voor ogen zien. Hij zocht op de tast naar zijn plunjezakken, want die moest hij zien te redden. Terwijl hij zijn hand ernaar uitstak vatte er een van de twee vlam en at het vuur de nylon buitenkant op alsof het uitgehongerd was. Hij slaagde erin de andere van de vloer op te tillen voor die ook aan de vlammen ten prooi viel en hij liep achteruit om het voeteneinde van het bed heen naar de badkamer. Hij stond te beven, met zijn rug tegen de wastafel, happend naar adem, en keek door de deuropening naar de woeste vlammenzee in de slaapkamer. Hij ging op zijn hurken zitten en slaagde erin onder de kolkende golf zwarte rook te komen. Hij zoog de gloeiend hete lucht naar binnen en was al blij dat zijn longen niet explodeerden. Het vuur had het kleed bij de deur al verzwolgen en lekte langs de vloer. Het spreidde zich uit over de lakens en het dekbed.

Toen herinnerde hij zich waarom de rookmelder geen alarm had doen afgaan of de sprinkler-installatie in werking had gesteld en dacht: *Shit!*

Hij tastte door de rook achter zich naar de wastafel. Toen hij die had gevonden, draaide hij allebei de kranen open, richtte zich op en ramde de stop met de palm van zijn hand op zijn plaats zodat de wastafel zich vulde met water. Terwijl het vuur in de slaapkamer woest om zich heen beet, pakte hij twee handdoeken van het rek en doopte die in het water tot ze doorweekt waren.

Zijn rijlaarzen stonden in de slaapkamer binnen handbereik naast het bed en hij vond ze en trok ze aan. De zolen waren heet. Hij stak zijn armen in de hotelbadjas die aan een haakje achter de deur hing en maakte een knoop in de ceintuur. Toen dook hij weer omlaag om een hap lucht te nemen. Hij pakte de natte handdoeken uit de wastafel, wikkelde er een om zijn hoofd en de andere om zijn handen en rende, de plunjezak voor zich uit houdend om de hitte tegen te houden, naar de deur. Terwijl hij tussen de vlammen door stormde, voelde hij de haartjes op zijn benen en onderarmen tot op zijn huid wegschroeien en de zolen van zijn laarzen tot gelei smelten. Hij rook de vreselijk bittere geur van zijn eigen brandende haar.

Cody hoopte maar dat degene die de brand had gesticht de deur niet had geblokkeerd zodat hij er niet uit zou kunnen en toen realiseerde hij zich dat dat onwaarschijnlijk was, omdat de deur naar binnen toe openging. In de tijd die het hem kostte om van de badkamer door de slaapkamer te rennen werd het water in de handdoeken warm.

Hij raakte de deur hard met de plunjezak voor zich uit om de klap op te vangen. Door de rook kon hij niets zien, maar hij tastte om de plunjezak heen naar de deurkruk. Toen hij die omdraaide, ging de deur van het nachtslot en stortte hij zich de gang in. De toevloed aan verse lucht stroomde de kamer in en voedde het vuur. De hitte ervan tegen zijn rug en nek was ogenblikkelijk en hevig. Hij voelde het vooral tegen zijn billen.

De gang was verlaten met uitzondering van het ronde, vriendelijke gezicht van een gedesoriënteerde vrouw die zojuist haar deur had geopend om te zien wat er aan de hand was. Ze staarde naar de wolk zwarte en gele rook boven hem die langs het plafond naderbij kwam.

'Wegwezen,' zei hij tegen haar, 'er is brand.'

'Mijn spulletjes!' zei ze terwijl de tranen in haar ogen sprongen.

'Dan koopt u maar nieuwe,' zei hij en hij greep haar hand en trok haar de gang in. 'Is er nog iemand bij u daar?'

'Sam!' riep ze en ze keerde zich om en probeerde zich los te rukken.

Cody schoof haar opzij en stormde de kamer in. Sam, die net als zij ver over de zeventig moest zijn, zat in een boxershort en een versleten onderhemd rechtop in bed zijn ogen uit te wrijven.

'Wie ben jij?' vroeg Sam.

Cody nam niet de tijd om antwoord te geven, maar trok Sam overeind en duwde hem naar de deur.

'We moeten maken dat we wegkomen,' zei hij, terwijl hij Sam en mevrouw Sam als koppige kalveren voor zich uit dreef. Toen ze door de gang liepen sloeg hij met zijn vuist op alle deuren en wilde dat hij wist welke kamers bezet en welke leeg waren, maar bij alle deuren schreeuwde hij: 'Maak dat je wegkomt hier! Er is brand uitgebroken!'

Ze liepen met z'n drieën de trap af en werden plotseling omringd door gasten uit de andere vleugel en het drong tot Cody door dat het gegil in zijn hoofd werd veroorzaakt door de brandmelders. De alarmbellen krijsten en overal zag hij flitsende zwaailichten. Plotseling kwamen de sprinkler-installaties aan het plafond tot leven en produceerden bloemvormige waterstralen die langs de muren stroomden en op de tapijten kletterden. De gasten bedekten hun hoofden tegen het water en één vrouw zei dat ze terug wilde om haar paraplu te halen, maar dáár stak haar man een stokje voor.

Cody was onder de indruk van de afwezigheid van geschreeuw en paniek toen nauwelijks geklede mensen van alle leeftijden de lobby in stroomden. Af en toe klonk er een luide vloek, maar meestal kwam die uit zijn eigen mond.

Terwijl de mensen in de richting van de massieve deuren werden gedreven, riep en gebaarde het hotelpersoneel dat ze door moesten lopen. Vanbuiten klonken loeiende sirenes en Cody dacht: *Allemachtig, dat was snel.* En hij vermoedde dat degene die zijn kamer in de fik had gestoken de brandweer had gewaarschuwd om te voorkomen dat er meer dan één slachtoffer zou zijn.

In de vloedgolf van gasten die, onder de binnenverlichting die synchroon aan en uit flakkerde met de loeiende sirenes, naar de deuren stroomden, zocht hij naar iemand die daar niet op zijn plaats leek. Hij kon zich niet herinneren een leeg blik aanstekerbenzine in de gang te hebben omvergeschopt of gezien, dus zocht hij in de menigte naar iedereen die een leeg blik bij zich had of dat probeerde te verbergen of iemand die volledig gekleed een zijuitgang probeerde te bereiken. Hij zag niemand die bij hém een belletje deed rinkelen.

Hij stond al buiten in de kou voordat hij eraan dacht het hotelpersoneel en de hulpverleners te controleren om te zien of één van hen de dader zou kunnen zijn. Er stond al een brandweerwagen voor het hotel, waar brandweerlieden uit stroomden en een tweede kwam de oprit al oprijden.

Toen hij zich omdraaide om terug naar binnen te gaan, werd hem de weg versperd door een brandweerman in een zware uitrusting die hem gebaarde door te lopen.

'Laat me naar binnen,' schreeuwde Cody hem toe, 'ik kan helpen mensen naar buiten te leiden.'

De brandweerman die een sprietig blond snorretje en lichtblauwe ogen onder zijn helm had, zei: 'En waarom zou u dat willen doen? Draai nu om en ga met de anderen mee. U verspert de uitgang.'

'Laat me erdoor,' zei Cody.

De brandweerman schudde zijn hoofd. 'Loop verder, meneer. We zijn de situatie meester.'

Cody dacht aan de gasten die misschien door het alarm heen waren geslapen of hun kamer niet uit wilden of konden komen en hij dacht aan zijn brandende plunjezak met spullen in zijn kamer.

'Laat me erdoor,' zei hij nogmaals en hij probeerde zich langs de brandweerman naar binnen te wringen. 'Luister, ik ben politieman. Ik kan jullie helpen.'

'Loop mee met de anderen,' blafte de brandweerman, waarbij hij Cody onbedoeld een mep op zijn beschadigde oor gaf. De klap deed hem versteld staan en de pijn was stekend en fel. De tranen sprongen in zijn ogen.

'Sorry,' zei de brandweerman, 'maar ik meen het. Loop mee met de anderen.'

In de deuropening verschenen twee andere brandweerlieden en een wankelende nachtportier. Cody nam aan dat ze door de achteringang waren binnengekomen, wat zou betekenen dat daar ook nog een brandweerwagen moest staan. De brandweerlieden ondervroegen de nachtportier: 'Is iedereen present? We moeten ze tellen. We moeten zeker weten dat er niemand meer binnen is.'

De nachtportier zei: 'Ik geloof het wel, ik geloof het wel...'

'Laten we hopen dat u gelijk hebt,' zei een van de brandweerlieden.

De man die Cody had geslagen wees op hem en zei tegen zijn collega's: 'Deze man is lastig. Hij zegt dat hij weer naar binnen wil.'

Cody deed een paar stappen achteruit.

Hij onderdrukte zijn eerste opwelling om met zijn penning te zwaaien en te eisen dat ze hem toe zouden laten, omdat hij zich net op tijd realiseerde dat hij zijn penning had ingeleverd. En nu hij buiten stond, wist hij waarom zijn billen zo'n pijn hadden gedaan, want toen hij achter zich reikte voelde hij een brandgat ter grootte van een basketbal in zijn badjas. Hij mengde zich tussen de menigte en bleef een beetje zijwaarts lopen zodat ze zijn verschroeide kont niet zouden zien, en hoe langer hij erover nadacht, hoe meer hij besefte dat hij blij mocht zijn dat hij zijn penning niet bij zich had.

20

'DE WATERSTANDEN,' ZEI Jed snel, als antwoord op Tristans vraag. 'Het is me opgevallen dat het water in elke beek die we zijn overgestoken heel wat hoger staat dan normaal, bijna als tijdens de voorjaarsbuien in mei en juni. Het water in het meer staat ook hoger dan ik ooit heb gezien. Dus als het water al hoog staat waar we nu zijn, dan staat het in het dal van de Thorofare nog een allemachtig stuk hoger.'

Rachel Mina vroeg: 'Heb je deze nieuwe route ooit eerder genomen, Jed?'

Jed schudde zijn hoofd. 'Nee, dat niet. We zullen een landschap te zien krijgen en doorkruisen dat nog maar heel weinig mensen, ikzelf incluis, ooit hebben gezien. Maar als ik mijn topografische kaarten mag geloven, is de klim niet veel steiler dan de weg die we anders zouden hebben genomen. Dáár maak ik me geen zorgen over. Wat ik niet kan beloven is dat we niet zo nu en dan zullen moeten stoppen en een verkenner vooruit moeten sturen, wat vandaag niet nodig is geweest. We moeten begroeiing vermijden waar de paarden niet doorheen kunnen komen. En ik wil af en toe vooruitrijden om me ervan te verzekeren dat we niet vastlopen.'

'Vastlopen?' vroeg ze.

'Dat betekent dat we tussen rotsen en rotsblokken omhoog-rijden of klimmen, maar niet in staat zijn weer naar beneden te komen,' zei hij.

'Geweldig,' zei D'Amato.

'Maar er is ook een positieve kant aan,' zei Jed. 'Misschien ontdekken we een paar thermische verschijnselen en wilde die-ren die we anders nooit zouden hebben gezien. Er zijn meer dan duizend thermische fenomenen hier in het park, en wie weet wat we vinden in het soort ongerepte natuur waar ik het over heb.'

'Ik kom uit Brooklyn,' zei D'Amato. 'Ik weet niets van on-gerepte natuur.'

Hetgeen in ieder geval de lachlust opwekte van Donna Glode.

'Bovendien,' zei Jed, 'is de kans groot dat we ons tweede kamp vroeger bereiken dan via de oorspronkelijke route, omdat we een stuk afsnijden. Misschien ontdekken we zelfs een kortere weg.

'Natuurlijk,' zei hij, 'hoeven we deze route niet uit te probe-ren. We kunnen ook vasthouden aan de oude route en er daar, ondanks de modder en de mogelijke weggespoelde stukken, het beste van maken. Ik wilde jullie alleen laten weten dat er een alternatief beschikbaar is.'

Hij hield zijn mond. Jed wist dat je, als je mensen wilde over-halen, ze nooit te hard onder druk moest zetten. Hij wilde dat de groep op eigen houtje tot overeenstemming kwam, zonder dat het leek alsof hij ze daartoe aanzette.

Het leek alsof niemand als eerste het woord wilde nemen.

Toen zei Russell: 'We zouden zoiets zijn als de Lewis en Clark Expeditie. We zouden tot een deel van Yellowstone Park doordringen waar praktisch niemand ooit eerder is geweest. Dat spreekt me in ieder geval wel aan. Ik ontdek graag nieuwe dingen.'

D'Amato zei, de stem van een piraat slecht imiterend: '*Hoed u voor de monsters.*'

Knox zei: 'Het Onbekende van het Grote Onbekende,' noemen we het. Dat lijkt me wel wat.'

'Mij ook,' zei Donna Glode. 'Het avontuur lonkt!' Ze wreef, volgens Jed ten behoeve van de Wall Streeters – vooral van D'Amato – overdreven in haar handen om te laten zien dat ze er echt zin in had.

'Kun je op die nieuwe route nog steeds goed vissen?' vroeg Walt.

'Daar ziet het in ieder geval wel naar uit,' zei Jed. 'In die riviertjes waar ik het eerder over had, Phlox en Chipmunk en Badger Creek. Er is in ieder geval maar zelden in gevist. Dus jij en Justin zouden nog wel eens met jullie neus in de boter kunnen vallen – inheemse moorddadige forellen die nog nooit een kunstvlieg hebben gezien.'

'Dat staat me wel aan,' zei Walt knikkend en glimlachend.

'Ik zie het ook wel zitten,' zei Sullivan. 'Ik denk dat mijn meiden het geweldig zullen vinden om een gebied te zien dat al lange tijd door niemand is betreden. Ik in ieder geval wel. Je gaat ervoor of je gaat naar huis, zeg ik altijd.'

Jed zag dat Rachel Mina Sullivan een goedkeurende blik toewierp.

Tristan stond op en wendde zich van Jed af om de groep toe te spreken. 'Ik beschouw het als mijn plicht om iets te berde te brengen,' zei hij, met zijn rug naar Jed toe. 'Wat Jed voorstelt is tamelijk riskant. We hebben geen zenders of mobieltjes. Het enige wat die lui van Bosbeheer – of onze families thuis – van ons weten is waar we van dag tot dag *geacht* worden te zijn. Als we dus niet op de overeengekomen plek opduiken dan weten ze waar ze ons kunnen vinden. Als we afwijken van het pad en verdwalen of 'vastlopen', dan weet niemand waar we uithangen.

Tristan zei: 'Ik heb heel wat succes geboekt in mijn leven door van tevoren vast te stellen waar ik heen wil en me aan de uitgezette koers te houden. Juist als partners me overhaalden van het plan af te wijken ging het mis. Wat Jed hier voorstelt is om een zekerheid – ook al kan die een poosje onaangenaam zijn – in te ruilen tegen een wilde gok vol onbekende variabelen. Ik houd me liever aan de oorspronkelijke route. Dat is waar ik – en jullie allemaal – voor hebben betaald.'

Zelfs Jed moest toegeven dat het Tristan niet aan overtuigingskracht ontbrak.

'Ach Jezus, Tristan,' zei Donna, 'heb je niet gehoord wat hij zojuist zei? Wat *ben* jij toch een saaie piet. Dit is geen lancering van een nieuw product. Ik dacht dat het bij deze tocht juist om het avontuur ging. Zei je dat niet zelf?'

Tristan gaf geen antwoord, maar zelfs in de gloed van het kampvuur zag Jed dat hij een kleur kreeg. Ze had hem voor schut gezet. Hem onderuitgehaald. En zijn argument. Jed voelde dat de weegschaal weer doorsloeg naar de andere kant.

'Ik doe mee,' zei Knox. 'Het ergste dat me kan overkomen is dat ik nooit meer terugkom achter mijn bureau op kantoor om de laan uit te worden gestuurd.'

'Gelijk heb je,' zei Russell. 'Ik doe ook mee.'

'D'Amato sloeg zijn handen voor zijn gezicht alsof hij van afschuw vervuld was en zei toen met een hoog stemmetje: 'Ik ook.'

Jed keek om zich heen. Allemaal voor, één tegen, één die zich nog niet had uitgesproken.

'Meneer Wilson?' vroeg hij in de verwachting dat de eindstand vijf-twee zou luiden.

Wilson zei niets, maar keek met een intense woede voor zich uit.

Jed probeerde Wilsons blik te interpreteren en wat hij zag verbaasde hem. Ook *hij* keek alsof hij onderuit was gehaald. Ten slotte, omdat alle aandacht op hem gericht was, zei Wilson: 'Ik vind het best. Ik leg me bij de meerderheid neer.'

Tristan keek om zich heen en zei: 'Ik zal morgen beslissen of we überhaupt nog verder meedoen aan deze expeditie.'

Zijn woorden sloegen in als een bom en Donna zei: 'Spreek voor jezelf, blanke meester.'

Opnieuw vernederd stormde Tristan Glode langs Jed in de richting van de tenten. Over zijn schouder zei hij nog: 'Democratie werkt niet als je een bedrijf leidt, Jed. Dat zul je nog moeten leren.'

Na een korte stilte zei Knox: 'Ik geloof niet dat hij goed tegen zijn verlies kan.'

'Zou je denken?' zei D'Amato. 'Allemachtig, wat een zuurpruim.'

'Welkom in mijn leven,' zei Donna, die over de grond dichter naar D'Amato toe schoof en de fles tequila van hem overnam.

Rachel Mina was kortaf: 'Welterusten, allemaal.' Ze liep weg van het vuur, gevolgd door Sullivan.

'Goed dan,' zei Jed, terwijl hij zijn fles terugnam van Walt, die ermee was blijven zitten. 'We zijn eruit. Dat betekent dat morgen een verdraaid interessante dag wordt en we vroeg zullen opstaan.'

'Interessant,' zei D'Amato, het woord herhalend terwijl hij opstond. 'Alsof het vandaag een saaie boel was.'

'Zo mag ik het horen,' zei Jed met een glimlach.

Jed draaide zich om toen hij Rachel en Sullivan in het donker bij de tenten hoorde bekvechten. Hij zag dat Dakota daar in de buurt naar hen stond te kijken. Hij vroeg zich af hoeveel ze kon hebben gehoord.

Die vraag werd beantwoord toen zij langzaam haar hoofd schudde, alsof ze haar oren niet kon geloven.

21

IN DE GLOED van de zwaailichten die de stenen muren en boog-
ramen aan de voorzijde van de Gallatin Gateway Inn in fel
rood en blauw hulde, wierp Cody Hoyt de plunjezak die hij had
weten te redden achter in zijn Ford. Door de rook die hij in zijn
longen had gekregen had hij moeite met ademhalen en hij hoestte
hevig en bespatte de achterruit met druppels zwart slijm.

Achter hem kwamen de mensen samen bijeen in groepjes in
de voortuin. Het personeel dat bij de evacuatie had geholpen
bakende, samen met een aantal brandweerlieden en een paar
agenten die zojuist waren gearriveerd, het terrein af. Cody was
weggeglipt toen ze allemaal stonden te kijken hoe een ladderwagen achteruit over het gazon naar het hotel reed. Hij wachtte
even om het allemaal in ogenschouw te nemen voordat hij in
zijn Ford stapte. Zijn kamer op de eerste verdieping was gemakkelijk te herkennen aan de felle oranje vlammengloed achter de ramen. Verscheidene brandweerlieden hadden in het bakje
van de ladderwagen plaatsgenomen dat naar de eerste verdieping werd getild. Toen ze zich op gelijke hoogte met het oranje
raam bevonden, bleef het bakje een beetje wiebelend stilhangen
terwijl een horizontale waterstraal door het raam naar binnen
spoot. Toen de ruit brak, schoot er een vuurbal door de raam-

265

lijst naar buiten die werd vergezeld van schrikgeluiden van de hotelgasten op het gazon.

Hij zag dat het vuur zich tot zijn kamer leek te hebben beperkt en zich niet over andere kamers had uitgespreid, ongetwijfeld dankzij de sprinkler-installatie. Cody schatte dat het niet lang zou duren voor ze het vuur hadden gedoofd en de brand meester waren. Even later zouden de rechercheurs erachter zijn wie er in die kamer had verbleven en hem willen ondervragen.

Hij stapte in de Ford en werd onmiddellijk overspoeld door de bijtende geur van rook die uit zijn kleren sloeg. Zijn naakte huid brandde van de blootstelling aan het vuur en toen hij met zijn andere hand over zijn onderarm streek, braken de verschroeide haartjes en vielen eraf.

Hij stompte hard genoeg met de muis van zijn hand op het stuur om het plastic te doen barsten, vloekte, spuugde, startte de motor en reed weg.

De lichten en sirenes vervaagden en hij reed het terrein van het hotel af en de U.S. 191 South op. Het duurde niet lang voordat hij omringd werd door duisternis en zich op veilige afstand van de locatie bevond. Hij reed de Ford een parkeerhaven in en zette de motor uit.

Iemand had hem opgespoord en geprobeerd hem levend te verbranden.

Hij vond een halfvol pakje sigaretten in het dashboardkastje en stak er een op. Hij inhaleerde diep – rook op rook – en kreeg vervolgens een hoestbui. Jezus, dacht hij, het was net alsof hij *zichzelf* van binnenuit probeerde te verbranden. Hij wierp de sigaret uit het raam.

De brand had ook een positieve kant, dacht hij. Omdat iemand had geprobeerd hem te doden, wist hij nu dat hij op het juiste spoor zat.

Hoe meer hij over het gebeurde en wat hem bíjna was overkomen nadacht, hoe verder zijn toch al verstoorde wereld uit het lood schoot.

Hij was blij dat hij tegenover de brandweerman niet had volgehouden dat hij politieman was en dat hij op weg naar buiten met niemand had gesproken, ook al zouden zij er mogelijkerwijs door middel van eliminatie wel achter zouden zijn gekomen wie het gedaan had. Maar hij besefte dat zijn verhaal aanvankelijk absurd moest klinken. De brandweerlieden zouden al snel ontdekken dat hij de rookmelder onklaar had gemaakt en ze zouden ook het stapeltje sigarettenpeuken in zijn kamer vinden. De conclusie die ze onmiddellijk zouden trekken was dat hij in bed had liggen roken en de brand had veroorzaakt en met een verhaal over aanstekerbrandstof aan was komen zetten om zich vrij te pleiten. Of ze zouden hem ervan beschuldigen dat hij per ongeluk – of met opzet – de aanstekerbenzine had gemorst en daarmee brand had gesticht. Jezus, als hij de feiten zo op een rijtje zette zou hij tot dezelfde conclusie zijn gekomen. Binnen enkele minuten zouden ze zijn legitimatie vinden en die doorbellen en erachter komen wie hij was en waar hij eigenlijk zou moeten zijn, en dan zou hij waarschijnlijk de rest van de nacht doorbrengen in een politiecel in Bozeman in afwachting van een politieman uit Helena die hem zou komen ophalen en terugbrengen. Het zou ongetwijfeld miljoenen kosten om de brand- en waterschade aan het hotel te repareren. Hij dankte God dat alle anderen met de schrik waren vrijgekomen, anders zou hij ook nog een aanklacht wegens moord aan zijn broek krijgen.

Dat kon hij niet riskeren.

Omdat de moordenaar had geprobeerd hem door middel van brandstichting uit te schakelen, vroeg hij zich af of hij misschien toch niet deelnam aan de trektocht, maar in de buurt van Bozeman was gebleven. Maar hoe kon de moordenaar weten dat hij in de stad was, wat voerde hij in zijn schild? En hoe kon hij in hemelsnaam weten dat hij de nacht doorbracht in de Gallatin Gateway Inn en in welke kamer? Er was geen touw aan vast te knopen.

Betekende dit dat hij als volgende op het lijstje van de moordenaar stond? Dat kon Cody niet geloven, want de andere slachtoffers hadden al jarenlang geen druppel gedronken en hij wel. Tenzij de moordenaar natuurlijk wist dat Cody hem te dicht op de hielen zat en had besloten voorzorgsmaatregelen te treffen.

In heel wat opzichten had het een volmaakte misdaad kunnen zijn. Het vuur had zo snel om zich heen gegrepen dat hij, als hij niet toevallig wakker was geweest toen de lucifer werd afgestreken, levend in bed had kunnen verbranden. Als ze hem vonden zouden ze ook de sigaretten, de peuken en de onklaar gemaakte brandmelder vinden. Een beetje speurwerk zou het incident met de lijkschouwer in Helena, zijn schorsing door de politie van Denver een jaar tevoren en zijn beruchte zuippartijen aan het licht brengen.

Wat betekende dat degene die dit op zijn geweten had hem goed genoeg kende om te weten dat hij in zijn opzet zou kunnen slagen.

Hij dacht aan de paar mensen met wie hij contact had gehad die wisten waar hij was en wat hij uitspookte. Larry, uiteraard, maar hem had hij niet alles verteld, bijvoorbeeld niet het adres waar hij verbleef.

Cody dacht terug aan de gebeurtenissen eerder die dag. Behalve Kerley en de Mitchells had hij een stuk of zes verkopers en een paar mensen die in het hotel werkten ontmoet. Dan waren er nog de verkeersagent en de monteur in Townsend. Hoewel ieder van hen wel iets kon hebben geweten van zijn doen en laten, was er niemand die daar een groter verband in kon zien, dacht hij.

Dit was het soort puzzel dat hij graag aan zijn partner zou voorleggen, want samen kwamen ze meestal wel tot een aannemelijk antwoord.

De ontvangst van zijn mobiel was goed en hij bladerde door zijn contactpersonen totdat hij Larry's telefoonnummer had gevonden, maar iets weerhield hem ervan op de sneltoets te drukken. Hij zat daar bewegingloos, staarde naar het verlichte schermpje, klapte toen zijn telefoon dicht en schakelde hem uit. Hij opende het portier aan zijn kant, smeet het mobieltje op de grond en trapte het aan stukken met de hak van zijn laars.

Of ze hem naar Helena waren gevolgd of zijn komst hadden doorgebeld kon hij niet met zekerheid zeggen. Als ze hem volgden via zijn GPS in zijn mobieltje, dan was dat vanaf nu onmogelijk.

Toen vielen hem opeens de schellen van de ogen.

De tussenstop in Townsend, de nacht dat hij daar had moeten overnachten. Het lange oponthoud dat hem tot vanavond op één plek had gehouden. Was de verkeersagent getipt dat hij hem in de gaten moest houden?

Hij ging weer achter het stuur van de Ford zitten en sloeg zijn handen voor zijn gezicht. Slechts twee mensen konden het hele verhaal tot in al zijn details kennen. Slechts twee mensen wisten waar hij naartoe ging, waarom hij daar was, wat hij van plan was.

Een van hen was de moordenaar. De ander...

'Larry, onbetrouwbare klootzak. Waarom?' zei hij hardop.

22

BIJ HET LICHT van een hoofdlamp kleedde Jed McCarthy zich tot op zijn T-shirt en onderbroek in zijn tent uit, gooide zijn kleren in een waszak die hij als kussen gebruikte en keek op zijn horloge. Het werd al laat. Dakota kon elk moment terugkomen.

Hij had een paar deelnemers bij het kampvuur achtergelaten. Twee van de drie Wall Streeters, Knox en D'Amato, zaten er nog. Dat gold ook voor Donna Glode. En voor K.W. Wilson. Ted Sullivan was een halfuurtje na zijn woordenwisseling met Rachel Mina vertrokken met de woorden: 'Ik kan maar beter proberen de ruzie bij te leggen.' Walt Franck had zich ook in zijn tent teruggetrokken.

Zijn bewerkte rugzak lag waar hij altijd lag, bij de ingang van de tent. Hij pakte hem, ritste het vak aan de voorkant open en tastte tussen zijn dossiers, blikjes berenspray, zijn nieuwe GPS-eenheid en zijn geladen .44 Magnum, veilig opgeborgen in een Uncle Mike's Cordura holster, naar de ritssluiting van een doelbewust aangebracht geheim vakje. De lichtbundel van de hoofdlamp danste op en neer terwijl hij dat deed. Hij hield zijn oren gespitst of hij Dakota's laarzen door het lange gras in de richting van de tent kon horen ritselen.

Hij haalde een dunne, bruine envelop tevoorschijn die was verstevigd door het kartonnen A4'tje erin en dumpte de inhoud boven op zijn slaapzak. Krantenknipsels, GPS-coördinaten en, het allerbelangrijkste, de Google Earth-kaarten die hij op eerste kwaliteit fotopapier had afgedrukt toen Margaret Kerley haar tranen trachtte te bedwingen terwijl ze achter de receptiebalie (hardop) de gebruiksaanwijzing van Windows Vista oplas. Ze had geen flauw idee waar hij mee bezig was.

De foto's waren gedetailleerd. Hij vond de locatie van Kamp Een, waar ze zich nu bevonden, en volgde met zijn wijsvinger het spoor langs de oevers van het meer. Hij bestudeerde de met een kruisje aangegeven natuurlijke kruising waar ze westwaarts zouden afslaan in de richting van het Two Ocean Plateau zoals hij dat aan zijn cliënten bij het kampvuur had voorgelegd. Hoewel het terrein en de kreken na eindeloze bestudering van de kaarten in zijn geheugen gegrift stonden, wilde hij zichzelf er voor de honderdste keer van verzekeren dat het doenlijk leek, dat hij de groep weg kon leiden van de Thorofare over terrein dat ze konden doorkruisen en waar de paarden en ezels zich staande konden houden.

Hij hoopte dat de nieuwe route van de Thorofare naar het Two Ocean Plateau even veilig en obstakelloos was als de foto's suggereerden. Hij wilde dat hij wist hoe oud de beelden waren die door Google op internet waren gezet. Als die een paar jaar oud waren, dan hoopte hij maar dat er intussen geen ernstige bosverplaatsingen of aardverschuivingen waren geweest. Hij herinnerde zich vaag nog te hebben gezien hoe een hele bergwand in Yellowstone was weggevaagd door een nachtelijk weerfenomeen dat honderden hectares lodgepolepijnbomen als evenzovele tandenstokers had weggemaaid. Niemand had het zien gebeuren en Bosbeheer, zoals van Bosbeheer mocht worden verwacht, had geweigerd het toe te geven. Maar Yellowstone was een wereld op zich, zoals Jed beter wist dan wie ook, en het natuurlijke landschap kon letterlijk in de loop van één nacht veranderen als geisers door de dunne aardkorst omhoogspoten of aardbevingen de grond deden schudden of onbeschrijflijke stormen over het land raasden. Bosbranden waren niet erg want die zorgden voor open plekken in het kreupelhout en hij wist dat er het voorgaande najaar een stuk of tien door bliksem veroorzaakte branden hadden gewoed.

Maar hij wist dat het, hoe zorgvuldig je alles ook voorbereidde, in Yellowstone nooit precies ging zoals je wilde. Het gebied leek geschapen om menselijke plannen en aspiraties te dwarsbomen. De omstandigheden binnen het Yellowstone-ecosysteem waren, vergeleken met de wereld eromheen, uitzinniger en extremer. Alle natuurlijke verschijnselen – stormen, bosbranden, temperatuurverschillen, thermische fenomenen, wilde dieren, geografie, weersomstandigheden in het algemeen – leken altijd tot het uiterste gedreven. Hoe meer tijd hij doorbracht in het park, hoe kleiner hij zich voelde en hoe weerlozer hij was tegenover de wereld die hem omringde. Soms kon hij – letterlijk en figuurlijk – niets anders doen dan zich grofweg in de richting van waar hij heen wilde bewegen en hopen dat hij uitkwam waar hij wezen wilde. Hij herinnerde zich dat Bull Mitchell hem iets dergelijks had gezegd toen hij zijn bedrijf overnam, maar Jed had zijn uitspraak met een korreltje zout genomen en schreef die op het conto van Bulls gevorderde leeftijd. Nu wist hij dat het waar was.

Hij schrok toen Dakota de tent binnen kwam. Hij had haar niet horen aankomen en zij had hem niet gewaarschuwd zoals ze soms deed door te fluiten of met haar vingers op het gespannen tentzeil te trommelen. Dat was eenvoudige kampeeretiquette en hij had haar geleerd dat wel te doen. Maar ze had zich er niets van aangetrokken en hij haastte zich om de kaarten terug in de envelop te schuiven voor zij kon zien waar hij mee bezig was.

Ze schrok toen hij naar haar opkeek, met zijn hoofdlamp direct in haar ogen scheen en deed alsof het niet opzettelijk was.

'Jezus, Jed,' zei ze, terwijl ze een wegwuivend gebaar maakte met haar hand, 'je verblindt me.'

'Het spijt me.'

'Dat zal best, ja.'

Zodra de papieren terug waren in de envelop en de envelop onder zijn slaapzak was weggestopt, wendde hij zijn hoofd en de lichtstraal af. *Dat was iets te link*, dacht hij.

Ze ritste haar jack niet open en trok haar laarzen niet uit, maar ging in kleermakerszit op het voeteneinde van haar slaapzak zitten.

Hij zette de hoofdlamp af en hing die aan een haakje zodat het licht de binnenkant van het tentdoek bescheen en werd verspreid. 'Met de paarden alles in orde?' vroeg hij.

'Ja.'

'Etenswaren opgehangen?'

Ze knikte.

Keukengerei afgenomen en opgeborgen?'

'Zoals altijd,' zei ze.

'Zit er nog iemand bij het kampvuur?'

'Donna Glode zit er nog met Tony D'Amato en James Knox,' zei Dakota. 'Knox probeert zijn vriend tegen haar te beschermen, vermoed ik.'

'Als Donna verdwaalt zal het weinig moeite kosten haar terug te vinden,' zei Jed. 'We hoeven alleen maar te kijken waar D'Amato zich bevindt.'

Dakota glimlachte niet eens toen ze hem strak aankeek. 'Jed, wat is hier loos, *verdomme*?'

'Praat niet zo luid,' zei Jed. Hoewel hun tent op tweehonderd meter afstand van de andere tenten en dichter bij de paarden dan bij het kamp zelf stond, was hij toch altijd bang dat hij door een van de gasten kon worden afgeluisterd, want zijzelf waren doorgaans het onderwerp van gesprek.

Haar ogen fonkelden in het halfduister. 'Je overtreedt ongeveer elke kloteregel die je me ooit hebt geleerd,' zei ze. 'Jij voert iets in je schild of anders ben je stapelkrankzinnig geworden.'

Hij wilde iets zeggen, maar zij viel hem in de rede.

'Laat de gasten *nooit* alleen achter bij een kampvuur,' zei ze. Ze dempte haar stem en sloeg een beetje lijzige toon aan om zijn stem zo goed mogelijk te imiteren. 'Haal de gasten met zachte drang over hun gezellige avondje in de tent voort te zetten en wacht desnoods tot ze allemaal naar bed zijn, zodat jij het kamp kunt klaarmaken voor de nacht en kan zorgen dat er geen eten blijft rondslingeren dat wilde dieren kan aantrekken. Vervolgens doof je het kampvuur met water. Dan maak je nog een ronde om te controleren of alles klaar is voor de nacht. Ten slotte kijk je nog even of de paarden het goed maken.'

Hij vond het vreselijk als ze de spot met hem dreef.

Maar dat was voor haar geen reden om ermee op te houden. 'Moedig alcoholgebruik *nooit* aan. Misschien willen we zelf nog een slaapmutsje voor we gaan slapen, Dakota, maar drink *nooit* waar de cliënten bij zijn en moedig hen ook niet aan zelf een borrel te nemen.

Jaag *nooit* een betalende gast tegen je in het harnas en vermijd tweespalt binnen de groep, Dakota,' zei ze. 'Bemiddel zo nodig en bied je hulp aan als er rimpels moeten worden gladgestreken. Wees het met iedereen eens of doe alsof je het met iedereen eens bent. Wees een goedgunstige dictator, maar altijd meer het eerste dan het laatste. De hele onderneming wordt verpest als ergernis blijft voortduren.'

Hij stak zijn hand op om haar te onderbreken maar ze was goed op dreef.

'En ga nooit te vriendschappelijk met de gasten om vóór de laatste avond, Dakota. Houd een professionele afstand zodat ze respect voor je hebben. Jij bent de kapitein op het schip. Zorg dat je in hun ogen iets mysterieus houdt, zodat ze naar je luisteren als je ze iets zegt. Wees te allen tijde professioneel. Word nooit een van hen, Dakota. Wees tegenover de cliënten altijd op je hoede, Dakota,' zei ze kwaad.

Toen boog ze zich naar voren en gaf hem een klap op zijn schouder. Voor hij kon reageren, zei ze: 'En wat doe jij, jij geeft ze een fles whisky! Vervolgens ga je bij ze zitten en maak je ze enthousiast voor een andere route. En wat was dat voor gelul over waterstanden die zo hoog zouden zijn dat we het oorspronkelijke pad niet kunnen volgen, Jed? Waar kwam dat in jezusnaam vandaan?'

Hij ging achteruitzitten en keek haar kwaad aan, hoewel hij een beetje van zijn stuk gebracht was. 'Praat niet zo hard,' zei hij met op elkaar geklemde kaken. 'En hoe durf je zo'n toon tegen me aan te slaan?'

'Het zijn jouw eigen woorden,' zei ze.

'Dit is mijn tocht en mijn bedrijf. Ik heb de kreken waar we langs zijn gekomen en het waterpeil in het meer de hele dag goed in de gaten gehouden, terwijl jij als een kip zonder kop voortsjokte met je muilezeltjes achter je aan. Als je had opgelet zoals ik, dan zou je hetzelfde hebben gezien. En vergeet verdomme niet dat ik elke beslissing die ik neem niet eerst ter goedkeuring aan jou hoef voor te leggen. Besef wel dat dit mijn onderneming is en dat jij het hulpje van de baas bent.'

Ze reageerde alsof hij haar in haar gezicht had geslagen. Ze zei weer met haar eigen stem: 'Is dat het enige wat ik voor jou ben?'

Hij had spijt van zijn woorden omdat hij haar nog steeds nodig had. Maar hij nam ze niet terug. Hij kon zien dat ze probeerde haar tranen te bedwingen. Ondanks haar stoere taal en gedrag was ze nog steeds maar een meisje, dacht hij.

Hij wist wat ze vervolgens zou doen. Woedend graaide ze naar haar slaapzak en maakte er een grote prop van die ze met zich mee kon dragen.

Dit was niet hun eerste ruzie, maar hij voelde de koude rand van de onontkoombaarheid naderbij komen als hij daar geen stokje voor stak.

'Je mag hier best blijven slapen, hoor,' zei hij kalm.

'Gelul,' siste ze, terwijl ze op handen en knieën achterwaarts de tent uit kroop. 'Je slaapt maar lekker alleen. Ik wil vannacht niet eens dezelfde lucht inademen als jij.'

Het was het woord *vannacht* dat maakte dat zijn schouders en de spieren van zijn maag zich ontspanden. *Vannacht* betekende dat ze niet overwoog hem permanent te verlaten.

Hij grinnikte en zei toen: 'Je moet doen wat je niet laten kunt, schat. Zorg alleen dat de gasten je niet zien.'

'Krijg de kolere, Jed.'

Hij ging met een ruk rechtop zitten, nam haar kin in zijn hand en dwong haar stil te houden en hem aan te kijken. 'Je maakt van een mug een olifant,' zei hij. 'Ik weet waar ik mee bezig ben. Je moet een beetje vertrouwen in me hebben.'

'Waarom zou ik?' zei ze, maar hij wist dat haar boosheid begon te wijken.

'Heb ik je ooit de verkeerde kant op gestuurd?'

Ze was even stil en zei toen: 'Tot nu toe niet vaak.'

Hij lachte en voelde dat de spanning in haar begon af te

nemen. 'Zeg, voor je weggaat, heb je je taak vanavond kunnen volbrengen?'

Hij wist dat haar plichtsgetrouwheid haar woede verder naar de achtergrond zou dwingen. Zo was ze nu eenmaal.

Dakota bevrijdde haar gezicht met een ruk uit zijn hand, ging op haar hurken zitten en stak haar hand in de zak van haar jas. Hij vermoedde dat ze nu net zo kwaad was over haar eigen capitulatie als op hem.

Ze gooide een handvol patroonhulzen in zijn schoot. Ze kwamen met een plof neer en hij pakte ze op. '.357 Magnum,' zei hij. Heb je nog meer gevonden? Een doos patronen?'

Ze schudde haar hoofd.

'En het pistool heb je natuurlijk achtergelaten,' zei hij. 'Dus misschien merkt hij niet eens dat je de kogels eruit hebt gehaald.'

Ze keek hem alleen maar kwaad aan.

Wilson zat nu met een dilemma, wist Jed. Als hij zou vragen wie de kogels eruit had gehaald, zou hij moeten toegeven dat hij een vuurwapen mee op reis had genomen. Het was wel eens vaker gebeurd en in alle gevallen had de gast achteraf zijn mond gehouden.

'Je hoeft niet weg te gaan,' zei Jed. 'Het is daar erg koud.'

Maar ze had A gezegd en hoewel er een zweem van twijfel op haar gezicht te lezen stond, wist hij dat ze ook B zou zeggen.

'Als het te koud wordt kom je maar terug,' zei hij.

Ze mompelde opnieuw een verwensing terwijl ze achteruit de tent uit kroop en daarbij haar matje en haar slaapzak met zich mee trok. Maar voor ze helemaal verdwenen was, bleef ze nog even stil zitten om op te kijken.

'Dat was ik nog bijna vergeten,' zei ze. 'Hij heeft ook een satelliettelefoon.'

Jeds ogen werden groot van verbazing. 'Echt waar?'

Ze glimlachte schamper. 'En hij heeft een mapje met lucht-foto's,' zei ze, 'net als de foto's die jij probeerde te verstoppen toen ik binnenkwam.'

En daarmee was ze verdwenen.

O shit, dacht Jed. *Dit had ik niet verwacht.*

Gracie wist niet hoe laat het was toen ze die nacht wakker schrok van het geluid van slagen of rennende voetstappen bui-ten de tent, of iets hoorde dat haar deed denken aan het gegrom van een beer. Of een man of vrouw die zwijgend werd geslagen.

Deel 3

Het Grote
Onbekende

23

GRACIE KWAM TE laat aan het ontbijt. Ze had nauwelijks een oog dichtgedaan, met uitzondering van de paar uurtjes toen het tentdoek werd beschenen door de ochtendzon, en toen ze eindelijk wakker werd, lag ze te zweten in haar slaapzak en was Danielle al verdwenen.

Ze stond op, rekte zich uit en geeuwde. Haar gezicht voelde vuil aan en haar haar was aan één kant samengeklit en ze moest het verwoed borstelen om het in orde te krijgen. Danielles slaapzak lag verkreukeld en op een hoopje op de mat. Ze herinnerde zich vaag het gevloek en gemopper van haar zus toen ze een tijdje eerder haar kleren aantrok.

Buiten de tent was het koud, stil, helder en adembenemend mooi. Stralendwit zonlicht danste over de rimpelingen van het Yellowstone Lake en deed de dauw op het gras sprankelen. Een zeearend zweefde, de klauwen laaggehouden, op zoek naar vis, boven het wateroppervlak. Heel in de verte lag als een vaag vlekje een eiland in het meer. Stoomwolken stegen op uit luchtgaten en losten op in de heldere ochtendlucht. Ze rook de geur van brandend hout van het kampvuur en hoorde gedempte stemmen uit de richting van het foeragekamp.

Haar vader stond op het pad tussen haar en het ochtendvuurtje, met zijn handen in de zakken van zijn jasje, zijn hoofd gebogen en zijn voeten uit elkaar aan weerskanten van het pad, alsof hij het wilde blokkeren.

Een hinderlaag, dacht ze.

Toen ze door het natte gras liep om hem te ontwijken, zei hij: 'Alsjeblieft, Gracie. We moeten praten.'

'Er valt niets te bepraten.'

'Ik vind het heel vervelend zoals het gisteren is gelopen,' zei hij. 'Ik vind het naar als jij boos op mij naar bed gaat.'

Ze snoof, sloeg haar ogen ten hemel en liep hem voorbij. Hij ging achter haar lopen en sprak op zachte toon, om niet de aandacht te trekken van het groepje dat al zat te ontbijten.

'Ik wilde dat jij en Danielle haar zouden leren kennen, haar aardig zouden gaan vinden,' zei hij. 'Ik wilde dat jullie zouden wennen aan het idee dat wij samen zijn. Ik wilde dat jullie zouden *willen* dat wij samen waren, dat ik gelukkig was en dat wij gelukkig zouden zijn. Wat ik probeer te zeggen, Gracie, is dat ik je goedkeuring wil.'

Ze bleef stilstaan en keerde zich om. Hij was vlak achter haar. 'Jij gebruikt woorden die meisjes gebruiken als ze onderling met elkaar praten,' zei ze. 'Als ik met meisjes wil praten dan praat ik met meisjes, niet met mijn vader. Als je bij Rachel wilt zijn, zeg me dat dan en ga naar haar toe. Ik ben veertien jaar oud. Ik heb niets goed te keuren. Jij bent mijn vader, gedraag je dan ook zo,' zei ze. 'En verman je. Meer vraag ik niet.'

Ze liet hem daar staan met zijn mond open, maar er kwam geen geluid uit.

Ze verwachtte een standje te krijgen omdat ze te laat was, maar niemand zei iets en zodra ze bij het kampvuur was aangekomen, realiseerde ze zich dat er iets helemaal mis was. Ze werd uitsluitend ontvangen met vluchtige en steelse blikken. Ze had het gevoel dat ze midden in een ruzie terecht was gekomen en bleef pardoes stilstaan.

Danielle zat met Justin op dezelfde boomstam waarop ze de vorige avond hadden gezeten. Walt zat vlak bij hen, evenals Rachel Mina, die haar een gereserveerde blik toewierp. De Wall Streeters stonden met hun borden omhoog, alsof ze niet te laat mochten komen op een afspraak. Het menu bestond uit roereieren, spek, gebakken aardappeltjes, toast en koffie. Hoewel het voedsel er goed uitzag en lekker rook, leek niemand er echt van te eten. Donna Glode zat in haar eentje. Ze maakte een bleke en ziekelijke indruk. Haarslierten hingen in haar gezicht en het eten op haar bord was onaangeroerd. Ze staarde in het vuur, hoewel de vlammen moeilijk te zien waren in het ochtendlicht.

Wie ontbrak er?

Jed, die achter de geïmproviseerde opscheptafel stond, zei: 'Hé meid, kom eens hier en schep een ontbijtje op. En laat je vader ook wat eten.'

Ze keek om zich heen waar Dakota was, maar zag haar nergens.

Zwijgend wilde Gracie haar vader gaan waarschuwen, maar hij stond al naast haar. Hij keek haar van onder zijn wenkbrauwen aan alsof hij haar iets duidelijk wilde maken.

Ze pakten tinnen bordjes en bestek. Ze keek over haar schouder naar de anderen.

'Waar zijn meneer Glode en meneer Wilson? Waar is Dakota?'

'Ik denk dat iedereen het daar net over had toen jij aan kwam lopen,' zei haar vader.

Jed gaf haar een portie roerei en drie plakjes spek. Hij zei: 'Ik heb Dakota teruggestuurd over het pad om een paar weglopers op te pikken.'

Gracie wachtte tot hij zich nader zou verklaren, maar Jed deed net alsof ze niet bestond. Hij keek met een bijna beangstigende intensiteit naar de anderen die rond het kampvuur zaten, vond ze.

Gracie ging bij Danielle zitten en haar zus stak haar arm uit en gaf haar een klopje op haar schouder, alsof ze contact met haar zocht. Het was een ongebruikelijk en warm gebaar, vond Gracie.

Ze luisterde mee. Tristan Glode en K.W. Wilson waren niet aan het ontbijt verschenen omdat ze weg waren. Hun spullen waren uit hun tenten verdwenen en allebei hun paarden ontbraken.

'Nee,' zei Jed, als antwoord op een vraag van James Knox. 'Ik kan niet zeggen dat dit ooit eerder is gebeurd. Ik heb wel eens een paar ontevreden klanten gehad, maar het is me nog nooit overkomen dat iemand zijn spullen pakte en de benen nam. 'Vooral niet op *mijn* paarden.'

'Ik kan me niet voorstellen dat ze er samen vandoor zijn,' zei Walt, onder begeleidend gegniffel van Knox en Drey Russell.

Jed zei: 'Ik wilde dat ze er eerst met mij over hadden gepraat. In je uppie door Yellowstone trekken is gevaarlijk.'

Gracie keek naar Donna Glode om te zien wat voor effect die opmerking op haar had. Per slot van rekening had haar echtgenoot haar verlaten. Maar ze maakte geen bezorgde indruk, vond Gracie. Ze leek zich eerder *schuldig* te voelen.

Dat werd bevestigd toen Danielle zich naar haar toe boog en in haar oor fluisterde: '*Ze heeft de nacht niet bij hem in hun tent geslapen.*'

Gracie gaf een knikje om aan te geven dat ze het had verstaan, maar verried haar zuster niet door haar aan te kijken of te reageren. Gracie zag hoe Donna herhaaldelijk de kant van D'Amato opkeek, ongetwijfeld in de hoop dat hij haar een knipoog zou gunnen. Voor zover ze kon zien, weigerde D'Amato categorisch Donna's kant op te kijken. En hij leek opeens veel geremder dan voorheen. Eigenlijk maakte hij een beschaamde indruk, als een klein jongetje. Zijn twee vrienden keken af en toe terloops naar hem, alsof ze hun vriend in een heel nieuw daglicht zagen.

'Denk je dat Dakota ze zal vinden en ze zal kunnen overhalen terug te komen?' vroeg Walt.

Jed zei dat hij hoopte van wel. Ook hij maakte een aangeslagen indruk, dacht Gracie. Misschien is dit de eerste keer dat hij niet zeker is van zijn zaak. Alsof hij te veel aan zijn hoofd had.

'Wisten we maar wanneer ze zijn vertrokken,' zei Jed.

Dat was het moment waarop Gracie zei: 'Ik heb vannacht iets gehoord. Ben ik de enige?'

Dat was ze. Terwijl Rachel haar aandachtig opnam, vroeg haar vader wat ze had gehoord.

'Het is moeilijk te omschrijven,' zei ze. 'Ik hoorde iemand buiten rondstampen en een soort gekreun, alsof iemand een stoot in zijn maag kreeg en naar lucht hapte. Ik weet niet wie het was en hoorde geen stemmen, alleen die voetstappen en dat gekreun. Ik dacht dat er misschien een wild dier in het kamp was.'

Haar vader vroeg: 'Waarom heb je me niet wakker gemaakt om dat te vertellen?'

Gracie keek hem wezenloos aan. 'Ik wist niet precies in welke tent jij lag.'

'*Miauw*,' zei Danielle op fluistertoon.

Haar vader kreeg een kleur en wendde zijn hoofd af. Gracie voelde tegelijkertijd iets van voldoening en van schaamte. Ze verwachtte een woedende blik van Rachel, maar de vrouw keek haar stoïcijns aan. Alsof ze later nog wel aan haar zou toekomen.

'Hoe laat heb je dat gehoord?' vroeg Jed, de anderen negerend.

Gracie haalde haar schouders op en kauwde op een plakje gebakken spek.

'Ik bedoel,' zei Jed, 'was het kort nadat je naar bed ging of was het meer tegen de ochtend?'

'Een paar uur nadat ik was gaan slapen,' zei ze. 'Na middernacht, dat weet ik zeker. Ik heb niet op mijn horloge gekeken, maar twee, drie uur in de ochtend zou ik zeggen.'

Jed knikte alsof hij die nieuwe informatie een plekje moest geven in het verhaal.

'Ze zouden dus vijf uur voorsprong op ons hebben,' zei Knox. Dan zie ik niet wat voor zin het heeft om achter ze aan te gaan. Tegen de tijd dat we ze hebben ingehaald zijn ze alweer terug op het parkeerterrein.'

'Zou kunnen,' zei Jed bezorgd. 'Maar in het donker zijn ze vast niet ver gekomen.'

'Ik kan me nog steeds niet voorstellen dat ze samen zijn gegaan,' zei Walt. 'Ik zou zeggen dat ze allebei een andere kant op zijn gegaan.'

'Idioten,' zei Russell. 'In je eentje kun je gemakkelijk verdwalen.'

D'Amato schraapte zijn keel. 'Ik bied me aan als vrijwilliger om ze achterna te gaan. Het is per slot van rekening mijn schuld dat...' Hij maakte de zin niet af.

'Jij gaat nergens heen in je eentje,' zei Knox op effen toon.

'Ze redden zich wel,' zei Russell. 'Het is hun keuze, niet de onze. Zij hebben besloten om te vertrekken.'

Jed knikte en richtte zich tot Donna. 'Ik denk niet dat ze zullen verdwalen of zo. Jezus, het pad loopt bijna de hele weg terug evenwijdig aan de oever van het meer. Er zijn een paar afslagen, maar ze kunnen onze sporen van gisteren volgen. Ik weet zeker dat Dakota ze zal vinden. Die meid kan rijden als de *beste*.'

'Ik kan het me gewoon niet voorstellen,' zei Walt. 'Alleen maar omdat er een meningsverschil was over de route die we zouden kiezen – het slaat gewoon nergens op.'

Daar was Gracies vader het mee eens. Rachel zei niets.

Donna Glode zei in de richting van het vuur: 'Jullie begrijpen het niet. Tristan wil altijd de touwtjes in handen hebben. En gisternacht is hij door het lint gegaan.' Ze keek in de richting van D'Amato. 'Jij bent de reden niet dat hij is weggegaan. Dat ben *ik*.'

D'Amato staarde naar zijn laarzen en ontweek nog steeds doelbewust haar blik. Niemand vroeg Donna zich nader te verklaren.

'Maar waarom Wilson?' vroeg Rachel Mina. 'Waarom is hij weggegaan? Hij leek zich niet druk te maken over de keuze van de route die we zouden nemen.'

'Wie zal het zeggen met die vent,' zei Walt. 'Niemand kon hoogte van hem krijgen.'

Daar was Knox het mee eens. 'Ik zal er geen traan om laten dat die vent verdwenen is. Ik vond hem van het begin af aan al een vreemde snoeshaan.'

'Helemaal mee eens,' zei Russell.

'Maar Tristan, dat is andere koek,' zei D'Amato net zozeer tegen zichzelf als tegen de anderen. 'Ik denk dat het goed zou zijn als ik zou proberen hem terug te halen. Ik wil het zelf. Ik wil het goedmaken.'

'Geen denken aan,' zei Donna, om hem de mond te snoeren. 'Jij bent wel de laatste naar wie hij zal luisteren. En naar mij heeft hij nog nooit geluisterd.'

Ze stond op en wendde zich tot Jed. 'Ik weet precies wat hij gaat doen, dus maak je borst maar nat. Hij wendt zich rechtstreeks tot de top, tot het hoofd van het park, en zal eisen dat je vergunning wordt ingetrokken omdat je bent afgeweken van de oorspronkelijk geplande route. En het zou me verbazen als hij zijn zin niet krijgt. Zo is hij nu eenmaal.'

Het was maar heel even, maar toch meende Gracie iets van angst in Jeds ogen te lezen.

'Dakota vindt hem wel,' zei Jed, zonder daarmee ook maar iemand gerust te stellen.

Gracie vond het hele voorval fascinerend, maar ook een beetje weerzinwekkend. Niemand vond het nodig op zijn woorden te passen omdat Danielle, Justin of zij erbij waren. Ze voelde zich plotseling ouder en volwassener, maar ze vond het geen prettig gevoel.

Jed zei tegen Gracie: 'Wat jij gisternacht hebt gehoord was waarschijnlijk een van tweeën die zijn spullen pakte om ervandoor te gaan. Misschien is een van hen over een scheerlijn gestruikeld of zo.'

Gracie schudde haar hoofd. 'Ik denk niet dat het dat was.'

'Wat was het dan wel?' vroeg haar vader, plotseling gepikeerd. 'Als je niet kunt zeggen wat je hebt gehoord, dan kun je misschien beter helemaal niets zeggen.'

Gracie voelde dat ze bloosde. Ze wist dat zijn woede vooral te maken had met de wijze waarop ze hem had afgesnauwd. Ze zei op zachte toon: 'Het klonk meer als een gevecht.'

Niemand zei iets. De stilte rond het vuur werd benauwend.

Ten slotte zei Jed: 'Ik geloof niet dat het veel zin heeft hier verder nog over te praten. Het is tijd om jullie bord leeg te eten, in te pakken en op te stijgen, luitjes.'

Het geluid van hoefgetrappel maakte een einde aan de ongemakkelijke stilte en iedereen keek in de richting waar het geluid vandaan kwam.

Dakota kwam aanrijden en liet haar paard halt houden. Ze was alleen.

'Ik heb ze niet te pakken kunnen krijgen,' zei ze.

Gracie zag dat Jed Dakota kwaad aankeek en dat zijn handen langs zijn zij zich tot vuisten balden.

Dakota hield haar blik afgewend.

Gracie liep met Danielle terug naar de tenten. Toen de afstand tussen hen en de volwassenen groot genoeg was, zei Danielle: 'Shit. Wat een kutreis. Waarom konden we niet naar Mexico of naar een strand of zoiets?'

Gracie haalde haar schouders op.

'Wat dondert het of die twee kerels weg zijn of welke route we nemen?' zei Danielle. 'Het is gewoon stom. Ik ben trouwens sowieso blij dat die griezel van een Wilson weg is, dan is hij tenminste niet meer in de buurt om te proberen me te begluren als ik op die zogenaamde plee zit. En ik heb zin in een warme douche.'

'Wat vind jij van pap en Rachel?'

'Ik geloof dat ik het wel graag had geweten voordat we aan deze onderneming begonnen,' zei haar zus. 'Maar pap is ook hoognodig aan een eigen leven toe. Misschien helpt dit. Misschien is hij dan niet meer de hele tijd zo maf en opgefokt.'

'Is dat het enige wat je kunt bedenken?'

Danielle haalde haar schouders op. 'Ze lijkt me best cool. Ik heb niets tegen haar.'

'Ik ken haar niet goed genoeg om dat te zeggen,' zei Gracie.

'Waar ik aan denk,' zei Danielle, 'is dat als de regel op deze tocht is dat iedereen met iedereen in bed duikt, ze dat moeten zeggen, want dan blijf ik bij Justin slapen. Dan kan hij mijn rug masseren en me vertellen hoe mooi ik ben en dan zien we verder wel.'

Gracie zuchtte en ritste hun tent open zodat ze hun spullen voor de rit van die dag konden inpakken. Terwijl ze dat deed, zag ze Rachel Mina met haar slaapzak in een bundeltje onder haar arm uit een groenblauwe tent komen. Gracie vond dat ze een boze en verwarde indruk maakte, alsof ze kampte met een lastig probleem. Toen keken ze elkaar een ogenblik recht in de ogen en de uitdrukking op Rachels gezicht werd milder en veranderde. Rachel haalde diep adem, blies een sliert haar uit haar ogen, alsof ze zojuist een beslissing had genomen, en liet de slaapzak op een hoopje op de grond vallen.

'O-oh,' zei Gracie.

'Wat?'

'Ze komt deze kant op.'

'Wie?' vroeg Danielle en toen zag ze Rachel tussen de andere tenten door laverend naar hen toekomen. 'O, zij.'

Gracie keek om zich heen. Vluchten kan niet meer.

'Hallo, Danielle,' zei Rachel. 'Hallo, Gracie.'

'Hoi,' zei Danielle. Gracie richtte zich op en knikte.

'We zijn nog niet officieel aan elkaar voorgesteld,' zei Rachel, terwijl ze de zusjes beurtelings aankeek en haar hand uitstak. 'Ik ben Rachel.'

Ze gaven elkaar een hand.

'Omdat we nu toch even met z'n drietjes alleen zijn,' zei Rachel,' wilde ik van deze gelegenheid gebruikmaken om even iets recht te zetten over jullie vader en mij.'

Gracie zette zich schrap.

'Ik wil dat jullie één ding goed begrijpen,' zei Rachel, zich voornamelijk tot haar wendend. 'Ik wil niet jullie stiefmoeder worden. Ik hoef zelfs niet zo nodig jullie beste vriendin te worden. Maar ik wil graag goed met jullie kunnen opschieten en ik hoop dat jullie ook je best willen doen om goed met mij op te schieten. We weten allemaal hoe de zaken staan, hoewel de waarheid op een akeliger manier aan het licht is gekomen dan ik had gewild. 'Ik ben heel, heel erg gesteld op jullie vader. Ik weet dat hij dat ook op mij is. We zijn allebei eenzaam en het is heel goed mogelijk dat we in de toekomst samen zullen zijn. En dat hangt ook van jullie af.'

'Hé,' zei Danielle, 'zolang je niet probeert mijn leven te besturen, vind ik het best.'

Rachel sprak nog steeds voornamelijk tot Gracie. 'Ik heb enige levenservaring. Ik probeer niet te doen alsof jullie vader een jonge, zorgeloze vrijgezel is. Ik weet dat hij een gezin heeft. En ik weet dat hij stapelgek is op zijn twee dochters. Dit is geen of/of-situatie, tenzij we die ervan maken,' zei ze. 'Begrijpen jullie wat ik bedoel?'

'Daar ben ik niet zo zeker van,' zei Gracie.

Rachel zei: 'Jullie tweeën zijn de belangrijkste mensen in zijn leven. Ik zie dat in en bewonder het en ik zou nooit proberen daar verandering in te brengen. Als we elkaar niet kunnen accepteren en met elkaar overweg kunnen, dan verdwijn ik uit zijn leven. Ik zal hem niet dwingen een keuze te maken en dat is ook nergens voor nodig. De meeste mannen proberen het goede te doen maar weten niet goed hoe. Dat heb ik ondervonden. Ze weten niet wat wij willen en nodig hebben en verwachten. Ze gaan ervan uit dat wij liefde niet beschouwen als een rekensom – hij kiest voor jullie of hij kiest voor mij – en dat is het niet. Ik weet dat hij zich tot mij aangetrokken voelt en ik tot hem. Ik zou hem het mes op de keel kunnen zetten. Maar dat doe ik niet, want dan zou ik met een man samen zijn voor wie ik geen respect heb en jullie zouden een vader hebben die jullie verfoeien. 'Wat ik wil zeggen,' vervolgde ze, 'is dat we geen rivalen zijn. Het is geen kwestie van of/of. Jullie hebben al een moeder en naar ik heb begrepen is zij een geweldige vrouw. Ik zou haar ook graag ontmoeten. Ik ben niet van plan een hekel aan haar te hebben of een wrok jegens haar te koesteren.'

'Je praat tegen ons alsof we volwassen zijn,' zei Gracie.

Rachel antwoordde: 'En ik ben van plan dat te blijven doen. 'Ik ben te oud om nog spelletjes te spelen en dit...' ze maakte met haar hand een gebaar boven haar hoofd om de toestand waarin ze zich die ochtend bevonden aan te duiden, 'is een unieke gelegenheid. Als we nu niet openhartig praten, wie weet wanneer we dan nog de kans krijgen?'

'Hé, ik ben er ook nog,' zei Danielle, in een poging een einde te maken aan hun tweegesprek.

'Dat weet ik,' zei Rachel. 'En neem me niet kwalijk. Ik had alleen de indruk dat jij niet degene was die ik moest zien te overtuigen.'

Danielle wilde er iets tegen inbrengen, maar sloeg haar ogen toen ten hemel en zei: 'Dat hoeft ook niet, geloof ik.'

Rachel wendde zich tot Gracie. 'En hoe denk jij erover?'

Gracie aarzelde en voelde de blikken van haar zus en van Rachel Mina op zich gericht. 'Ik moet erover nadenken,' zei ze.

'*Jezus,*' zei Danielle zuchtend. 'Gracie, wat ben je toch een kleine...'

'Nee,' zei Rachel en ze stak haar hand op om Danielle tot stilte te manen, wat indruk maakte op Gracie omdat het daadwerkelijk *werkte*, 'daar heeft ze alle recht toe. Ik zou waarschijnlijk hetzelfde hebben gezegd.'

En daarmee keerde ze zich om en liep terug naar haar tent om haar spullen in te pakken.

Gracie en Danielle keken haar zwijgend na totdat ze buiten gehoorsafstand was.

Danielle zei: 'Ik moet toegeven dat dat behoorlijk cool was. Ik mag haar wel, ook al begrijp ik nog steeds niet wat ze in pa ziet. Ik bedoel, ik zou het best kunnen uithouden met haar in de buurt, denk ik.'

Gracie knikte, hoewel ze nog niet bereid was daarmee in te stemmen. Ze wilde niet dat Danielle zou denken dat Rachel haar zo snel voor zich had weten te winnen, ook al moest ze zichzelf bijna toegeven dat het wel zo was.

Danielle giechelde. 'Hoewel ik het eigenlijk ook best leuk had gevonden als ze had gezegd dat ze *wel* onze beste vriendin wilde zijn. Zo kom je aan je spullen, weet je? Je kunt het niet beter treffen dan twee stellen ouders te hebben die wedijveren om je genegenheid en allerlei dingen voor je kopen om te zorgen dat je meer om ze geeft, weet je?'

Gracie keek haar zus met afschuw aan. 'Van welke planeet kom *jij* toch?'

'Van planeet Danielle,' zei haar zus met een zangerige stem. 'Dat is een fijn en gelukkig oord. Daar hebben ze warme douches en mobieltjes met bereik.'

Jed wachtte totdat ze uiteen waren gegaan voordat hij achter Dakota aan ging, die bezig was haar paard vast te zetten bij de andere. Zijn stem klonk gedempt en gespannen. 'Waarom ben je verdomme niet doorgereden totdat je ze had gevonden?' vroeg hij. 'Weet je wat dit kan betekenen?'

Ze haalde het zadel en het onderdek eraf en dat liet een bezweet plakkerig vierkant achter op de rug van het paard. 'Nee, wat kan dat betekenen?'

Hij pakte haar bij haar schouder om te voorkomen dat ze hem haar rug toekeerde. 'Dat betekent dat hij naar Staatsbosbeheer gaat, dat betekent het. Ik zou mijn vergunning kwijt kunnen raken, dat betekent het. Waarom heb je hem niet opgespoord? Waarom heb je er de brui aan gegeven voordat je hem had gevonden?'

Ze wendde haar blik af en keek naar zijn hand, die nog op haar schouder rustte. Ze zou geen woord uitbrengen voordat hij haar losliet, dus deed hij dat.

'Ik ben ze kwijtgeraakt, Jed,' zei Dakota. 'Ik heb drie kilometer lang hun spoor kunnen volgen en toen was het opeens verdwenen. Ik heb geen flauw idee waarom ze het pad hebben verlaten of waar ze heen zijn gegaan. Ik ben nog een kleine kilometer doorgereden om te zien of ze weer terug waren gekeerd op het pad, maar dat was niet het geval. Ik weet niet waar ze zijn, maar dat wilde ik niet zeggen waar de anderen bij waren.'

Jed schudde zijn hoofd. 'Ze zijn dus in rook opgegaan?'

Ze knikte uitdagend.

Jed had het gevoel dat er een last van zijn schouders viel. Als Tristan en Wilson van de route waren afgeweken, dan zouden ze het pad misschien nooit meer terugvinden.

'Moeten we de reddingsbrigade niet waarschuwen?' vroeg Dakota.

'Nee,' zei Jed. 'Nog niet. Misschien ziet dat tweetal in hoe stom ze zijn geweest en komen ze uit zichzelf terug.'

Hij negeerde de verwarring op haar gezicht.

Terwijl ze inpakten vroeg Gracie: 'Heb jij vannacht niets gehoord?'

'Nee. Ik had een nare droom over iets, maar ik ben vergeten wat het was.'

'Dan heb je misschien toch ook hetzelfde gehoord als ik.'

'Ik weet het niet,' zei Danielle. 'Het zou kunnen. Maar wat maakt het uit? Hij is geweldig, hè? Justin, bedoel ik.'

'Jij vindt ze in het begin allemaal geweldig. Deze is het echt, maar ik weet zeker dat jij het wel weer op de een of andere manier zal verknallen.'

'Rot op.'

Gracie propte haar slaapzak in een tas, pakte haar plunjezak en liep ermee naar de paarden. Onderweg stapte ze van het pad en boog zich over het natte gras. De grond was op diverse plaatsen omgewoeld, waardoor plekken rulle zwarte aarde zichtbaar werden. Ze keek naar haar tent, die op zo'n twintig meter afstand stond. 'Hier is het gebeurd,' zei ze tegen Danielle. 'Hier kwam het lawaai vandaan. Er is niemand over een scheerlijn gestruikeld. Het is te ver weg van de tenten.'

Danielle bleef op het pad. Ze keek eerst naar Gracie en toen naar het kamp. De volwassenen liepen nog steeds rond te banjeren.

'Wat wil je daarmee zeggen?' vroeg ze.

Gracie zei: 'Dat weet ik ook niet goed. Maar er is iets totaal niet in de haak. Het is iets kwaadaardigs. Twee volwassen mannen zouden ons in het holst van de nacht hebben verlaten zonder ook maar één woord tegen iemand te zeggen. En dan moeten wij geloven dat twee kerels die elkaar pas één dag kennen de koppen bij elkaar steken en zo'n plan beramen? Waarom heeft niemand ze gehoord of gemerkt dat ze twee paarden meenamen? En heb je gezien hoe Jed en Dakota tegen elkaar tekeergingen? Of hoe Donna Glode en Tony D'Amato zich gedroegen?'

'Nee, niks van gemerkt.'

'Dat dacht ik al. En waarom al die heisa over een verandering van de route?' vroeg Gracie. 'Wij zouden toch niet weten welke route we volgden. Waarom is dat zo belangrijk?'

24

CODY HOYT REED op een grote koepaardruin die Gipper heette achter Bull Mitchells zwarte paard door een donker bos dicht op elkaar staande lodgepole-pijnbomen waar geen einde aan leek te komen, over een pad dat zo overwoekerd was dat je het nauwelijks kon onderscheiden en hij riep naar Mitchell: 'Weet je wel zeker dat dit de goede weg is?'

Het was halverwege de ochtend en boven het dooreengevlochten baldakijn van boomtakken stond de zon aan een felblauwe, wolkeloze hemel. Ze reden al vier uur aan één stuk door en Cody voelde door zijn spijkerbroek beurse plekjes in het vlees aan de binnenkant van zijn dijen branden, waar zich de leren randen van het zadel bevonden. Hij had weinig verstand van paarden, had eigenlijk nooit veel met ze opgehad en hij had de stellige indruk dat Gipper ook weinig van hem moest hebben, wat wel bleek uit de wijze waarop het paard steeds weer afdwaalde van het pad in de richting van overhangende takken die Cody, als hij niet scherp oplette, achterwaarts uit het zadel konden meppen.

Het was nog vochtig tussen de bomen, van de kortstondige regenbui die bij zonsopgang, toen ze op weg gingen, was gevallen, en de regendruppels plakten als tranen aan de punten van de pijnboomnaalden. Zo nu en dan was er een open plek in het baldakijn en stroomde het licht ertussendoor als tussen tralies. Maar voor het merendeel reden ze in de schaduw over een pad dat nauwelijks die naam verdiende en Bull Mitchell had nog geen drie woorden met Cody gewisseld, hoewel de oude man bijna voortdurend tegen zijn paard zat te mompelen. Mitchell voerde een lastpaard met zich mee, beladen met volle canvas zadeltassen en Cody reed op zijn ruin achter allebei aan.

Cody inventariseerde hun wapens. Beide mannen hadden geweerfoedralen aan hun zadels bevestigd. De bekraste en verschoten houten kolf van een .30-06 met vizier stak uit Mitchells foedraal en een zwarte polymeren verstelbare kolf van een door de staat verstrekte AR-15 stak uit die van Cody. Mitchells geweer zag er degelijk en indrukwekkend uit, dacht Cody, terwijl zijn hightech semiautomatische geweer op een speeltje leek. Hij had het magazijn voor dertig patronen vervangen door een magazijn voor tien patronen zodat het geweer in het krakerige leren foedraal zou passen dat er nu eenmaal niet voor was gemaakt. Cody's .40 Sig Sauer zat hoog aan zijn riem bevestigd, wat het moeilijker maakte om het wapen te trekken, maar het schuurde in ieder geval niet tegen het zadel. Mitchell had een .44 Magnum single-action Ruger Super Blackhawk-revolver bij zich gestoken. Evenals van zijn geweer was van Mitchells handwapen de blauwgemoffelde glans zo goed als verdwenen en was de houten kolf versleten en bekrast. Hij droeg de .44 Magnum in een holster die het grootste deel van zijn dij bedekte. Daar kon je een beer mee schieten.

'Ik vroeg,' herhaalde Cody, 'of je zeker wist dat dit de goede weg was?' Mitchell liet zijn paard abrupt halt houden, wat maakte dat het lastdier hetzelfde deed. Gipper maakte van de gelegenheid gebruik om stil te blijven staan, zijn hoofd te buigen en van het gras te eten.

'Ik had je de eerste keer wel verstaan,' snauwde Mitchell. Zijn stem was zo laag dat hij via de grond leek te vibreren. Hij klonk geërgerd.

'Nou?'

'Wat denk je zelf?' zei Mitchell.

'Ik denk dat we al heel lang tussen de bomen door rijden en zelfs ik kan zien dat wij de eerste mensen in jaren zijn die dit pad gebruiken,' zei Cody. 'Dus is het een beetje moeilijk voor mij om te geloven dat we ze hierop zullen inhalen.'

Mitchell schudde zijn hoofd en keek een andere kant op alsof hij teleurgesteld was.

'Wat?' vroeg Cody.

'Ik heb een vraagje voor je,' zei Mitchell, waarbij hij zijn paard keerde zodat hij Cody kwaad kon aankijken en voorover kon leunen met beide kolenschoppen van handen op de zadelknop. Cody had van zijn oom in Montana, die ook als woudloper werkzaam was geweest, geleerd dat het echte paardenvolk – in tegenstelling tot hijzelf – liever z'n paard keerde dan dat het z'n hoofd omdraaide. 'Waarom heb je mij in jezusnaam ingehuurd als je toch twijfelt aan alles wat ik doe, verdomme?'

Cody ging verzitten en probeerde een houding in het zadel te vinden die de brandwonden op zijn achterste zou ontzien. 'We volgen alleen maar een spoor. Het is duidelijk dat het in geen jaren is gebruikt en op sommige plaatsen kun je niet eens zien dat er een pad is. Dus daarom ligt het voor de hand dat ik…'

'Dus daarom vind jij dat je tegen me moet beginnen te kakelen,' zei Mitchell met een diepe basstem, 'terwijl je je mond zou moeten houden.'

'Ik wil weten wat er aan de hand is. Je kunt niet van me verwachten dat ik hier uren op die knol zit zonder me af te vragen waar we heen gaan.'

Mitchell hief zijn hand op, schoof zijn cowboyhoed naar achteren en wreef over zijn voorhoofd. 'Ik dacht dat je ze wilde inhalen,' zei hij.

'Dat is ook zo.'

'Dat lukt ons alleen op tijd als we het gebied dwars doorsteken en alle bochten afsnijden. We zouden aan het begin van de middag bij het hoofdpad moeten uitkomen. Ze liggen nog ongeveer een halve dag op ons voor, maar met al die onervaren ruiters en pakezels hebben we ze zo ingehaald.'

Cody knikte. 'Bedankt. Je had me alleen maar hoeven zeggen dat jij wist waar je heen ging en dat je een plan had.'

Mitchell schudde opnieuw zijn hoofd.

Cody zei: 'Je had alleen maar duidelijk hoeven maken dat je het pad dat we nu volgen kent en dat we uiteindelijk zullen uitkomen op het hoofdpad dat Jed volgt.'

'Ik zie dit pad voor het eerst van mijn leven,' zei Mitchell.

Daarbij grinnikte hij schalks, keerde zijn paard en klakte met zijn tong om het dier weer in beweging te zetten.

Cody kreunde en klopte op zijn shirt om te voelen waar zijn sigaretten zaten.

Cody en Bull Mitchell waren in het donker naar de noordwestelijke kant van Yellowstone Park gereden in een aftandse paardentrailer. Ze hadden Cody's Ford geparkeerd in een lege schuur op het terrein van Jed McCarthy en zijn uitrusting overgebracht naar Bull Mitchells truck. Mitchell reed in een gedeukte F-250 pick-uptruck en nipte van een plastic weggooikoffiebekertje en Cody probeerde een beetje slaap in te halen waar hij de vorige avond niet aan was toegekomen. Elke keer als hij zijn ogen sloot werd er in zijn hoofd een kleurenfilm afgedraaid met beelden van uitbrandende blokhutten, hotels die in vuur en vlam stonden, samenzweringen en verraad.

Eindelijk was hij een paar minuten ingedommeld toen hij

wakker schrok, omdat de truck opeens hevig heen en weer schommelde. Toen hij zijn ogen opendeed en zich vastgreep aan het dashboard om te zien wat er was gebeurd, zag hij dat ze de snelweg hadden verlaten en over een oude, onverharde weg reden die langs een rivier liep en verderop verdween tussen een rij donkere bomen.

'Wat is dit?' vroeg hij halfversuft.

'Een oude Indiaanse krijgslist,' zei Mitchell.

'Wat is dat nou weer voor iets?'

'Dat betekent dat we natuurlijk niet door het hek van het park naar binnen kunnen rijden en aan de boswachter kunnen uitleggen wie jij bent en waarom we paarden zonder achterlicht meenemen, dus glippen we naar binnen via een achterdeurtje.'

Mitchell maakte een vaag gebaar naar het donker verderop. 'Dit is een oude brand- en dienstweg waar niemand van af zou moeten weten. Hij stamt uit de goeie ouwe tijd toen Staatsbosbeheer nog daadwerkelijk diensten verleende en branden bluste, dus we hebben het hier over heel lang geleden. We komen zo vrij diep in het park zonder dat iemand weet dat we hier zijn.

Dat hoop ik tenminste,' voegde Mitchell eraan toe. 'Ze zouden de weg kunnen hebben geblokkeerd.'

'Hoelang is het geleden dat je hier voor het laatst was?' vroeg Cody.

Mitchell haalde zijn schouders op en nipte van zijn koffie. 'Een jaar of zeven, acht,' zei hij. 'Misschien meer.'

'Jezus,' zei Cody. 'En als die toegang geblokkeerd is?'

'Daar vinden we dan wel weer wat op,' zei Mitchell en hij haalde zijn schouders op. 'Zo gaat het altijd. Ik heb een kettingzaag in de achterbak voor het geval we bomen moeten vellen en een lier aan de voorkant voor het geval we vast komen te zitten. Natuurlijk heb ik geen van beide de afgelopen paar jaar gecontroleerd, dus laten we hopen dat ze het nog doen als we ze nodig mochten hebben. Zo niet, dan heb ik nog spaden en een handzaag. Dat geloof ik tenminste wel.'

Toen Cody hem alleen maar aankeek, zei Mitchell: 'Vergeet niet dat dit Yellowstone Park is. Hier kan van alles gebeuren en het loopt altijd anders dan je verwacht. Zo gaat het hier nu eenmaal altijd.'

De weg was begaanbaar, hoewel Cody en Mitchell tot twee keer toe moesten uitstappen om tussen de omgevallen bomen een pad vrij te maken.

'Toch lijkt dit niet zoals het hoort,' zei Cody, terwijl hij groene takken voor de wielen van het voertuig wegsleepte dat met stationair draaiende motor stilstond.

'Het hoort ook niet,' zei Bull Mitchell, terwijl hij het toerental van de motor van zijn kettingzaag opvoerde om hem draaiende te houden. Hij werd omgeven door een wolk van vettige blauwe rook.

'Inbreken in een nationaal park is net zoiets als inbreken in een kerk,' zei Cody.

Mitchell snoof en zei: 'Dat is het gevolg van te veel indoctrinatie op de openbare school en te veel Disneyfilms. Het is een geweldig gebied – dat zul je zelf zien – maar het is niet een en al rozengeur en maneschijn. Charlie de Eenzame Panter zou maar wat graag zijn tanden zetten in de kwetsbare keel van Bambi. Dit park vreet je op en spuugt je uit als je even niet oplet. Vooral het gebied waar wij naartoe gaan.'

Roze en koud diende de ochtend zich aan en plotselinge regenvlagen ranselden de bomen en trommelden op het dak van de truck, maar verdwenen weer even snel als ze waren gekomen.

Cody vertelde Mitchell van de brand in zijn kamer in de

Gallatin Gateway Inn en Mitchell keek hem bedachtzaam aan, maar zei geen woord.

Cody liet het verhaal even bezinken, maar zweeg over zijn verdenkingen ten aanzien van Larry.

'Een vraagje,' zei Mitchell.

'Wat?'

'Waarom trillen je handen zo?'

Cody stak zijn rechterhand omhoog. Mitchell had gelijk.

'Afkickverschijnselen?' vroeg Mitchell.

'Ik vermoed het.'

'Laten we hopen dat je je vuurwapen nergens op hoeft te richten,' zei Mitchell.

'Vind je het goed als ik rook?'

'Om de dooie dood niet.'

Toen ze op een open plek in het bos aan het einde van de dienstweg hun paarden zadelden, bewonderde Cody Mitchells ervaring en bedrevenheid. Hoewel de oude man zich traag bewoog, was geen gebaar of stap overbodig. Het was duidelijk dat Mitchell zijn leven lang in de vrije natuur met paarden was omgegaan en hij zadelde de paarden, zorgde dat het gewicht in de zadeltassen aan weerskanten gelijk was en bond nagenoeg in het donker de bagage met een aantal ingewikkelde knopen vast.

Toen Mitchell op het koepaard wees en iets bromde, vroeg Cody waarom het dier Gipper was genoemd.

'Dat was de bijnaam van Reagan, de laatste fatsoenlijke president,' zei Mitchell, alsof het antwoord voor de hand lag.

'Je kunt hem ook beter niet tegen de haren in strijken,' waarschuwde hij. 'Hij is niet zo innemend als hij zich voordoet. Net als zijn naamgenoot, en zijn eigenaar: *ik*.'

Na vijf uur lang aan één stuk te hebben doorgereden merkte Cody een subtiele toename aan kleuren in het woud op, alsook wat meer stralen zonlicht. Al snel waren de openingen in het bladerenbaldakijn groot genoeg om de blauwe hemel en heel in de verte de vegen hoge vederwolken te zien. Uiteindelijk verminderde het aantal bomen en bereikten de paarden een bergkam, en leek de hele felgroene wereld zich aan hun voeten uit te strekken. Het was een stuk warmer geworden en er was zo weinig wind dat het gras maar nauwelijks een rimpeling vertoonde. De zon stond recht boven hun hoofden. De lucht was ijl en rook naar dennengeur en salie uit het dal onder hen, en het rook er zo fris dat hij bang was dat hij zijn longen zou ontstoppen en de teer en nicotine zou losweken die hem een hoestbui zouden bezorgen.

Bull Mitchell liet zijn paard halt houden. Cody worstelde met Gipper totdat de ruin eindelijk begreep dat hij het lastdier moest passeren en Cody liet zijn paard stilstaan naast dat van Mitchell.

Cody keek uit over het natuurschoon vol met zijn groenbeklede glooiingen, overdadig met vegetatie bedekte rivierdalen, massieve roodgeaderde geologische uitstulpingen aan de oostelijke horizon, totdat ze het opgaven en overgingen in echte bergwanden. Daarna richtte hij zijn blik op het Yellowstone Lake kilometers verderop en onder hen, en hij zei: 'Wat een schitterend gebied.'

Mitchell gromde en stak zijn hand in zijn zadeltas om zijn verrekijker te pakken. 'Zorg dat je er niet verliefd op wordt,' zei hij. 'Het breekt gegarandeerd je hart.'

Cody maakte van de pauze gebruik om af te stijgen. Zijn benen waren stijf en zijn knieën voelden aan alsof ze op een folterbank waren geradbraakt. Hij strompelde naar het pakpaard en begon een van de tassen los te maken waarin hij Mitchell zijn plunjezak had zien stoppen.

'Zie je iets?' vroeg Cody aan Mitchell.

Na een lange stilte zei Mitchell: 'Ik zie een kudde elanden, een paar coyotes en een arend. En een heel weiland vol met buffelvlaaien. Daar moeten kortgeleden honderden van die beesten hebben gestaan.'

'Van de trektocht, bedoelde ik,' zei Cody geërgerd.

'Nee.'

Cody haalde zijn plunjezak tevoorschijn en liet die op de grond vallen. Het hurken deed hem pijn. Toen hij de zak opende kreeg hij een wee gevoel in zijn maag. Koortsachtig begon hij tussen zijn kleren en spullen te wroeten.

'Shit!'

Mitchell bleef door zijn verrekijker turen, maar vroeg wat er aan de hand was.

'Mijn sigaretten,' zei Cody. 'Ik had een slof gekocht voor de reis. Ik weet zeker dat ik een slof heb gekocht en die heb ingepakt.'

Mitchell zei niets.

Cody stond op en werd overspoeld door een golf van paniek. Toen gaf hij de plunjezak een schop. 'Shit. Die moeten in de plunjezak hebben gezeten die verbrand is. *Shit.*'

Mitchell zei: 'De dichtstbijzijnde buurtwinkel is een heel eind weg.'

Cody bedwong de neiging om zijn Sig Sauer uit zijn holster te trekken en de woudloper daar ter plekke neer te schieten.

Mitchell haalde zijn schouders op. 'Dan lijkt me dit wel een gunstig moment om met roken te stoppen. Ik heb het jaren geleden gedaan. Gewoon mee opgehouden. Geen centje pijn.'

Cody wreef over zijn gezicht. Hij had het gevoel dat de zenuwen in zijn lichaam zich spanden in afwachting van de vertrouwde shot nicotine om ze wat ontspanning te bezorgen. De hemel begon te tollen en het leek wel alsof de aarde zelf deinde, als trage golven in een zwembad. Hij klopte op zijn zakken in de hoop daar nog een extra pakje aan te treffen. Hij graaide in de zakken van zijn overjas en in zijn zadeltas. Onder in zijn zadeltas vond hij een cellofaanpakje met daarin... *twee* sigaretten. Cody had het gevoel dat hij de loterij had gewonnen.

Mitchell zei: 'Misschien kun je die maar beter bewaren.'

'Gelul,' zei Cody en hij stak er een op. Later zou hij wel zien wanneer hij de laatste zou oproken.

Toen hij de rook naar binnen zoog ontspande zijn lichaam en leek te kreunen van genot. De hemel hield op met tollen en het dal beneden hem kwam tot stilstand.

'Rookt Jed eigenlijk?' vroeg Cody.

'Niet dat ik me kan herinneren.'

'Ik durf te wedden dat er vast wel iemand in die groep zal roken,' zei Cody, terwijl hij zich pijnlijk terug in het zadel hees. De zere plekken op zijn dijen begonnen onmiddellijk te branden. 'Wat nog een reden is om ze zo snel mogelijk op te sporen.'

Mitchell klakte met zijn tong en zijn paard kwam in beweging. Hij zei: 'Ik weet niet zeker of ik wel voldoende betaald krijg om hier de rimboe in te trekken met een wanhopige kerel die verslaafd is aan alcohol *en* aan sigaretten.'

'Hou alsjeblieft je mond,' zei Cody.

Mitchell lachte. 'Eerst zit je te jammeren dat ik niks zeg en nu moet ik *mijn mond weer houden*,' zei hij. 'Wat wil je verdomme nu eigenlijk?'

'Eén ding weet ik wel,' zei Cody twintig minuten later, toen ze afdaalden naar de bodem van het dal. 'Als ik niet gauw sigaretten vind, dan zit het er dik in dat ik de gozer achter wie we aanzitten z'n hart met mijn blote handen uit zijn lijf ruk en die aan hem voer.'

'Achter wie zitten we trouwens aan?' vroeg Mitchell.

'Al sla je me dood.'

Cody reed in stilte, volkomen in beslag genomen door de warboel in zijn hoofd. Hij dacht na over de gesprekken die hij had gevoerd met Larry en de informatie die Larry had verstrekt. De stukjes van de puzzel waren door Larry op tafel gelegd, samen met een paar stukjes die hij er zelf aan had toegevoegd, dus zou het logisch zijn geweest als ze vervolgens samen de stukjes in elkaar zouden hebben gepast en met een plausibele theorie of conclusie op de proppen waren gekomen, of op z'n minst een paar onhaalbare scenario's hadden kunnen uitsluiten. Maar als Larry hem tegenwerkte, zou hij dan op ook maar *iets* wat zijn partner naar voren had gebracht kunnen vertrouwen? Waren er zelfs wel echt andere slachtoffers? Was Larry de poppenspeler die aan de touwtjes trok en hem de kant op stuurde die hij wilde? Of ging het er eenvoudigweg om dat Larry Cody uit beeld en uit de weg wilde hebben? Er was in het land geen afgelegener plek dan waar hij zich nu bevond, dacht Cody. Als het Larry's bedoeling was geweest hem uit de weg te ruimen, dan kon hij daar niet beter in zijn geslaagd.

Bezat Larry's informatie dus nog enige geloofwaardigheid? Zou het zelfs waar zijn dat de laatste website die Hank Winters had bezocht die van Jed McCarthy's reisbureautje was? Of maakte dat ook deel uit van het door Larry uitgezette dwaalspoor?

Hij overwoog de mogelijkheid om te keren en terug te gaan, zodat hij Larry's nek kon omdraaien en een einde kon maken aan het spelletje dat hij speelde.

Ze stonden midden in Kamp Een voordat Cody er erg in had. Pas toen Bull Mitchell zijn paard stilhield en afsteeg, merkte Cody de ruwe vierkanten geplet gras op waar de tenten hadden gestaan en een open plek tussen de bomen met een brandput.

'Jed doet het goed,' zei Mitchell, met een zweem van bewondering. 'Hij laat nauwelijks sporen na. Als je de exacte locatie niet wist zou je niet eens merken dat ze hier hebben gekampeerd. Geen afval of tekenen van menselijke aanwezigheid met uitzondering van de stukken geplet gras.'

Cody stapte ook af. Hij meende te weten waarom echte cowboys liever zo lang mogelijk in het zadel bleven: het afstijgen deed te veel pijn.

Hij leunde tegen Gipper aan terwijl het bloed in zijn benen weer begon te stromen en de pijn afnam. Hij keek hoe Mitchell het kampeerterrein afstruinde en zijn hand in de brandput stak. Toen hij terugkwam en de as van zijn handen afveegde aan zijn spijkerbroek zei hij: 'Ja, hoor, ze waren hier vanochtend nog. De stenen zijn nog warm en de as is vochtig van het water waarmee ze het kampvuur hebben gedoofd.'

'Enig idee hoelang ze al weg zijn?'

Mitchell zei: 'Het is een hele klus om iedereen zijn nest uit te krijgen, te voeden en een heel kampement op te breken. Ik gok dat ze om een uur of negen zijn vertrokken. Dus niet meer dan vier, vijf uur.'

Cody slikte. Hij probeerde zich voor te stellen dat zijn zoon luttele uren geleden nog hier was geweest. Hij had hem sinds de kerstdagen niet meer gezien. Hij vroeg zich af hoeveel hij gegroeid was, en hoelang zijn haar inmiddels zou zijn.

Cody wilde Mitchell net vragen hoelang het zou duren voordat zij ze zouden hebben ingehaald, toen hij zag dat Mitchell naar de oever van het meer stond te turen.

Cody keerde zich om en vroeg: 'Wat zie je?'

Mitchell zei: 'Ik meende een glimp op te vangen van iets bij het water. Ik zag iets bewegen. Zie jij wat?'

Cody kon tussen de bomen door niet goed genoeg zien, dus liep hij een stukje naar links. De takken weken voldoende uiteen om hem een onbelemmerd uitzicht te bieden langs de glooiing omlaag tot aan de oever van het meer.

'Wolven,' zei Cody. 'Minstens drie.'

Een van de wolven was koolzwart, de tweede zilvergrijs en de derde grijs gevlekt. Cody zag dat ze zich aan de waterkant aan iets tegoed deden.

25

G RACIE BLEEF WAT achter op haar zus op het pad en schiep enige afstand tussen Strawberry en het paard van Danielle. Ze vond het maar raar dat er op de tweede dag van de tocht vier ruiters minder voor haar reden.

Ondanks de afkeuring van zijn vriend James Knox en Jeds smeekbeden had Tony D'Amato besloten dat hij alleen nog maar met zichzelf kon leven als hij Tristan Glode opspoorde en zou proberen hem over te halen mee terug te komen. Drey Russell vond D'Amato's actie dwaas, maar verklaarde zich toch bereid hem te vergezellen. Ze zeiden dat ze van plan waren zich in Kamp Twee weer bij de groep aan te sluiten. Met tegenzin had Jed het tweetal zijn kaarten gegeven en hun aangeraden uit te zien naar bakens onderweg zodat ze de weg terug zouden weten te vinden.

Gracie zag dat Dakota de woordenwisseling zwijgend en hoofdschuddend gadesloeg.

Het was warm genoeg geworden voor Gracie om haar trui met capuchon uit te trekken en verder te reizen in haar T-shirt. Hoewel ze Yellowstone Lake nog steeds links kon zien liggen, leidde het pad er vandaan en steeg het misschien wel honderd meter of meer. Het ritmische *geklikklak* van de paardenhoeven kalmeerde haar en herinnerde haar eraan dat ze zich in een prachtige, ongerepte omgeving bevond op een volmaakte zomerse dag en dat niet alles verschrikkelijk tegenzat. Dat Rachel Mina met iets van medeleven naar haar had geglimlacht toen ze hun paarden zadelden had haar meer goed gedaan dan ze zou hebben vermoed.

Maar alle vragen bleven onbeantwoord.

'Alles in orde, daar?' had Dakota van achter haar geroepen. 'Je moet wel bij de groep blijven, meid.'

In plaats van Strawberry tot meer spoed aan te sporen, leidde Gracie haar paard naar de zijkant van het pad zodat Dakota haar kon inhalen. Het pad was niet zo smal en de bomen stonden, toen ze omhoogklommen, niet zo dicht op elkaar dat ze niet een poosje naast elkaar konden rijden.

Toen Dakota haar inhaalde ging Gracie naast haar rijden.

'Mooi weertje,' zei Gracie.

'Dat is het zeker.' Dakota keek haar enigszins argwanend aan.

'Je doet dit zeker vaak, hè?' vroeg Gracie.

'Dit is mijn derde zomer. Dus ja, een heleboel trektochten. Hoewel de meeste minder lang zijn dan deze. Dit is de grootste tocht van het jaar.'

'Hoe heb je Jed leren kennen?' vroeg Gracie. 'Zijn jullie een stel?'

Dakota glimlachte ironisch. 'Recht voor z'n raap.'

Gracie probeerde onschuldig terug te glimlachen.

'Ik heb hem in Bozeman ontmoet,' zei ze. 'Ik was in mijn derde jaar op de universiteit en ik verdiende wat bij op rodeo's en met paardrijden voor rijkelui. Er zijn massa's rijke mensen die naar Montana zijn verhuisd en het leuk vinden om paarden te bezitten, maar bijna niemand van hen weet hoe je erop moet rijden. Maar paarden moeten worden bereden en dus heb ik een advertentie geplaatst in de *Chronicle*. Korte tijd later werd ik betaald om naar buitenhuizen te gaan en hun paarden te berijden om hun conditie op peil te houden en ze goed afgericht te houden. Betaald krijgen om paard te rijden is wel zo'n beetje het coolste wat je je kunt bedenken, weet je.'

'Het klinkt geweldig,' zei Gracie.

'Een van de dames voor wie ik reed ging toen scheiden en besloot alles te verkopen en terug te gaan naar Los Angeles,' vertelde Dakota. 'Jed kocht al haar drie paarden. Strawberry was er daar trouwens een van. Dus bezorgde ik de paarden bij Jed thuis en we raakten aan de praat, en hij bood me een baan als paardenverzorgster aan. Het bleek dat zijn vorige verzorger niet betrouwbaar was. Zo begon ik als zijn paardenverzorgster en nou ja, zo is het gekomen. We hadden al een paar maanden dag en nacht samen doorgebracht, dus op een gegeven moment besloten we dat we dan net zo goed één tent konden delen, denk ik.'

'Ik kan me wel zo'n beetje voorstellen hoe dat is,' zei Gracie. 'Ik bedoel, Danielle is mijn zus.'

Dakota lachte. 'Ja, zelfs ik kan zien hoe mooi ze is.'

'En hou je van hem?'

'Jezus, meid,' zei Dakota en ze bloosde zowaar.

'Het is gewoon dat...'

'Het is gewoon wat?'

'Nou ja, jullie lijken heel veel van elkaar te verschillen.'

'Omdat hij ouder is, bedoel je?'

'Dat,' zei Gracie, 'en hij is je baas. Maar jij lijkt me niet het type dat behoefte heeft aan een baas. En hij is totaal anders dan jij, weet je?'

Dakota was een paar tellen stil en Gracie begon al bang te worden dat ze haar had beledigd. 'Neem me niet kwalijk.'

'Het geeft niet,' zei Dakota. 'Ik probeer er alleen achter te komen wat ik daarop moet antwoorden.'

'Ik denk,' zei ze, 'dat het een nogal ongebruikelijke situatie is. Ik heb mijn vader nooit gekend en weet alleen dat hij in de olievelden in Wyoming werkte, en toen ik opgroeide was ik nergens goed in behalve in het omgaan met paarden. Ik vertrouw paarden meer dan mensen, ook al kunnen het druiloren zijn. Het zijn tenminste onschuldige druiloren. Ze doen nooit iets uit gemenigheid, alleen omdat ze bang zijn of opgeschrikt of proberen weg te komen. Maar ze zijn niet gemeen, zoals mensen dat zijn. Toen ik met Jed praatte, zei hij ongeveer hetzelfde. Weet je trouwens hoe moeilijk het is voor een meisje als ik om een partner van mijn eigen leeftijd te vinden die geen idioot is? Zoveel jongens van mijn leeftijd zijn lamzakken die bang zijn voor meisjes in het algemeen en voor mij in het bijzonder. Ik ben het beu om te wachten tot ze volwassen zijn, weet je? Ik geloof niet dat ik eeuwig kan wachten. Ik heb geprobeerd iemand te vinden die me neemt zoals ik ben, maar die zijn dun gezaaid, meid.'

Gracie knikte. 'Maar hoe is het dan tussen jullie? Ik bedoel, wanneer hij niet je baas is?'

'Ik kan niet geloven dat je me zulke vragen stelt,' zei ze. 'En ik kan al helemaal niet geloven dat ik er antwoord op geef.'

'Hij komt nogal mysterieus over,' drong Gracie aan.

'O, dat is hij zeker. Hij is altijd wel ergens mee bezig,' zei ze. 'Wist je dat hij een dichter was? Hij heeft een paar poëziebundels gepubliceerd. Dat zou je niet zeggen, hè?'

'Is het goede poëzie?'

'Ik zou het niet weten,' zei ze lachend. 'Het gaat mijn pet te boven. Ik bedoel dat sommige stukjes me wel raken, maar het is heel moeilijk te begrijpen. Hij heeft er zelfs een paar prijzen mee gewonnen, geloof ik. En vroeger las hij ze me wel eens voor. Het klinkt prachtig als hij ze hardop voorleest omdat hij zo'n hartstochtelijke man is, maar dat wil niet zeggen dat ik het meeste ervan begrijp. Ik doe alsof, maar begrijp het niet. Ik denk dat het heel frustrerend voor hem is dat niet meer mensen begrijpen hoe geniaal hij is.'

Gracie staarde voor zich uit en probeerde Jed McCarthy in een ander licht te zien.

'Is hij lief voor je?' vroeg ze aan Dakota.

'Meestal wel,' zei Dakota.

'Maar niet altijd.'

'Nee,' zei ze. 'Soms kan hij de grootste botterik zijn die je je kunt voorstellen. Erger dan een ezel. En als hij een nieuw idee in zijn hoofd heeft, zoals een nieuw gedicht of een nieuwe manier om geld te verdienen, dan raakt hij helemaal vol van zichzelf. Ik geloof dat hij er de voorkeur aan geeft om alleen te zijn, omdat hij zelf de enige is die zichzelf kan uitstaan, als je begrijpt wat ik bedoel. Op zo'n moment heb ik zin om de handdoek in de ring te gooien en gewoon de benen te nemen.'

'Heb je dat gevoel nu ook?'

Dakota draaide haar hoofd om en keek Gracie lang en onderzoekend aan. 'Hoe wist je dat?'

'Ik heb jullie eerder samen bezig gezien.'

'Soms heb ik gewoon geen flauw idee wat er in hem omgaat,' zei ze. 'En dat is nu ook het geval.'

'Waarom denk je dat meneer Glode is vertrokken?'

Dakota zuchtte. 'Om mevrouw Glode,' zei ze.

'Is het zo eenvoudig?'

'Het is een stuk ingewikkelder,' zei Dakota. 'Ik vermoed dat die twee hoopten hier iets te vinden wat ze niet hebben gevonden. Er zijn wel vaker echtparen op zulke tochten geweest die op hetzelfde uit waren. Dat kan ik wel zo'n beetje begrijpen.'

'Wat nog meer?' vroeg Gracie.

'Wilson,' zei Dakota.

'Bedoel je dat je niet weet waarom hij ook is vertrokken?'

Dakota knikte. 'Ik zal je iets vertellen wat niemand weet,' zei ze. 'Ik heb vannacht niet bij Jed geslapen. We hadden ruzie en ik heb buiten bij het kampvuur geslapen. Op een gegeven moment moest ik plassen en liep naar de bomen achter de tenten. In het maanlicht zag ik iemand rondscharrelen. Hij liep heel langzaam en behoedzaam – hij liep heen en weer tussen de tenten en het meer. Ik ben dichterbij geslopen en zag dat het Wilson was. Ik heb geen flauw idee wat hij daar deed, maar hij bezorgde me kippenvel. Hij liep gewoon maar wat rond.'

'Heb je het aan Jed verteld?'

'Nog niet. Die zit met zijn kop nog te diep in zijn reet om naar iemand te luisteren.'

'Wat denk je dat Wilson aan het doen was?'

Ze haalde haar schouders op. 'Ik weet het niet. Maar het leek alsof hij bezig was iets voor te bereiden of op iemand stond te wachten. Misschien wel op Tristan Glode, maar dat slaat volgens mij nergens op.'

Gracie dacht erover na.

'Misschien was die ruzie tussen Wilson en meneer Glode?' zei ze.

'Zou kunnen. Maar jij bent de enige die zegt iets te hebben gehoord.'

'Geloof je mij niet?'

'Laat ik het zo zeggen,' zei Dakota. 'Ik geloof dat je denkt dat je iets hebt gehoord.'

'Maar waarom zouden ze daarna zo plotseling zijn vertrokken? En waar ging die ruzie om? Ik bedoel, als die nou tussen Tony en meneer Glode was geweest, dan hadden ze tenminste nog een reden.'

'Dat is zo. Ik zou het echt niet weten.'

'Ik heb niets van een ruzie gehoord,' zei Gracie.

Dakota haalde haar schouders op. 'Ik weet verdomme niet wat er gaande is, maar er is iets aan de knikker. Als je voor je kijkt en je ziet al die mensen op paarden in dit landschap, dan denk je, dit is volmaakt. Maar wat je niet weet is wat er in al die hoofden omgaat en hoe ze over alle anderen denken.

En dat,' zei ze, 'is de reden dat ik de voorkeur geef aan paarden.'

Jed leidde zijn paard en de muilezels naar de zijkant van het pad om zijn klanten te laten passeren. Toen Gracie en Dakota hem bereikten, zei Jed: 'Dakota, ga jij nu maar eens een tijdje voorop. Dan rijd ik achteraan.'

Gracie zag dat Dakota wilde protesteren maar haar lippen stijf op elkaar klemde, haar hoed recht zette en haar paard en muilezels tot spoed aanzette. Jed nam de positie van Dakota over, maar bleef daar niet lang.

'Bevalt de tocht je tot nu toe?' vroeg hij.

Er klonk iets verontrustends door in de manier waarop hij het vroeg, vond ze. Alsof hij niet kon wachten tot de formaliteiten achter de rug waren. Alsof hij het leuk vond om een spelletje met haar te spelen en het heerlijk vond om haar met zijn zachte stem in zijn netten te verstrikken.

'Best wel.'

'En hoe zit het met je zusje? Als ik haar zo zie is dit misschien toch niet haar droomvakantie.'

Daar moest Gracie om glimlachen.

'Dat dacht ik al,' zei hij.

'Ik wilde je wat vragen,' vervolgde hij. 'Ik zag dat je er aardig op los kletste met Dakota. Waar hebben jullie het in vredesnaam al die tijd over gehad?'

'Niets in het bijzonder,' loog ze.

'Echt waar?' Een vleugje sarcasme.

'Dat doen meiden nu eenmaal,' zei ze. 'Gewoon urenlang babbelen. Je weet wel, over kleding en nagels en schoenen. Meidendingen. Zo zitten meiden in elkaar.'

Hij grinnikte. 'Jij bent een kanjer,' zei hij. 'Maar vertel op, waar hebben jullie het echt al die tijd over gehad?'

Gracie schoof onrustig heen en weer in haar zadel. Ze vroeg zich af hoe het kwam dat het warm leek te zijn geworden, als de stoelverwarming in de Volvo van haar moeder. Ze zei: 'Ik heb haar gevraagd of haar baan haar beviel. Omdat ik ook dol ben op paarden.'

'Aha,' zei Jed. 'En wat zei ze daarop?'

'Ze zei dat het meestal hartstikke leuk werk was.'

'Hebben jullie het ook nog over mij gehad?'

'Natuurlijk,' zei Gracie. 'Jij bent haar baas.'

Toen zag ze voor het eerst de dolk aan zijn riem die tegen de bovenkant van zijn dij rustte. Ze vermoedde dat die er altijd al was geweest, tussen alle andere dingen die hij bij zich droeg, maar het was haar gewoon niet opgevallen.

'Vrouwen kletsen altijd te veel,' zei hij.

Ze wist niet of hij daarmee op haar of op Dakota doelde. Of op allebei. Hij had zijn hoofd afgewend maar er leek een heleboel in om te gaan.

'Denk je dat we die twee mannen nog terug zullen vinden?' vroeg ze.

'O,' zei hij bijna afwezig, 'die vinden we heus wel.'

26

BULL MITCHELL GAF een schreeuw en vuurde met zijn .44 Magnum boven de koppen van de wolven. De explosie van lawaai in de verheven stilte was gigantisch en Cody kromp ineen en richtte zich met suizende oren weer op. De grote kogel knalde op een meter of acht tegen het wateroppervlak en alle drie de wolven keerden zich razendsnel op hun achterpoten om.

Cody keek in hun zwarte ogen en zag hun lange rode tanden en roze getinte snuiten en greep intuïtief naar zijn Sig Sauer. Hij had de dag tevoren in Bozeman berenspray gekocht, maar die had in de plunjezak gezeten waar ook zijn slof sigaretten in zat, dus die had hij niet meer. Hij was verbaasd over hun grote gelijkenis met honden, maar het waren geen honden. Ze hadden de ogen van honden en de vacht van honden, maar ze waren groot, wild en levensgevaarlijk. De zwarte had geelomrande ogen die in hun kassen leken te branden.

'Wacht even,' zei Mitchell. 'Blijf stilstaan en maak je groot en breed. Ze willen hun voedsel verdedigen maar we moeten ze trotseren en geen blijk geven van angst.'

Tegen de wolven bulderde Mitchell: 'Donder als de sodemieter op naar het bos waar jullie thuishoren. En gauw...'

Om zijn standpunt kracht bij te zetten spande hij de haan van zijn Ruger en vuurde opnieuw en ditmaal spatte er een pluim modder uiteen van een kuil, op nog geen twee meter afstand van de wolven.

Het zwarte alfamannetje – Cody schatte dat het dier zo'n tachtig kilo woog – blafte en blies en liep met lange passen langs de oever weg in zuidelijke richting. Het zilvergrijze vrouwtje volgde en Cody ving een glimp op van iets langs en blauws dat hem deed denken aan een worst die slingerend tussen haar kaken bengelde toen ze wegvluchtte. De gevlekte wolf, waarschijnlijk ook een mannetje, vermoedde Cody, volgde haar aarzelend, alsof hij liever de strijd was aangegaan. Hij stond versteld van de snelheid waarmee ze zich voortbewogen en de kracht die ze uitstraalden, als spoken met tanden.

'Het is best mogelijk dat ze in de buurt zijn gebleven,' zei Mitchell, 'dus houd je ogen open.'

'Mijn God,' zei Cody en hij hief zijn hand op. 'Moet je nu eens zien. Ik was zo bang dat mijn hand *ophield* met trillen.'

Mitchell grinnikte terwijl hij de lege koperen patroonhulzen uit de revolver haalde en verving door nieuwe hollow-point patronen.

'Ik houd dit paraat om ons dekking te geven,' zei Mitchell, met zijn kin gebarend in de richting van waar de wolven waren geweest. 'Dat klapperpistooltje van jou kun je beter in je holster houden. Dat maakt ze alleen maar pissig als ze besluiten terug te komen.'

Het eerste wat Cody opviel toen ze de oever naderden was de stank. Vermengd met de ijle warme lucht en de algenachtige geur van het meer hing er een oergeur van muskus van de dikke vachten van de wolven en de bedompte metaalachtige lucht van ingewanden.

Vanaf de oever strekte zich een deels onder water liggende

laag drijfhout tot zo'n zeven meter in het meer uit. Kluwen algen klotsten tussen het door het water aangetaste bouwsel van takken omhoog en omlaag, alsof het bouwsel zélf ze in- en uitademde. Onder het drijfhout was een donkere schaduw zichtbaar.

Het lijk lag half in en half uit het water met het hoofd op de oever en het gezicht opzij. Zijn benen hingen onder water en wezen zodanig omlaag naar de bodem dat zijn voeten in het duister nauwelijks te onderscheiden waren. Zo te zien ontbraken de armen.

Een man, mager, van middelbare leeftijd, de van water verzadigde huid albastwit, met uitzondering van de gerafelde gapende gaten tussen zijn ribben en tussen de benen. Alle zachte delen waren verscheurd en opgegeten door de wolven. De kleding van het slachtoffer – een dun shirt met lange mouwen, een wijde cargobroek, cowboylaarzen – waren door de tanden van de wolven aan flarden gescheurd. Het donkere zandstrand was bezaaid met pootafdrukken van de wolven, waarvan sommige langzaam volliepen met chocolademelkkleurig water. De diepe afdrukken van hun klauwen leken net kleine kogelgaten in het zand.

'O, Jezus,' zei Mitchell.

Het was Justin niet. Zodra Cody zich daarvan had verzekerd, voelde hij zijn politiebril neerdalen als het vizier van een motorhelm. Het vizier zou ervoor waken dat hij geen persoonlijke band zou ontwikkelen met het dode lichaam en het zou behandelen naar wat het was: vlees waaruit de ziel en de levensvonk allang waren verdwenen. Dat hadden de wolven goed begrepen.

Cody draaide het lijk om en zag dat de armen bij nader inzien toch niet ontbraken. De handen waren met ijzerdraad op de rug gebonden.

Hij bukte zich, vond houvast onder de oksels en probeerde het lichaam volledig uit het water te trekken, maar het gaf geen krimp. Hij fronste zijn wenkbrauwen.

'Was je van plan me nog een handje te helpen?' vroeg Cody aan Mitchell.

'Nee,' zei de woudloper. 'Dat is jouw pakkie-an.'

Cody keek hem niet-begrijpend aan.

Mitchell wees met zijn kin naar de donkere bossen ten zuiden van hen toen ze allebei een tak zachtjes hoorden kraken. 'We hebben die wolven gestoord,' zei hij. 'Ze eten graag hun buikie vol, slepen dan wat er over is het bos in en verstoppen dat voor later. Ik weet zeker dat ze ons in de gaten houden en waarschijnlijk denken dat we hun voedsel willen stelen. Vergeet niet dat sommige wolven niet erg bang meer zijn voor mensen, als ze dat ooit al waren. Die wolven weten alleen maar dat elke keer als ze mensen tegen het lijf lopen, de boswachters eropaf stuiven en het gebied afzetten om de mensen van ze vandaan te houden. Die beesten hebben geleerd dat ze nergens meer bang voor hoeven te zijn omdat ze duidelijk boven aan de voedselketen staan. Voor de wolvenpopulatie is dat allemaal heel leuk en aardig, maar voor tweebenige schepselen zoals wij is dat minder gunstig.

Als ze terugkomen wil ik dus paraat zijn.'

'Oké,' zei Cody.

Hij gaf er opnieuw een ruk aan, maar het lichaam zat vast aan iets onder water dat maar een heel klein beetje meegaf. Toen zag hij het touw dat om zijn enkels gebonden was en dat verdween in het gat onder de verzameling drijfhout. Hij waadde tot aan zijn dijen door het water. Het was ontstellend koud voor hartje zomer, zo koud dat het pijn deed. Hij volgde het touw met zijn vingers omlaag totdat hij het met beide handen stevig kon vastgrijpen. Hij kreunde, leunde achterover en zette zich schrap. Waar het touw ook aan vast mocht hebben gezeten, het gaf mee en Cody kreunde opnieuw en liep achterwaarts terug naar de oever tot hij weer op het droge stond. Door zijn krachtsinspanning draaide het lichaam rond en werd ook een flink rotsblok zichtbaar waar het andere eind van het touw omheen was gebonden. Hij bleef eraan trekken totdat zowel het lijk als de zware steen uit het water waren gehesen en op de oever lagen.

Toen zag hij voor het eerst een ander stuk touw om de nek van het slachtoffer, dat zich zo diep in zijn vlees had gesleten dat het hem eerder was ontgaan. Een stuk van vijf centimeter stak uit een strakke knoop en het losse eind was enigszins gerafeld. Cody herkende het als nylon parachutekoord – iets waarvan jagers, wandelaars en rugzaktoeristen overal veelvuldig gebruikmaakten.

'Degene die dit op zijn geweten heeft, heeft dit rotsblok aan zijn voeten en nek gebonden en onder het drijfhout gegooid, waardoor het lichaam onder water werd getrokken. Hij ging er waarschijnlijk van uit dat het lijk nooit meer zou worden gevonden. Ze hadden niet verwacht dat de wolven het eruit zouden vissen en een van de touwen zouden doorknagen.'

Mitchell gromde. Hij was bleek en zag er een beetje ongezond uit en hij deed zijn uiterste best om de bomen af te speuren naar tekenen van de wolven zodat hij niet naar het lijk hoefde te kijken.

Cody ging op zijn handen en knieën zitten, kroop om het lijk heen en bestudeerde elke vierkante centimeter. Hij schatte dat het slachtoffer achter in de vijftig of begin zestig was en in goede conditie was geweest. Helaas waren zijn ogen, keel, buik en geslachtsdelen weggevreten.

'Aha,' zei Cody en hij bekeek het hoofd van het slachtoffer van nabij en draaide het weg zodat de groteske gelaatstrekken hem niet langer aanstaarden. 'Hier hebben we wat.'

Er bevond zich een vier centimeter lange snijwond onder het rechteroor van de man. Hij had een J-vorm, kartelig aan het bredere begin en taps toelopend tot een smalle streep net boven het kaakbeen.

'Een messteek,' zei Cody. 'De steekwond lijkt me diep genoeg voor het lemmet om te zijn doorgedrongen in zijn hersenen. Hij was op slag dood. Omdat het dikste deel van het lemmet naar achteren wijst, vermoed ik dat de moordenaar het slachtoffer van achteren heeft benaderd, de man waarschijnlijk bij zijn haar heeft gegrepen, zijn hoofd naar achteren heeft getrokken en heeft toegestoken. Precies op de goede plek. De moordenaar had de man ook in zijn rug kunnen steken of zijn arm om hem heen kunnen slaan en zijn keel door kunnen snijden. Maar hij heeft gekozen voor de enkele doodsteek.'

Mitchell gromde.

Cody herinnerde zich Larry's bevindingen: *Gary Shulze… Het verschil hier is dat er sprake lijkt te zijn van een diepe steekwond in de hersenen… veroorzaakt door het lemmet van een mes dat in de schedel is gestoken en er weer is uitgetrokken.*

'Ik pak even mijn camera en mijn papieren erbij,' zei Cody. 'We beschouwen dit als een plaats delict, hoe primitief de onderzoeksmiddelen ook zijn.'

'Jij bent de diender.'

'Ik pak mijn dossier met de inschrijfformulieren voor de trektocht,' zei Cody.

Mitchell zei: 'Ik ga met je mee om je dekking te geven en ik haal meteen de paarden hiernaartoe. Wolven houden ook van paardenvlees.'

Terwijl Cody foto's maakte van het lijk, de omgeving, het touw, het rotsblok en de wonden met zijn digitale camera, en daarbij de hoes van de camera bij de opnames gebruikte om het perspectief aan te geven, at Mitchell zijn lunch. De woudloper zat op een groot rotsblok met zijn rug naar het meer en zijn .30-06 op zijn schoot, en kauwde op stukken gedroogd vlees die hij wegspoelde met water. Zijn ogen speurden voortdurend de bosrand af.

Cody wist dat hij de plaats delict had verstoord. Hij had het lijk verplaatst en was overal door het zand eromheen gelopen en gekropen.

'Als die messteek er niet was geweest,' zei Mitchell, 'zou ik misschien nog hebben gedacht dat die arme stumper door wolven kon zijn aangevallen en later onder water was gelegd om te voorkomen dat hij nog verder zou worden aangevreten.'

Cody knikte. Hij had het afgelopen halfuur het ene scenario na het andere in gedachten de revue laten passeren.

'Dat is wel vaker gebeurd,' zei Mitchell. 'In heel woeste, afgelegen gebieden zoals dit laten de mensen een lijk achter zodat zij en de mensen van Staatsbosbeheer het later kunnen ophalen. Een lijk meevoeren trekt beren en bergleeuwen en nog andere dieren alleen maar aan. Het is vragen om confrontaties met roofdieren. Dat is geen goed idee.'

Cody reageerde niet. Hij trok zijn plunjezak uit de zadeltas en haalde zijn dossiermap tevoorschijn.

Het duurde niet lang. Hij zei: 'Volgens mij is dit Tristan Glode, voorzitter en algemeen directeur van de Glode Company in St. Louis. Vind jij dat hij eruitziet als iemand van eenenzestig?'

Mitchell trok een grimas en keek zijn kant op. 'Ja. Zou kunnen.'

'Zijn signalement klopt met de omschrijving op het inschrijfformulier,' zei Cody. 'Er doen slechts twee andere oudere mannen mee aan de tocht. De ene heet K.W. Wilson en over hem staat heel weinig vermeld. De andere is Walt Franck, Zijne Rijkheid, en ik ken die klootzak en dit is hem niet. Wat in zekere zin jammer is.'

'Wil je een reepje gedroogd vlees?'

'Nee,' zei Cody. 'Ik wil een sigaret.'

'Sorry.'

'Ik vraag me af waaraan hij dit heeft verdiend,' zei Cody. 'Een man van eenenzestig doodsteken. Zijn vrouw doet ook mee aan de tocht. Ik vraag me af of zij er iets mee te maken heeft of dat we haar lijk verderop zullen vinden. Ik kan me niet voorstellen dat zij gewoon haar reis vervolgt nadat haar echtgenoot is vermoord. En hoeveel leden van het gezelschap hebben het zien gebeuren? En door wat voor een hel gaan ze op dit moment?'

Mitchell haalde zijn schouders op.

'Heb jij een GPS?' vroeg Cody. 'De mijne is in het vuur verbrand. Ik wil de exacte coördinaten vaststellen zodat we de boswachters kunnen laten weten dat ze het lijk moeten ophalen.'

'Ik weet de exacte locatie van Kamp Een,' zei Mitchell. 'Ik vertel het ze wel.'

'Misschien zijn hier nog meer forensische bewijzen in de buurt,' zei Cody, terwijl hij opkeek in de richting van de plekken op het gras waar de tenten hadden gestaan. 'Een technisch team zou nog iets kunnen vinden als ze binnen korte tijd hier zijn. Misschien de plek waar de moord is gepleegd, of voetafdrukken of stukken van het parachutekoord. Of bloed. Het komt vaker voor dat je bloed van de moordenaar aantreft op de plek waar hij heeft toegestoken. Het is verbazingwekkend hoe vaak de aanvaller zichzelf tijdens de worsteling met zijn eigen mes verwondt. Vaak merken ze dat zelf pas later.'

'Ja,' zei Mitchell en er verscheen langzaam een glimlach op zijn gezicht, 'ik zie die series ook wel eens op televisie. Als die jongens van CSI hier waren, zouden we binnen drie kwartier het hele verhaal kennen en de boosdoener bij zijn lurven hebben.'

'Zo werkt het niet,' zei Cody.

'En hier zou het al helemaal niet zo werken,' zei Mitchell. 'Dat geef ik je op een briefje. De kans is groot dat het vanmiddag regent en de sporen worden weggespoeld of dat de wolven terugkomen en schoon schip maken. Niets werkt hier zoals het hoort, dat heb ik je al vaker gezegd.'

Cody ging vermoeid op een rotsblok naast Mitchell zitten.

'Ik ben nog nooit op een plaats delict geweest waar ik de enige was,' zei hij. 'Gewoonlijk beschikken we over een technisch team en forensische deskundigen die te hulp schieten, om nog maar te zwijgen van mijn eigen uitrusting. Ik kan nu niet eens met iemand communiceren behalve met jou. Ik voel me zo verdomd machteloos.'

'Dan kunnen we misschien beter in het zadel klimmen en op zoek gaan naar de rest,' zei Mitchell. 'Dat is de enige manier om erachter te komen wat er hier is gebeurd.'

'Ja. Zei je nou zojuist dat we het lijk moeten achterlaten?'

Mitchell knikte. 'We nemen het niet met ons mee, dat staat vast.'

'Maar wat doen we er dan mee? Dompelen we het weer onder in het meer? Begraven we het?'

'De wolven zullen terugkomen,' zei Mitchell hoofdschuddend. 'Dan zal er niets van overblijven. Er is maar één ding dat we kunnen doen.'

'Het ophangen?' vroeg Cody.

'Ik weet waar de voedselpaal staat,' zei Mitchell, die moeizaam overeind kwam. 'Honderd meter verder tegen de berg op voorbij het kamp. Tenzij Jed hem heeft verplaatst. We kunnen het lijk aan de paal ophijsen tot de politie hier is.'

'Jezus.'

'Tenzij jij een beter idee hebt.'

'Had ik dat maar.'

Het was niet gemakkelijk. Cody kreeg een trap in zijn gezicht met Glodes laarzen toen het lijk omhoog werd gehesen. Mitchell had het touw om de zadelknop geslagen en was met zijn paard achteruitgelopen, totdat het lijk zeven meter hoog in de lucht hing. Cody keek op. Door het touw dat onder zijn oksels spande waren Glodes armen opzijgestrekt. Zijn hoofd hing slap opzij en zijn benen recht naar beneden. Het lichaam draaide langzaam rond toen ze het touw vastknoopten na het om de spinthouten stam van een lodgepole-pijnboom te hebben geslagen.

'Vogels kunnen er wel bij,' zei Mitchell. 'Maar daar kunnen we weinig aan doen. Meer waardigheid zit er voorlopig niet in.'

Mitchell bond het touw vast. 'Er is hier in meer dan één opzicht het een en ander veranderd,' zei hij, evenzeer tot zichzelf als tegen Cody. 'Zo zijn ze bijvoorbeeld een flink stuk wilder en gevaarlijker geworden dan vroeger. De populatie grizzlyberen is *aanmerkelijk* toegenomen en er is niets om dat tegen te houden. En de herintroductie van wolven heeft het hele ecosysteem veranderd. Ik heb veteranen het terugbrengen van de wolven horen vergelijken met de herintroductie van straatbendes in stadscentra, waar die lang geleden waren uitgeroeid. Ik weet niet of ik zo ver zou willen gaan,' zei Mitchell, 'maar het heeft de boel ingrijpend veranderd. Er zijn een hoop meer beesten die ons kunnen opeten dan vroeger.'

'Fijn om te weten,' zei Cody.

Toen ze wegreden van Kamp Een was het pad onmiddellijk herkenbaar. Het was omgewoeld door de hoeven van verscheidene paarden en muilezels.

'Omdat jij rechercheur bent en zo, zal die steen je toch wel zijn opgevallen,' zei Mitchell tijdens het rijden over zijn schouder, 'die het lichaam onder water hield.'

Verbaasd vroeg Cody: 'Wat was er met die steen?'

'Ik bedoel eigenlijk de knopen in het touw dat eromheen zat.'

'Wat was er met die knopen?' vroeg Cody geërgerd.

'Heb je de stijl niet herkend waarmee dat touw aan die steen was vastgemaakt?'

Cody zuchtte. 'Ik houd er niet van om aan het lijntje te worden gehouden.'

'Ankersteken,' zei Mitchell. Bijna volmaakt uitgevoerd. Niet de gemakkelijkste knoop om te leggen, maar waarschijnlijk wel zo'n beetje de beste knoop in het arsenaal van een woudloper.'

Cody voelde dat zijn mond langzaam openging.

'Denk daar maar eens over na,' zei Mitchell op zijn beurt.

Cody stak onder het rijden zijn hand achter zich in zijn zadeltas en vond zijn satelliettelefoon. Na er een poosje naar te hebben gestaard, zette hij hem aan.

Het duurde twee minuten voordat hij was opgestart, de satelliet had gevonden en ontvangst had.

Hij had vijf berichten ontvangen. Allemaal van Larry.

27

TOEN GRACIE EN Dakota de top van de heuvel hadden bereikt, zagen ze de anderen. Jed was vooruitgereden en liet iedereen bij elkaar komen aan de zijkant van het pad. Ze zaten op hun paarden en keken achterom naar de laatkomers.

Dakota zei: 'Oeps, zo te zien zijn we te ver achterop geraakt.'

'Krijg je daar last mee?'

'Nee, dat komt wel in orde.'

Gracie zag waar Jed een rood sjaaltje om een jong boompje had gebonden om D'Amato en Russell – en mogelijk ook Tristan Glode en Wilson – te laten weten waar ze af moesten slaan.

'Je moet verdomme zorgen dat je bij blijft,' zei Jed tegen Dakota.

'Gracie had wat problemen met Strawberry,' loog Dakota. Maar we hebben het al opgelost.'

Jed kneep zijn ogen halfdicht en keek beurtelings naar Dakota en Gracie. Gracie kon zien dat hij dat maar half geloofde.

Haar vader kwam naar haar toe rijden. 'Alles in orde, lieverd?'

'Prima,' zei Gracie.

Hij kwam vlak naast haar rijden, stak zijn arm uit en raakte haar wang aan. 'Ik heb spijt van wat er gebeurd is.'

'Ik ook,' zei ze.

Ze zag de opluchting op zijn gezicht. 'We moeten nog steeds eens praten,' zei hij.

'Ik weet het.'

'Danielle ook. We moeten met z'n allen praten. Ik dacht dat het op deze reis gemakkelijker zou zijn, maar de hele groep is voortdurend om ons heen.'

Gracie knikte en hij streelde opnieuw haar wang en nam zijn vaste plek in de rij weer in.

'Pap?' zei ze.

Toen hij zich met een bezorgde uitdrukking op zijn gezicht omdraaide, zei ze: 'Danielle en ik hebben met haar gepraat. We vonden haar aardig.'

Hij straalde en zei: 'Dat is ze ook.'

'Oké,' blafte Jed, gebarend naar een groepje dicht opeen staande bomen aan de rand van de open plek, 'hier houdt het pad op. En als iedereen in de rij blijft en mij volgt en niet te ver achterop raakt,' hij keek Dakota kwaad aan, 'dan zal het allemaal wel goedkomen.'

En daarbij keerde hij zijn paard, trok de muilezels naar zich toe en begon het weiland over te steken. In Gracies ogen was het niet eens een pad.

Waar gaan we naartoe?

Ze keerde zich om en keek achterom Dakota aan. Dakota haalde haar schouders op en hief haar handen met de palmen omhoog op met een gebaar van *al sla je me dood.*

28

CODY WILDE IEMAND pijn doen, iets kapotmaken, heibel schoppen. Hij had twee pakjes Stride-kauwgom opgekauwd en zijn fles Nalgene leeggedronken en zich daarbij voorgesteld dat het warme, naar plastic smakende water 50% alcohol was, maar dat lukte niet. Zijn hunkering naar nicotine en sterke drank verscheurde hem vanbinnen alsof er klauwen in zijn lijf zaten en hij dacht: *Eén koud biertje, één sigaret, meer vraag ik verdomme niet. Dat, en mijn zoon.*

De ene sigaret die hij nog over had zat in zijn borstzakje, maar hij had zich plechtig voorgenomen die te bewaren tot alles voorbij en Justin in veiligheid was. Terwijl hij langs naaldbomen reed vroeg hij zich af hoe hun bast zou smaken als hij die er afpelde, tot poeder verpulverde en inhaleerde. Toen hij met Gipper over smalle stroompjes reed, keek hij omlaag en wilde dat het van een brouwerij kwam.

Zijn hoofd tolde en hij kon zich niet concentreren, maar één ding wist hij wel en uiteindelijk zei hij dat tegen Bull Mitchell.

'Je kunt maar beter omkeren en naar huis gaan.'

Mitchell deed alsof hij hem niet had gehoord. Hij reed soepel in het zadel zittend door, met brede schouders alsof hij hem wilde zeggen dat hij zijn kop moest houden en op moest rotten.

Ze waren een uur verwijderd van Kamp Een, op een uur rijden afstand van de plek waar ze het lijk hadden gevonden. Ze hadden niet gesproken, maar Cody merkte dat Mitchell het tempo had verhoogd en zijn paard en het lastdier tot grotere spoed had aangezet.

'Ik zei dat je beter kon omkeren en naar huis gaan,' zei Cody opnieuw.

Mitchell draaide zijn hoofd niet om. Op lijzige toon vroeg hij: 'En waarom dat?'

'Omdat ik je dochter heb beloofd dat ik je niet in een hachelijke situatie zou brengen. Maar daar zitten we nu wel in. We hebben een lijk gevonden en wie weet wat we ons nog op de hals halen. De afspraak was dat jij mijn gids zou zijn. Ik ging ervan uit dat we hen zouden vinden en dat jij je verder op de achtergrond kon houden en mij mijn werk laten doen. Maar we zitten met een lijk dat aan een paal hangt en dat was niet de afspraak.'

Mitchell reed door.

'Het pad dat we nu volgen is helemaal omgewoeld door Jeds paarden,' zei Cody. 'Een idioot zou dit kunnen volgen alsof het een snelweg was. Ik heb je niet meer nodig en je dochter heeft dat wel. En je vrouw ook. Ik breng de paarden wel terug als ik thuis ben.'

Mitchell grinnikte sarcastisch en zei: 'O, dacht je dat?'

'Ja. Ga terug naar de truck en de trailer en dan zie ik je daar wel als dit achter de rug is.'

Mitchell reed door.

'Ik maak geen grapje. Het staat niet open voor discussie. Ik betaal je wat ik je heb beloofd, want jij hebt je taak vervuld. Je hebt me hier gebracht en me gewezen waar ik naartoe moet. Zoals ik al zei: elke idioot kan dit pad volgen nu we het eenmaal hebben bereikt.'

'En die idioot ben jij?'

'Daar komt het verdomme wel op neer, ja,' zei Cody. 'Ik red me wel. Ga terug naar de truck, doe het rustig aan, dan zie ik je morgen of wanneer dan ook.'

'Weet je het zeker?'

Hij zei het op een toon die Cody de indruk gaf dat hij er zelf ook zo over dacht.

'Ik ben er absoluut zeker van.'

'Het spoor wijst inderdaad zichzelf,' gaf Mitchell toe.

'Ja, precies.'

'Een idioot zou het kunnen volgen.'

'Ja.'

'Als ik terugga naar de truck, zal ik dan Staatsbosbeheer waarschuwen? En ze op de hoogte brengen van de dode man?'

Cody aarzelde een ogenblik en dacht na over de mogelijke gevolgen. Hij wist dat Staatsbosbeheer erop zou reageren, maar waarschijnlijk niet snel. De logistiek bij het optrommelen van boswachters of een helikopter zou uren vergen, en misschien nog langer. Dan moest hij Justin inmiddels wel hebben bereikt. 'Ja, bel ze maar,' zei hij.

Mitchell leek erover na te denken. Hij zei: 'Denk je dat ik te oud en te krakkemikkig ben om de klus te klaren?'

'Jezus, nee,' zei Cody. 'Maar ik heb jouw dochter een belofte gedaan. Daar wil ik me aan houden.'

'Die rotmeid.'

'Ze wil alleen haar vader beschermen. Ik zou willen dat Justin voor mij ooit hetzelfde zal doen,' zei hij, zich afvragend of dat ooit zou gebeuren.

Mitchell klakte met zijn tong en keerde zijn paard. Cody zag teleurstelling op zijn gezicht. Toen hij in tegenovergestelde richting passeerde, reikte hij Cody de teugels van het pakpaard aan.

'Wikkel de leidsels één keer om je zadelknop en laat ze los liggen,' zei Mitchell. 'Als ze dan plotseling opschrikt, sleurt ze jou niet mee of licht je uit het zadel. Maar vergeet niet dat ze er is.'

'Oké,' zei Cody, terwijl hij de leidsels overnam.

'Er zit voor vier dagen eten in de zadeltassen en nog wat haver voor de paarden vanavond. Geef ze wat voordat je zelf gaat eten en doe ze hun kluisters om. Vergeet niet ze water te geven en borstel ze goed. Ze zijn nog niet veel buiten geweest.'

'In orde.'

'Pas goed op jezelf,' zei Mitchell, terwijl hij Cody in de ogen keek. 'En pak aan.' Hij trok zijn .44 Magnum uit zijn holster en gaf hem met de kolf naar voren aan Cody. 'Tegen beren.'

'Die heb ik niet nodig...'

'Om de dooie dood wel,' zei Mitchell. En hij reed weg.

Cody vond het vervelend om hem te zien gaan en werd meer dan een beetje bang, omdat hij er nu helemaal alleen voor stond. Hij functioneerde doorgaans weliswaar het beste in zijn eentje, maar Bull Mitchell straalde in de wildernis een gevoel van vertrouwen en vastberadenheid uit, waar Cody nooit aan kon tippen, hoezeer hij ook zijn best zou doen. Het was alsof zijn laatste restje zelfvertrouwen van hem wegreed. Hij bleef achteromkijken naar het pakpaard, alsof hij haar zo kon dwingen in de pas te lopen. Alsof hij wilde dat ze deed alsof hij wist waar hij mee bezig was.

Hij stak de lange loop van de .44 Magnum aan de linkerkant achter zijn riem, zodat hij het wapen – zo nodig – zijwaarts kon trekken. Het was een zwaar en onhandig ding. Maar als de wolven terugkwamen of een grizzlybeer hem de weg zou versperren, zou hij zonder aarzeling vuren. Mitchells opmerking over de vele wilde dieren die hem zouden kunnen verslinden was niet aan dovemansoren gericht geweest.

333

29

JED MCCARTHY LEIDDE zijn klanten westwaarts door donkere, dichtbegroeide bossen, af en toe afgewisseld door weelderige weiden waar het gonsde van de insecten. Het alternatieve pad dat ze hadden gekozen was nauwelijks waarneembaar, soms niet meer dan een weinig gebruikt wildspoor, maar hij wist zeker dat hij de goede weg had gekozen. Hij durfde niet te stoppen om zijn gegevens te controleren, omdat hij niet wilde dat iemand achter hem de indruk zou krijgen dat hij zelf niet zeker wist waar hij hen heen voerde. Leiders, als het echte leiders waren, namen de leiding. Die weifelden niet, die twijfelden niet aan zichzelf. Zij leidden. Hij had dat Dakota vroeger, toen ze nog naar hem luisterde, talloze keren voor ogen gehouden. Hij wist niet wat ze nu in haar schild voerde, maar dat was haar probleem, niet het zijne. En het kon hem eigenlijk niet schelen ook.

Zijn maag knorde van de spanning en zijn handen waren koud. Hij minderde geen vaart toen hij omkeek, maar bracht zijn rechterhand naar zijn gezicht en gebruikte zijn tanden, vinger voor vinger, om zijn leren handschoen uit te trekken. Vervolgens stak hij die tussen het zadel en zijn spijkerbroek. Nog steeds voor zich uit kijkend, liet hij zijn blote rechterhand naar de rechter nylon zadeltas glijden, waar zijn koffertje in zat.

Hij tastte er met zijn vingers in rond op zoek naar de kolf van zijn vuurwapen, vond die en verstevigde zijn greep. Het gewicht en de textuur stelden hem gerust. Hij was blij dat hij er gemakkelijk bij kon.

Ze bereikten weer een grazige weide. Hij klakte met zijn tong en leidde de muilezels naar de zijkant tegen een muur van bomen om plaats te maken voor de overige ruiters.

Toen ze bij elkaar stonden glimlachte hij, want ze keken hem ongerust aan omdat ze niet wisten waarom ze waren gestopt of wat voor nieuws hij voor hen in petto had. Dakota keek hem met samengeknepen ogen aan en probeerde de reden voor de pauze te doorgronden toen ze langs de groep reed en zich aan de zijkant opstelde. Iedereen steeg af.

'Ik begin me een beetje zorgen te maken om Tony en Drey,' zei Jed. 'Ik had gedacht dat we ze inmiddels wel zouden hebben ingehaald. Dat had ik in ieder geval gehoopt.'

Knox, hun vriend, zei: 'Ik ook.' Hij leek zich eenzaam en ongemakkelijk te voelen zonder zijn maatjes om tegenaan te grappen.

Jed keek even naar Donna. Ze keek zonder te reageren terug, hoewel hij niets had gezegd over haar man.

Jed zei: 'Ik vrees dat ze mogelijkerwijs mijn rode sjaaltje over het hoofd hebben gezien en het verkeerde pad hebben genomen. Dat is de enige plek waar ze volgens mij de fout in kunnen zijn gegaan, ook al laten die paarden sporen na alsof we een leger in opmars zijn, of zoiets.'

Hij liet dat even op hen inwerken voordat hij zei: 'Ik denk dus dat ik daar misschien maar even naar terugga om die jongens op te sporen voordat ze te ver de verkeerde kant op rijden.'

Hij kon aan de sombere blikken op drie gezichten in het bijzonder – dat van Ted Sullivan, Rachel Mina en Walt Franck –

zien dat het idee hun bepaald niet aanstond. Naar Dakota hoefde hij niet eens te kijken, want hij voelde hoe haar ogen twee gaatjes in zijn nek brandden.

'Laat je ons *alleen*?' vroeg Walt.

'Het is maar voor een uurtje of wat,' zei Jed op luchtige toon. 'Ik keer als een haas terug naar de plek waar we waren, spoor die jongens op en kom weer als een haas terug. Tegen de tijd dat jullie Kamp Twee naderen, hebben we jullie waarschijnlijk alweer ingehaald.'

Hij knikte in de richting van Dakota en zei: 'Dakota kent onze overnachtingsplaatsen minstens zo goed als ik, of nog beter. Met haar als gids zijn jullie in veilige handen.'

Dakota's stem klonk afgeknepen. 'En wat doen we met de muilezels?'

'Die laat ik bij jou,' zei Jed, haar met een grijns op zijn gezicht aankijkend. Ze staarde hem aan maar zei niets terug. Hij wist dat hij later nog wel de volle laag van haar zou krijgen, als de anderen haar niet konden horen. Dat was nu precies de reden dat hij dit toneelstukje in het bijzijn van de anderen had opgevoerd.

Ted Sullivan schraapte zijn keel. Hij zei: 'Ik maak me totaal geen zorgen over Dakota's bekwaamheden als onze gids. Maar ik vraag me af of het wel zo verstandig is als jij voor hen terugkeert en de groep verlaat.'

Jed lachte droogjes. 'Ach,' zei hij, 'Ik verlaat op andere tochten de groep zo vaak als dat nodig blijkt. Het is niets bijzonders. Soms moet ik terug om iets op te halen – een camera, bijvoorbeeld – die iemand in een kamp heeft laten liggen, of soms moet ik vooruitrijden om de toestand van het pad te controleren. Gelukkig,' zei hij, terwijl hij tegen zijn hoed tikte in de richting van Dakota, 'hebben we hier een uitstekende kracht om de leiding over de groep over te nemen als dat nodig mocht blijken.'

Sullivan knikte nadrukkelijk, alsof hij Jed en de anderen ervan wilde overtuigen dat hij verder geen bezwaren had.

Maar de ogen van Rachel Mina schoten vuur. 'We zijn deze tocht met veertien personen begonnen. Gisteren zijn we er twee kwijtgeraakt. Vandaag zijn we er weer twee kwijtgeraakt. En nu neem *jij* ook nog de benen?' zei ze.

'Het voordeel voor jullie is dat er des te meer avondeten voor alle anderen is,' zei Jed.

Walt grinnikte, maar daar bleef het bij.

'Sorry,' zei Jed. 'Daar zou ik geen grapjes over moeten maken. Maar serieus, zou je niet liever hebben dat er voor het avondeten weer twee of drie terug zijn? Dat zit er niet in als ik niet achter ze aan ga.'

'Maar toch,' zei ze. 'Als jou nu eens iets overkomt? Als jij gewond raakt? Dit is *jouw* tocht. Hoe weten wij wat we moeten doen of waar we naartoe moeten? We zitten midden in de rimboe en jij hebt je kaarten aan Tony en Drey gegeven, dus zelfs daar kunnen we geen beroep op doen.'

Terwijl zij sprak, knikte Walt.

Donna Glode stak haar armen met de handpalmen naar voren omhoog alsof ze de groep tot stilte wilde manen. Iedereen keek haar kant op. 'In het licht van alles wat er is gebeurd, stel ik voor dat we de reis maar beter kunnen opgeven,' zei ze. 'Wat mij betreft is er geen reden om verder te gaan. Ik stel voor dat we morgen terugkeren naar de auto's en accepteren dat deze reis op een totale mislukking is uitgedraaid.'

Jed stampte met onmiskenbare woede op de grond maar zei op gedempte toon: 'Ik heb nog nooit een tocht afgelast. Maar het is aan jullie. Zijn er meer mensen die het met Donna eens zijn?'

Niemand zei iets. Uiteindelijk zei Knox: 'Ik ben er niet voor om terug te keren naar huis voordat mijn vrienden zijn gevonden of we weten wat hun is overkomen.'

Walt deed ook een duit in het zakje: 'Mevrouw Glode, sommigen van ons hebben niet dezelfde, uh, emotionele motivatie als u om ermee te kappen. We hebben hier flink voor gedokt. Ik ben er niet voor om nu al terug te gaan.'

Verder zei niemand iets, totdat Jed het woord nam: 'Goed, dat is dan geregeld. We gaan op zoek naar onze verdwaalden en komen hier later op terug als dat nodig mocht zijn. Maar bedenk wel dat als jullie besluiten ermee op te houden, jullie een heleboel natuurschoon en een stel onvergetelijke ervaringen mislopen. En nu we het er toch over eens zijn, ga ik maar eens op zoek naar onze vermiste jongens.'

'Ik ga met je mee,' zei Knox. 'Het zijn mijn vrienden.'

'Geen goed idee,' zei Jed op effen toon. 'Ik zet er zoveel mogelijk vaart achter om ze zo snel mogelijk te vinden. Ik rijd mijn kloten beurs, als de dames mij die uitdrukking willen vergeven. Zolang jij me niet kunt garanderen dat je me kunt bijhouden, is het geen goed idee.'

Knox bloosde en zei: 'Je weet dat ik dat niet kan. Dit is de tweede dag dat ik op een paard zit.'

'Neem me niet kwalijk, maar dan heb ik liever dat je achter Dakota aan rijdt, dan zal ik je maatjes wel bij je terugbrengen. Ik zie jullie in Kamp Twee of al eerder!' zei hij, terwijl hij opsteeg en zijn paard de sporen gaf. Hij genoot van het gevoel toen zijn paard zich schrap zette en ervandoor ging, die honderden kilo's samengebalde spieren tussen zijn benen. Om niet langer te worden afgeremd door dat trage, snaterende gezelschap van stadslui die hem met hun suffe ogen en stomme gezichten aanstaarden.

Toen hij over de open plek wegsnelde, groette hij al zijn klanten door tegen zijn hoed te tikken en de meesten keken hem glimlachend na.

Hij wist dat hij een verduveld stoere indruk maakte.

Gracie moest plassen, maar voelde er weinig voor om een op grote afstand geplaatste mobiele plee op te zoeken, dus koos ze een dichtbegroeid bosje naaldbomen op en trof daar James Knox aan die net zijn gulp dichtritste. Hij schrok net zo hevig als zij.

'Jij hebt dus ook geen zin om helemaal tegen die heuvel op te lopen, neem ik aan,' zei hij. 'Neem me niet kwalijk.'

'Nee, neem mij niet kwalijk,' zei ze. 'Ik wist niet dat je hier was.'

Hij wuifde haar bezorgdheid weg. 'Wat dacht je gisteravond toen je naar ons keek?'

Ze was verbaasd over zijn directheid. Ze stamelde: 'Ik weet het niet. Ik heb gewoon nooit eerder iemand uit New York ontmoet, denk ik.'

Knox grinnikte heel even. 'We hebben je vast teleurgesteld.'

'Niet echt.'

Hij stak zijn handen in de zakken van zijn spijkerbroek en leunde tegen de stam van een boom. Hij keek naar haar, maar maakte een verstrooide indruk. 'Het zal je wel verbazen als ik je vertel dat wij drieën in ons dagelijks leven behoorlijk serieuze mensen zijn. Men denkt wel dat wij een zooitje mafkezen zijn, maar dat is maar één week per jaar. We zijn harde werkers en we zijn geen schuinsmarcheerders. Wat er is gebeurd tussen Tony en die vrouw, Donna, dat was ongebruikelijk. Het spijt me dat het is gebeurd en ik weet zeker dat Tony zich kapot schaamt.'

Ze knikte. Hij leek net zozeer tegen zichzelf te praten als tegen haar. Zijn gezicht was bleek en vertrokken alsof al het bloed eruit was weggetrokken. Hij zag er nu ouder uit dan ze hem eerder had ingeschat.

'We zijn al twintig jaar de beste maatjes,' zei hij. 'Wij drieën. Wij zijn alle drie tegelijk op Wall Street begonnen. We waren gasten op elkaars bruiloften en hebben elkaar door dik en dun gesteund. Tony werd geacht in het World Trade Center te zijn op 9/11 omdat hij daar een afspraak had met een cliënt, maar hij haalde het niet want hij had een kater van mijn vrijgezellenfeest de vorige avond. Dat bewijst maar weer eens hoe grillig het lot kan zijn, weet je? Jij bent nog jong, maar je weet toch wel van 9/11, hè?'

'Ja.'

Hij knikte. 'Onze vrouwen drukken ons altijd op het hart voorzichtig te zijn op die reisjes. Ze zeggen dat we geen stomme streken moeten uithalen. Wij beloven hun dat we dat niet zullen doen. Dit soort dingen is nooit eerder gebeurd. Daarvoor gaan we niet op avontuur, om een potje vreemd te gaan. Nu zijn mijn vrienden hier niet en ik krijg het misselijkmakende gevoel,' zei hij en hij wees op zijn hart, 'ik krijg het misselijkmakende gevoel...'

Toen was het net alsof hij opeens ontwaakte. Hij keek naar haar, schudde zijn hoofd en schonk haar opnieuw een glimlach. 'Waarom vertel ik je dit eigenlijk allemaal?'

'Dat weet ik niet.'

'Ik denk dat ik je probeer duidelijk te maken dat vrienden belangrijk zijn. Je moet ze door dik en dun blijven steunen, zelfs als ze er een puinhoop van maken.'

Toen hij het bosje uitliep stak hij zijn hand uit en gaf haar een klopje op haar schouder.

30

N A EEN HALFUUR in zijn eentje te hebben gereden, stopte Cody bij een klein helder stroompje dat het pad kruiste en klom moeizaam uit het zadel om zijn paard te laten drinken. Hij vond het vervelend om afhankelijk te zijn van twee dieren die hij kende noch vertrouwde, maar er zat niets anders op en hij nam zich voor ze goed te behandelen in de hoop dat ze hem met gelijke munt zouden terugbetalen.

Toen beide paarden hun hoofd omlaagbogen om van het koude water te drinken, liep hij een meter of wat verderop om zijn eigen bidon te vullen. Hij had een waterzuiveringsetje gekocht maar dat zat, evenals zijn sigaretten, in de plunjezak die was verbrand. Giardiasis was wel het minste waar hij zich zorgen om maakte. Als hij daar last van kreeg, dan zou dat in ieder geval zijn gedachten afleiden van het besef dat hij geen sigaretten en geen alcohol had. Om dat nog eens te benadrukken, dronk hij een kwart liter van het ijskoude ongefilterde water, vulde zijn bidon en deed de dop erop.

Terwijl de paarden rustten – o, wat had hij een bewondering voor het vermogen van die stomme beesten om een tukje te doen wanneer dat maar kon – ging hij naast Gipper staan en haalde opnieuw zijn satelliettelefoon tevoorschijn.

Het eerste bericht van Larry was recht voor zijn raap:

'Cody, waar zit je, verdomme? Je had gezegd dat je je telefoon aan zou zetten. Bel me terug op dit nummer zodra je dit hebt ontvangen, maat.'

Dat 'maat' werd heel sarcastisch uitgesproken.

'Dat zou je wel willen, hè, *maat*,' zei Cody.

Toen het tweede bericht:

'Hé, ik weet niet wat er aan de hand is. Ik heb je mobieltje geprobeerd, maar daar kreeg ik te horen dat het nummer buiten gebruik was. Wat wil zeggen dat jij het hebt uitgezet – een stommiteit – of dat je telefoon kuren vertoont. Hoe dan ook, bel me zo spoedig mogelijk. Er gebeurt hier een heleboel. Ik zit erbovenop. Ik begin de stukjes in elkaar te passen en het begint verdomde interessant te worden. Bel me.'

Zijn stem klonk dwingend en opgetogen. Cody weerstond de aandrang om terug te bellen. Larry klonk opgewonden. Cody zei: 'Dat zou je wel willen, hè?'

Maar hij schakelde door naar het derde bericht:

'Cody, verdomme. Ik weet van de brand. Ik had een ingeving en heb de Gallatin Gateway Inn gebeld en toen hoorde ik wat er was gebeurd en dat jij daar ingeschreven stond. En ik heb met de politie van Bozeman en met het bureau van de sheriff van Gallatin County gesproken en hoorde dat ze jou niet konden vinden, maar dat de brand in jouw kamer was begonnen. Er is trouwens een opsporingsbericht voor je uitgevaardigd. Ze willen je verhoren en verdenken je van brandstichting.

Heb je het weer op een zuipen gezet? Ben je bezig je glazen in te gooien en neem je mij mee in je val? Ik kan niet geloven dat ik voor jou heb gelogen. Ik hoop dat je begrijpt wat ik zeg. Nogmaals: ik heb voor jou gelogen. En waarom doe ik dat? Wat voor een oetlul ben ik toch eigenlijk? Ik heb voor jou gelogen en je neemt niet eens de moeite om me terug te bellen.

Toen dacht ik: ik ken jou. Ik weet hoe jij denkt. Jij bent een klo-
terige complotdenker en je vermoedt waarschijnlijk dat iemand
je een loer heeft gedraaid. Aangenomen dat je die brand niet zelf
hebt aangestoken na je een stuk in je kraag te hebben gezopen en
met een saffie op bed in slaap te zijn gevallen, natuurlijk. Maar
alleen jij weet of dat zo is. En als dat inderdaad niet het geval is,
dan vraag je je wellicht af wie je erin heeft geluisd en de brand-
stichter op je af heeft gestuurd. Toch? Heb ik gelijk, lul? Dacht je
soms dat ik het was, degene die je stap voor stap heeft gedekt en
je op de hoogte heeft gehouden? Klootzak, ik weet hoe jij denkt.
En ik ben zo in je teleurgesteld dat ik op het punt sta je helemaal
te laten stikken. Ik heb het gehad met jou. Ik heb gehoord dat je
al nooit hebt willen deugen, maar ik heb niet geluisterd. Jij bent
een smerig stuk blank tuig dat te stom is om de enige vriend die
hij nog heeft te vertrouwen...'

Cody voelde dat hij een rood oor kreeg, toen het bericht eindigde met een schreeuwende Larry. Hij deinsde achteruit tot hij
met zijn schouderbladen tegen een boomstam stootte. Hij liet
de telefoon zakken en dacht erover na. Gewoonlijk, als iemand
tegen hem tekeerging – Jenny bijvoorbeeld – moest hij toegeven
dat het zijn verdiende loon was. Maar dit was... verbijsterend.
Of Larry was de meest doortrapte manipulator die hij ooit had
ontmoet – en heel wat van het tuig dat hij had ontmoet was in
staat alles wat ze hadden geflikt met een uitgestreken gezicht
goed te praten – of hij had volledig verkeerd ingeschat wat er
was gebeurd en waarom.

Larry was goed, dacht Cody. Hij had hem van zijn stuk gebracht. En dat was ook de bedoeling, vermoedde hij. Want
alleen een andere smeris kon zoveel zetten vooruitdenken.

Cody bracht de satelliettelefoon weer bij zijn oor en beluis-
terde het vierde bericht.

'Oké, ondankbare hond. Een beter woord kan ik niet voor je

verzinnen. Dat is het of je bent je satelliettelefoon en je mobieltje vergeten en in dat geval ben je een volslagen idioot, wat met het uur waarschijnlijker wordt. Het zou me niets verbazen als we je aantreffen in een of andere dronkemanscel in Livingston of Ennis of misschien wel terug in Denver, waar je thuishoort. Ik heb het wel zo'n beetje helemaal met je gehad, weet je.

Maar als je dit bericht ooit ontvangt en het daadwerkelijk beluistert, dan wil ik je toch nog iets op het hart drukken. Je moet ze vinden – die trektocht waar je zoon deel van uitmaakt – en de locatie doorgeven. Ik heb Staatsbosbeheer en de politie op de hoogte gesteld. Zij weten net zoveel als ik en dat deze kwestie veel omvangrijker en ernstiger is dan wij allebei vermoedden. Ik heb het bijna in kaart gebracht. En man, je gelooft het gewoon niet. Je zit midden in een beerput van ellende die we geen van beiden hadden voorzien. De dode alcoholisten hebben er alles mee te maken en ik kom steeds dichter bij een verklaring. Maar die ga ik mooi niet op die klotevoicemail van je inspreken. Dus bel me. Ik kan niet zeggen dat alles vergeven is, maar je hebt geen idee in wat voor wespennest je je bevindt. Het is nog erger dan...'

De tijd om een boodschap in te spreken was verstreken. Cody voelde dat de haren in zijn nek overeind stonden. Hij slaakte een diepe onzekere zucht en drukte op het knopje van de telefoon om het laatste bericht te beluisteren. Larry sprak op fluistertoon.

'Ik weet niet waar je bent of zelfs of je dit ontvangt, Cody. Maar de pleuris is uitgebroken. Ze weten dat je ervandoor bent en waar je je bevindt. Jij bent de lul en ik ook. Ik had nooit gedacht dat het zover zou komen. Bel me.'

Dat was het laatste bericht dat Larry op zijn satelliettelefoon had ingesproken.

Cody haalde de laatste sigaret uit zijn pakje, stak hem op en

344

inhaleerde alsof het de adem van een engel was. Larry was de beste toneelspeler op aarde of zijn berichten waren oprecht. Hij neigde licht tot het laatste.

31

ER WAS EEN halfuur voorbijgegaan toen Cody meende geweerschoten te horen. Twee schoten, twee zware *knallen*, in de verte voor hem. Als de wind een paar minuten tevoren niet was afgenomen tot een fluistering, zou hij ze misschien niet eens hebben gehoord, dacht hij.

Ze klonken slechts enkele seconden na elkaar. Hij had zijn ruin tot stoppen gedwongen en zijn hoofd schuin gehouden om beter te kunnen luisteren, maar het bleef verder stil. En langzaam, met het gekabbel van water dat over gladde rotsblokken in de rivier stroomde, stak de wind weer op en veroorzaakte een zacht geruis in de boomtoppen dat net luid genoeg was om andere geluiden in de verte te overstemmen.

Sindsdien had hij zich afgevraagd wat hij nu eigenlijk precies had gehoord. Het woud zat vol met levende wezens en geluiden. Omdat hij was opgegroeid tussen jagers en woudlopers als zijn vader en oom in Montana, had hij nooit enige waarde gehecht aan het oude cliché: 'Als er in het bos een boom omvalt, en er is niemand die het hoort...' Want hij had ervaren dat de natuur bruut, smerig en luidruchtig kon zijn. Vooral in een gebied als Yellowstone Park, waar het wemelde van de grote hoefdieren en bizarre natuurfenomenen. Hoewel geweerschoten het meest waarschijnlijk waren, konden die geluiden in de verte ook omvallende bomen, afbrekende takken, loslatende stukken rots of donderslagen zijn. Hij had gehoord dat grote grizzlyberen die op zoek waren naar insecten om op te eten grote, verrotte bomen omgooiden en kleinere bomen ontwortelden, en dat elanden soms zo heftig tegen boomstammen en stronken aan schurkten dat ze die omwierpen. En dan was er ook nog het voortdurend gebons in zijn eigen lijf.

Hij wou dat zijn geest helder was en dat zijn ingewanden en spieren niet schreeuwden om nicotine om ze weer op niveau te brengen. Bloed dat dun en opgejaagd en behoeftig leek, suisde in zijn oren en bonkte tegen zijn slapen alsof het probeerde uit zijn aderen te spuiten als uit een lekke tuinslang. Zijn gezichtsvermogen was beperkt en hij zag zwarte gordijnen vanuit zijn ooghoeken open en dicht gaan. Hij wist dat hij op dat moment ongeveer bereid was alles te doen voor een sigaret of een glas whisky of allebei.

Toen hij de geluiden hoorde, had hij zijn AR-15 uit zijn zadelholster getrokken en een .223 patroon geladen en het over zijn zadelboog gelegd. Hij reed door toen het door paardenhoeven omgewoelde spoor doelbewust van het hoofdpad afweek en naar een bosje kreupelhout rechts van hem voerde.

Daar zag hij de aan een tak gebonden rode sjaal en hij vroeg zich af waarom Jed McCarthy het pad had verlaten en waar hij zijn klanten heen bracht. En waarom iemand een markering had achtergelaten.

Af en toe was het nieuwe pad zo smal dat Cody de geweerkolf met de loop recht omhoog op zijn dij moest steunen om te voorkomen dat hij bleef haken achter boomtakken of overhangend gebladerte aan weerszijden van het pad dat zijn armen en knieën leek te willen grijpen. Gipper liep behoedzaam en weifelend terwijl Cody de pas erin wilde zetten en het dier voortdurend moest blijven aansporen. Hij wist dat paarden het soms aanvoelden als ze het gevaar tegemoetgingen, maar hij wist ook dat paarden soms gewoon overdreven voorzichtig en onzeker waren. Hij voelde dat zijn mond droog was geworden en zijn hart bonsde in zijn keel.

De lodgepole-pijnbomen vormden rondom hem een gesloten cordon. Ze waren niet hoog maar heel vol en ze stonden zo dicht op elkaar dat het moeilijk voor een mens zou zijn om ertussendoor te lopen zonder zich zijwaarts te moeten draaien. Het was zo lang geleden dat dit pad was gebruikt dat lange zijdeachtige resten van spinnenwebben, die door Jeds groep vóór hem kapot waren gemaakt, als spoken aan de takken boven zijn hoofd fladderden. Het was net alsof hij door een sluier reed.

Hij hoorde gegrom en dacht: *Een beer.*

Gipper hoorde het ook en het paard plantte zijn voeten diep in de aarde en leunde met zijn zware schoften achterover. Gippers oren spitsten zich naar voren en zijn neusgaten gingen wijd open en hij snoof bij wijze van waarschuwing of van de schrik. Cody schouderde zijn geweer met één hand en richtte het vaag voor zich uit, terwijl hij met zijn linkerhand de teugels vasthield. Het pakpaard, dat niet in de gaten had wat er gaande was, botste tegen Gippers achterste aan, waardoor het geweer in Cody's onzekere hand ook een oplawaai kreeg.

Er klonk opnieuw gegrom, ditmaal dichterbij en het geluid van zware voetstappen. Wat het ook was, het kwam dichterbij.

Cody wist niet of hij af moest stijgen of in het zadel moest blijven. Hij snakte naar vaste grond onder zijn voeten, maar wist dat hij niet in staat zou zijn zich soepel op de grond te laten zakken zonder het risico te lopen de macht over de paarden te verliezen. Als hij op de grond stond en ze besloten op hol te slaan en ervandoor te gaan, dan had hij een probleem. Het geweer leek hem alleen maar in de weg te zitten.

Hij zag een flard van kleuren tussen de dunne bomen voor zich. Beige en rood.

Een zacht gekreun: '*Mmmpfg.*'

'Wie is daar?' riep Cody. Zijn mond was droog en zijn stem sloeg over. 'Wie is daar? Maak jezelf bekend. Ik ben politieman.'

Een man te voet strompelde in beeld, maakte Gipper nog meer aan het schrikken en de ruin steigerde en maakte het Cody opnieuw onmogelijk zijn geweer te richten. Toen hij probeerde zijn evenwicht in het zadel te herstellen liet hij de teugels vallen. Het enige wat Gipper ervan weerhield zich volledig om te draaien was de muur van dunne bomen aan weerskanten van het pad.

'Rustig,' zei Cody, evenzeer tegen zichzelf als tegen Gipper. 'Rustig...'

De man, een Afro-Amerikaan in een spijkerbroek en een T-shirt dat ooit beige was geweest maar nu bijna volledig doorweekt was van glinsterend rood bloed, en met een uitdrukking van doodsangst en smart op zijn gezicht, kreunde opnieuw en viel voorover op zijn knieën op het pad.

Stuntelig, terwijl allebei zijn paarden tegenstribbelden, steeg Cody af en slaagde erin Gippers teugels op te rapen. Toen hij probeerde zijn paard vast te binden aan een dikke esp, gaf het pakpaard een ruk naar achteren en de leidsels die om Gippers zadelknop gewikkeld waren schoten los. Cody greep ernaar toen die weggleden, miste en stond een paar seconden ziedend van woede en in opperste verwarring te kijken hoe het pakpaard over het pad weggaloppeerde. Hij zag klonten aarde van de paardenhoeven omhoogvliegen en de zadeltassen sloegen hard tegen zijn flanken, wat het dier nog meer angst aanjoeg.

Het geroffel van de hoeven en zo nu en dan het gekraak van droge takken stierf weg. Cody slaakte een stroom van verwensingen en stampte op de grond.

Toen wendde hij zich tot de gewonde man.

In heel zijn loopbaan had Cody nog nooit te maken gehad met een stervende man. In bijna al zijn zaken was het slachtoffer al dood – in veel gevallen al dagen – en kon Cody hem met klinische distantie en zwarte humor observeren. Lijken waren niet meer dan zware vochtige zakken met organen, spieren, weefsel, vet en botten, bijeengehouden door een strak omhulsel van huid. Hij bestudeerde die zakken om te ontdekken welke methode was gebruikt om die persoon van het leven te beroven.

Cody ging op het pad zitten. Hij had nog nooit eerder het hoofd van een vreemde op zijn schoot gevlijd, terwijl de man echte tranen huilde en zich verslikte in golven bloed als hij probeerde te spreken.

'Jezus,' zei Cody, het hoofd van de man iets optillend door zijn eigen been op te trekken, in een poging een houding te vinden waarin het slachtoffer niet dat rochelende geluid hoefde te maken. 'Ik wil je geen pijn doen.'

De man schudde snel zijn hoofd, maar kon nog geen woord uitbrengen. Ondanks alles was hij nog steeds bij zijn volle bewustzijn, hoewel dat niet lang meer zou duren, wist Cody. Het slachtoffer bloedde leeg voor zijn ogen en er was helemaal niets wat één van beiden daaraan kon doen. Bull Mitchells verbandtrommel had in de draagtassen van het pakpaard gezeten. Maar zelfs als het paard niet was weggelopen, had Cody niet geweten of hij nog iets kon doen om het leven van de man te redden.

Hij wist al hoe het zou aflopen toen de man minuten geleden op hem toe kwam lopen. Er zat een gat zo groot als een vuist in 's mans rug, waar de kogel zijn lichaam had verlaten. Het was vele centimeters diep en pulseerde. Cody ging op het pad zitten en keerde de man om. Het slachtoffer had met heldere ogen en een scherpe blik toegekeken. De wond waar de kogel zijn lichaam was binnengedrongen had de grootte van een kwartje en werd omgeven door een gat in zijn shirt. Het gat in de stof, juist onder het borstzakje, was aan de randen zwart verschroeid in een vorm die deed denken aan een bloem die in bloei stond. Dat was veroorzaakt door kruitresten – waaruit kon worden opgemaakt dat hij van heel dichtbij was neergeschoten. Het moest een groot kaliber wapen zijn geweest. Cody zag geen andere kogelwonden, maar die hoefden er ook niet te zijn.

Cody zei: 'Ik ga niet tegen je liegen en zeggen dat het allemaal goed zal komen.'

De man deed zijn ogen heel even dicht en weer open. Niet van teleurstelling, maar om Cody te kennen te geven dat hij het begreep.

Cody voelde hoe het bloed uit de grote wond in zijn rug de stof van zijn spijkerbroek doorweekte. Het was warm.

'Kun je me verstaan?' vroeg Cody.

Opnieuw knipperde de man met zijn ogen.

'Maak je deel uit van de trektocht die door Jed McCarthy wordt geleid?'

Geknipper met de ogen. *Ja.*

'Is er een wat oudere jongen mee op die tocht? Justin? Een jaar of zeventien, achttien?'

Ja.

'Maakt hij het goed?'

Ja.

'Man, ik weet niet wat ik moet beginnen. Ik kan het bloeden onmogelijk stoppen.'

Ja.

'Heb je gezien wie je heeft neergeschoten?'

Ja.

'Kun je proberen iets te zeggen? Wil je alsjeblieft proberen te vertellen wat er is gebeurd en wie dit heeft gedaan?'

Ja.

De man sloot zijn ogen en slikte met moeite. Cody keek omhoog op zoek naar een nieuwe ingeving of een teken dat hem – en het neergeschoten slachtoffer – enige hoop kon bieden. Of iets wat hij kon doen om het deze arme man iets gemakkelijker te maken.

Hij *voelde* de man sterven. Het was niet het geluid of een beweging, maar een plotselinge afwezigheid van vastigheid op zijn schoot. Cody keek naar hem. 'Niet nu,' smeekte Cody. 'Niet voordat je me vertelt wat er is gebeurd.'

De ogen van de man waren nog open maar daarachter was niets meer. Zijn mond stond enigszins open en was rood vanbinnen, de kleur van gekonfijte kersen. Cody legde zijn vingers op zijn oogleden en drukte ze dicht in de hoop dat ze dicht zouden blijven. Dat bleven ze.

Cody rolde het lichaam van zijn benen af. Dood leek het twee keer zo zwaar als daarvoor. Hij richtte zich wankelend op. Zijn spieren deden pijn van het paardrijden en hij zat onder het bloed van de man; zijn spijkerbroek was zwart en kleverig en oranje dennennaalden in de vorm van halve maantjes plakten aan de stof. Hij boog zich naar voren, doorzocht de kleding van het slachtoffer, vond een portefeuille en klapte die open. André Alan Russell, woonachtig in Manhattan. Cody herinnerde zich de naam uit het dossier dat hij uit Jeds kantoortje had meegenomen.

Zoals hij eerder die dag ook al had gedaan, fotografeerde hij Russells lichaam en wonden, in de wetenschap dat hij ergens anders was neergeschoten en dat dit niet de plaats delict was. Hij vroeg zich af hoever Russell na te zijn beschoten nog was gekomen. Hij sleepte Russells lichaam weg van het pad. Voordat hij het onder een massieve omgevallen boom verborg en het zo goed als hij kon bedekte met zware houtblokken en takken, sloeg Cody zijn ogen heel even ten hemel en zocht toen al Russells zakken af naar een pakje sigaretten dat er niet was. Toen bedekte Cody vloekend het lichaam. Die bedekking zou niet voorkomen dat roofdieren hem zouden vinden – dat was nu eenmaal onvermijdelijk – maar hij hoopte dat hij met hulp zou kunnen terugkomen om het lijk op te halen voor het aan stukken was gereten.

Hij hield Russells New Yorkse rijbewijs, maar verstopte de portefeuille en de inhoud van zijn zakken in een holte van de esp waaraan hij Gipper had vastgebonden.

Omdat Mitchells GPS verdwenen was en hij de coördinaten niet kon bepalen, haalde Cody een T-shirt uit zijn zadeltas, scheurde dat aan flarden en bevestigde één strook op de plaats waar het lijk zich bevond en een andere aan een lage, over het pad hangende tak om de locatie aan te geven. Hij noteerde in zijn opschrijfboekje met spiraalband wat hij had gevonden en wat hij met het lijk en met Russells bezittingen had gedaan.

Toen hij klaar was stond hij op, veegde het zweet van zijn gezicht en nam zijn hoed af om zijn hoofd wat verkoeling te bieden. Hij kon geen spoor van Russells lijk ontwaren onder de bedekking die hij had aangebracht, maar hij wist dat het er lag. En het beeld van Russells laatste poging om nog een woord uit te brengen zou hem voor altijd bijblijven.

Nadat hij Gipper weer had bestegen, overwoog Cody om te keren en te proberen het pakpaard terug te halen, maar hij was bang dat het beest nog steeds doorgaloppeerde en inmiddels al vele kilometers ver weg was. Hij kon het zich niet veroorloven meer tijd tussen hem en Justin verloren te laten gaan.

Hij gaf zijn paard de sporen en met tegenzin stapte Gipper weer het pad op. Terwijl zij hun weg voortzetten, graaide Cody in de zadeltas achter zich naar zijn satelliettelefoon. Hij had lang en diep nagedacht over de situatie waarin hij zich bevond en besloten dat hij het verder niet in zijn eentje kon riskeren.

Want nu waren er twee lijken en hij had geen enkele reden om ervan uit te gaan dat er niet nog meer waren.

Hij zette de telefoon aan en keek naar het schermpje. Hij deed het, maar er was geen ontvangst. Hij keek omhoog; het gebladerte was te dik. Hij moest wachten tot hij een open plek in het woud bereikte, waar de telefoon verbinding had met een satelliet. Hij bevestigde de telefoon aan zijn riem naast de Sig Sauer en reed behoedzaam door. Hij kon Russells bloed op zijn kleren ruiken en die geur vermengde zich met die van zijn eigen angst.

Er gebeurde van alles, ver voor hem uit. Hij lag uren en kilometers achter op de trektocht, maar hij kwam dichterbij. Hij had geen flauw vermoeden wat het motief voor de moorden was, maar het was duidelijk dat degene die erachter zat in een nieuwe fase was beland. De moorden die waren gepleegd voordat de trektocht was begonnen, waren uiterst zorgvuldig voorbereid om de indruk te wekken dat het een ongeluk of een zelfmoord betrof. Daar was grondig over nagedacht.

Tristan Glodes lichaam was goed verborgen geweest. Het was niet onmogelijk, dacht Cody, dat de moord buiten het zicht van de andere reisgenoten was gepleegd en dat ze misschien nog niet eens wisten wat er was gebeurd. Maar in het geval van Russell lag het anders. Hij had op de een of andere manier weten te ontsnappen en was niet achternagezeten, waarschijnlijk omdat de moordenaar wist dat het slachtoffer toch wel dood zou bloeden. Maar in tegenstelling tot de moorden die aan die van

Russell voorafgingen, was er niets te merken van zorgvuldige voorbereiding of uitvoering. Russell was niet achtervolgd en zijn lichaam was niet verborgen om de misdaad te verbloemen.

Waaruit kon worden opgemaakt dat de situatie om de een of andere reden uit de hand was gelopen. In vertwijfeling waren mensen tot alles in staat.

En dat gold ook voor hemzelf.

Er gingen een paar minuten voorbij en Cody keek naar de telefoon om te zien of hij al ontvangst had, zodat hij Larry kon opbellen. Hij keek voor zich uit en zag een paar uit elkaar staande laarzen die toebehoorden aan een derde slachtoffer.

Gipper snoof en deinsde verwoed achteruit.

Flarden zonlicht schenen tussen het gebladerte door en speelden over hun vachten en hij zag minstens één gigantische ronde kop en de bulten op hun ruggen en de spierbundels onder de vacht.

Hij zou het tegen een grizzlymoeder en haar twee jongen moeten opnemen die zich aan vers vlees tegoed deden als hij het lijk wilde identificeren.

32

T ERWIJL GIPPER IN doodsangst briesend en met witte, aman-
delvorige ogen en de oren achterwaarts gericht, in het wilde
weg achteruitdeinsde – rukte Cody aan de teugels en probeerde
in het zadel te blijven. Hij was zich ervan bewust dat zijn reactie
even onbeheerst was als die van zijn paard en dat hij het er zo
niet beter op maakte, maar hij wist zich geen raad. De grote
bruine grizzlyberin keek op met een muil vol rood vlees. De
twee jongen – de een kastanjebruin, de ander dezelfde kleur als
zijn moeder – klauterden over het lijk heen, kozen het kielzog
van haar gigantische achterwerk en keken met zwarte ogen
naar hem om.

Cody slaagde erin Gippers hoofd opzij te buigen en het dier
ertoe te bewegen lang genoeg op te houden met achteruit-
deinzen, om zijn rechterlaars uit de stijgbeugel te bevrijden en
met zijn geweer in zijn hand af te stijgen. Gipper steigerde alsof
hij een stroomstoot had gekregen en drukte Cody tegen een
boomstam, waarbij hij de lucht uit zijn longen joeg, en sprong
vervolgens terug naar het pad. Cody gleed, verbouwereerd en
happend naar adem, zijdelings langs het paard omlaag en voelde
hoe de teugels uit zijn handen werden gerukt.

Gipper was ervandoor. Het paard draafde weg door het kreupelhout, daverde tussen de dicht opeen staande bomen door en liet een regen van gebroken takken en dennennaalden in zijn kielzog achter. Hij hoorde zijn paard kreunen en voelde het geroffel van zijn hoeven op de bodem van het woud via de zolen van zijn laarzen.

Cody zwaaide de loop van de AR-15 in de richting van het lijk en de beren. De jongen hadden hun koppen naar rechts gekeerd, geschrokken van het paard dat op hol geslagen tussen de bomen door snelde. Maar de berin keek Cody strak aan, strekte zich uit en verdedigde het lijk met haar klauwen zo groot als honkbalhandschoenen. De lange rode lap vlees zwaaide heen en weer tussen haar kaken.

'*Ga weg!*' brulde Cody, terwijl hij zijn geweer schouderde, langs de richtpunten tuurde en de loop richtte op haar opgetrokken linkerwenkbrauw. *Donder onmiddellijk op!*'

Het kastanjebruine berenjong keek naar Cody en richtte zich op zijn achterpoten op. Hij was nauwelijks een meter groot, een ontluikende miniatuuruitvoering van zijn moeder. Zijn voorpoten kromden zich en rustten bijna komisch op zijn dikke buikje. Hoewel hij dat wel wilde, zag hij er, afgezien van het bloed op zijn snuit, niet erg angstaanjagend uit.

Het bruine jong jankte, sprong met vier poten tegelijk van achter zijn moeder vandaan, klauterde over het lijk heen en rende recht op Cody af.

'*Ga terug, kleintje!*' bulderde Cody, terwijl hij op het aanstormende beertje afliep en met zijn voorste been hard op de grond stampte terwijl hij het geweer op hem richtte. '*TERUG!*'

Het jong kwam tot op drie meter afstand van hem en bleef toen stilstaan. Het was een doelbewuste schijnaanval, een poging tot bangmakerij die grizzlyberen wordt ingeprent en blijkbaar vaak werkt, maar Cody vertikte het om ervandoor te gaan en wilde niet vuren en zichzelf blootgeven zolang dat niet absoluut noodzakelijk was. Want hij wist dat als hij het jong zou verwonden de moeder zich boven op hem zou storten voordat de patroonhuls de grond raakte. De .223 patronen uit zijn geweer zouden haar misschien vertragen, maar haar waarschijnlijk niet tegenhouden.

Impasse.

Hij kon niet wegrennen want dan zouden de beren hem inhalen. Zelfs de jongen hadden vlijmscherpe klauwen en tanden.

Zwaaiend met het geweer, zette hij zo agressief als hij kon een paar stappen in hun richting. Hij schreeuwde ze toe, brulde dat ze moesten opdonderen en kreeg uiteindelijk een zware hoestbui die eindigde in hees geblaf. Het bruine jong keerde zich om en rende terug naar zijn moeder. Zodra hij bij haar was aangekomen, snoof de berin, sprong ze weg van het lijk, draaide zich om en verdween in het kreupelhout, op enkele centimeters afstand gevolgd door het bruine jong. Het kastanjebruine jong bleef op zijn achterpoten staan.

'Jij kunt ook maar beter gaan,' gromde Cody.

Het kastanjebruine jong scheen plotseling te beseffen dat hij alleen was, liet zich op alle vier zijn poten zakken, jankte even en verdween in het woud.

Cody liet het geweer zakken, sloot zijn ogen en slaakte een diepe zucht. Hij keek omlaag om te zien of hij het in zijn broek had gedaan en zag tot zijn opluchting dat dat niet het geval was. De volgende minuut voelde hij zijn hartslag langzaam tot bedaren komen. Hij zette het geweer tegen een boomstam en wreef met zijn handen over zijn bezwete gezicht en realiseerde zich dat het wegebben van adrenaline erg leek op de eerste stadia van een kater.

Hij voelde dat de beren niet ver weg waren. Toen hij naar het lijk toeliep, hield hij het geweer in de aanslag en speurde met zijn ogen aan beide kanten het woud af. Hij voelde zijn hart nog steeds in zijn keel bonzen en de toppen van zijn vingers en tenen schreeuwden om nicotine om te zorgen dat de uiteinden van zijn zenuwen ophielden met tintelen.

Hij huiverde. De geur van vers bloed en blootgelegde ingewanden was doordringend. Hompen vlees waren van helder witte botten gescheurd en het stapeltje menselijke resten deed hem denken aan de overblijfselen van een kerstkalkoen.

Om te voorkomen dat hij niet direct naar de verminking zou hoeven kijken, draaide hij zijn hoofd opzij toen hij het lijk omdraaide. De onderkant was minder aangevreten. In de achterzak van de broek vond hij een portefeuille. Daarin zat een EasyPayXpress Unlimited MetroCard voor de New Yorkse ondergrondse, 480 dollar in cash, diverse creditcards en visitekaartjes, groepsfoto's van een heel uitgebreide donkerharige familie en een rijbewijs waaruit bleek dat het slachtoffer Anthony Joseph D'Amato heette.

D'Amato's kleren waren grotendeels losgescheurd en op zijn rug bijeengepropt. Cody woelde door de uiteengereten kleren en voelde iets kraken. Het was het bekende en onwaarschijnlijk welkome geluid van kreukelend cellofaan, en Cody liet zich als een waanzinnige op handen en knieën zakken en viel met beide handen op het pakje aan.

In een gescheurd dubbel afsluitbaar plastic zakje zat een ingedeukt half pakje Marlboro Lights.

'D'Amato,' zei Cody, 'wat geweldig dat jij een stiekeme roker was.'

Het was duidelijk dat een van de grizzlyberen het plastic zakje had opengehaald met klauwen die dwars door de sigaretten heen hadden gesneden. Cody graaide in het pakje, ademde de zoete geur van gesausde tabak in en vond drie ongeschonden sigaretten. Op de langste van de drie zat aan de zijkant een veeg bloed.

Hij keek er een ogenblik naar en moest zichzelf toegeven dat hij daadwerkelijk de laatste met bloed besmeurde sigaretten van een dode oprookte.

Hij stak er een op, leunde achterover en inhaleerde, terwijl hij ondertussen op zijn hoede bleef voor de beren en zo half en half verwachtte dat ze elk moment, wanneer hij even niet oplette, als demonen uit het bos tevoorschijn konden stormen om hem aan stukken te rijten.

En hij wist niet eens of dat wel de beroerdste manier was om het leven te laten, want het zou in ieder geval heroïsch en snel zijn.

Hij liet het lijk van D'Amato op het pad achter totdat hij wist wat hij ermee moest doen. Hij had geen touw om het op te hangen en het kon nooit lang duren voordat de beren terugkwamen. Gipper was er met zijn onderzoekskit vandoor gegaan.

Cody baande zich ruwweg in de richting waarin zijn paard was weggerend een weg door het kreupelhout. Terwijl hij zich tussen drie boomstammen door wrong en al rokend over omgevallen bomen heen stapte, merkte hij dat het lichter werd. Hij liep in de richting van het licht en was, na nog tien minuten door het bos te zijn gelopen, bij een kleine grazige open plek aangekomen.

De satelliettelefoon had bereik. Hij toetste het nummer in van het mobieltje waarvan Larry gezegd had dat hij het moest bellen. De ontvangst was duidelijk en hij hoorde de telefoon aan de andere kant overgaan. Vier, vijf, zes keer. Geen voicemailpiepje. Cody liet hem rinkelen in de verwachting dat Larry het uiteindelijk wel zou horen en zou opnemen.

Terwijl hij wachtte, draaide hij langzaam in het rond op de weide, zodat hij het woud naar alle kanten in de gaten kon houden. Hij hield de loop van de AR-15 omlaag in zijn rechterhand.

De veiligheidspal was eraf. Er was geen spoor te bekennen van beren, wolven of zijn paard, of van wie het ook mocht zijn die Tristan Glode, Russell en D'Amato had vermoord. En vóór hen een aantal voormalige alcoholisten, onder wie ook Hank Winters.

Twee minuten later hoorde Cody tot zijn verbazing een klikje in zijn oor. Er was iemand aan de andere kant van de lijn.

'Larry?' zei Cody.

Hij hoorde iemand ademhalen.

'Larry, ben jij dat?'

Geen andere geluiden op de achtergrond. Alleen ritmisch ademhalen. Cody keek op het schermpje om te controleren of hij wel het juiste nummer had gebeld. Dat had hij. Ergens op de achtergrond rinkelde een telefoon. Het was een bekende ringtoon.

'Met wie spreek ik? Kun je me verstaan?'

Het ademhalen hield op en er klonk een stilte op de lijn, maar de verbinding was nog steeds niet verbroken. Cody had de indruk dat iemand zijn hand op de telefoonhoorn had gelegd om het geluid te dempen.

'Zeg eens wat,' zei Cody. 'Doe je mond open. Ik bel hier over een belangrijke politiekwestie. *Dit is een noodgeval.*'

Na een tel werd de verbinding verbroken.

Overmand door twijfels en met een tinteling van koude angst die oprees uit zijn onderbuik, toetste hij opnieuw het nummer in. Hij deed het heel welbewust, om er zeker van te zijn dat hij zich niet kon vergissen.

Een bandopname liet hem weten dat het nummer niet langer bereikbaar was.

Cody liet zijn hand met de telefoon erin zakken en keek omhoog. Het was niet Larry die hij aan de lijn had gehad, daar was hij van overtuigd. En het was ook geen vreemde die een telefoontje van een onbekende aannam, wat het geval had kunnen zijn als Larry zijn telefoon onbeheerd op zijn bureau of in een restaurant had achtergelaten.

Degene die had opgenomen had zijn mond gehouden totdat Cody het initiatief had genomen en zich bekend had gemaakt. Alsof hij al een hele tijd op dat telefoontje had gewacht.

En de rinkelende telefoon op de achtergrond – voordat een hand het geluid had gedempt – was hem even vertrouwd als het geluid van zijn wekker. Hij herkende het omdat het de ringtoon was van de antieke telefoons op het hoofdbureau van de sheriff van Lewis and Clark County.

Diep in het woud, van de kant van het pad, hoorde hij een takje breken.

Cody liet de satelliettelefoon ingeschakeld en bevestigde die weer aan zijn riem. Hij tuurde in de richting van de muur van bomen in het oosten, waar het geluid vandaan was gekomen.

 Hij hoorde het geluid van staal tegen steen, een karakteristiek geluid. Toen het geluid van een snuivend paard.

Gipper?

Verkeerde richting, zei Cody tegen zichzelf terwijl hij de AR-15 richtte. Hij wilde dat hij zijn materiaaltas bij zich had, want hij had maar wat graag het kleine magazijn vervangen door een dertigpatroonmagazijn.

Hij hoorde het gekraak van leer en weer een voetstap. Hij kreeg een droge mond.

Er was een paard in aantocht. Misschien meer dan een. Het dier liep met een doelgerichte tred, waaruit kon worden opgemaakt dat er iemand in het zadel zat.

Hij nam de enigszins gekromde schiethouding aan en ademde diep in.

33

Toen Jed te voet, zijn paard achter zich aan trekkend, Kamp Twee bereikte, stokte het gesprek plotseling.

'Mijn paard is kreupel geraakt,' zei hij. 'Ik was nog maar net onderweg toen hij zich verstapte.'

'Je hebt ze dus niet gevonden?' vroeg Knox overstuur.

'Ik ben niet ver gekomen,' zei Jed.

'Jezus,' jammerde Knox in de richting van de anderen, 'gaat er dan helemaal nooit meer iets goed?'

Jed wist dat hij zich hiervan los moest maken en hun aandacht op andere zaken moest richten. *Kom de situatie te boven en neem het heft weer in handen,* dacht hij.

Hij was opgelucht dat niemand hem echt het vuur aan de schenen legde toen hij het kamp binnen kwam. Hoewel Dakota, Rachel Mina en het jonge meisje Gracie hem uitdagend en angstig leken aan te kijken – angst was best, uitdaging niet – zei niemand iets. Wat betekende dat ze de leiding over het geheel – in ieder geval gedeeltelijk – aan hem overlieten. Hij keek heel even naar de vader. Kwade vaders konden op zichzelf knap lastig zijn. Hij had niet verwacht dat Ted Sullivan het tegen hem zou opnemen en dat deed de man ook niet.

Wat ze ook over hem mochten hebben gezegd, in zijn aanwezigheid was dat plotseling taboe. Vroeger ergerde het hem altijd een beetje als hij hoorde dat zijn klanten kritiek hadden op hem of op de beslissingen die hij nam, maar daar trok hij zich nu niets meer van aan. Zolang het maar niet ontaardde in openlijk verzet, wat nog nooit het geval was geweest. Jed begreep de groepsdynamiek. Een stel vreemden die je op een hoop gooide ging op zoek naar iets gemeenschappelijks en dat gemeenschappelijke was vaak de reisleider die hen bijeen had gebracht. Hij was de gemeenschappelijke noemer onder deelnemers uit verschillende lagen van de bevolking en met verschillende interesses. Om met elkaar te kunnen converseren hadden ze iets te vieren nodig of iets om over te klagen, en dat bleek op de een of andere manier bijna altijd hijzelf te zijn.

Jed richtte het woord tot allemaal. 'Luister, mensen, ik begrijp dat iedereen zich een beetje zorgen maakt over de recente gebeurtenissen. Het is idioot dat we die mensen kwijt zijn geraakt en dat betreur ik ten zeerste. Ik betreur het ook dat ik achter ze aan ben gegaan op een paard met een lekke band.' Hij wees op zijn vos.

'Toch wil ik jullie vragen om kalm te blijven, mensen,' zei hij. 'Houd alsjeblieft jullie gemak. Ik voel dat er allerlei complottheorieën en wilde veronderstellingen de ronde doen. Dat is heel normaal. Maar jullie bevinden je hier in een prima kamp met een overvloed aan voedsel en comfort. Er is geen enkele reden om jullie ook maar ergens zorgen over te maken.'

Knox kwam van achter de kookeenheid tevoorschijn. 'Jed, ik zit ontzettend in mijn rats om mijn vrienden. Ik wilde dat ik met je mee was gegaan om ze te zoeken.'

'Ik ga weer naar ze op zoek, maar ik moet alleen even van paard wisselen. Ik heb een beter rijdier nodig,' zei hij tegen Knox.

Opeens vroeg Rachel Mina: 'Wat heb jij met ze gedaan?'

Het was net alsof er een glasscherf onder zijn huid werd gestoken.

'Pardon?' zei hij, zijn glimlach nog steeds intact.

Haar ogen schoten vuur. 'Ik vroeg wat je met ze hebt gedaan? Met Tristan, Wilson, Drey en Tony? Heb je ze verwond en daar achtergelaten?'

Jed nam langzaam zijn hoed af en staarde erin. Hij streek met zijn vingertoppen langs de leren zweetband aan de binnenkant alsof hij die controleerde op onregelmatigheden. Hij voelde zijn maag ineenkrimpen en ademhalen deed hem een beetje pijn.

Alle ogen waren op hem gericht.

'Mevrouw,' zei hij na enkele ogenblikken, 'ik heb geen flauw idee waar u het over hebt of wat u van mij wilt horen.'

Van de andere kant van het kamp zei Ted Sullivan: 'Jezus, Rachel...' Hij was verbijsterd.

'Je hebt me best verstaan,' zei ze tegen Jed. 'Een voor een pluk je ons eruit. Ik wil weten waarom. Ik wil weten wat je in je schild voert en waar je op uit bent. Ik bedoel, kijk ons nu eens. Wij vormen geen bedreiging voor jou...'

'Jezus, Rachel,' zei Ted Sullivan tegen haar. En vervolgens tegen Jed: 'Man, het spijt me vreselijk, hoor. Ik weet niet wat haar bezielt.' Hij liep met zijn armen uitgestrekt naar haar toe.

'Rachel, echt, ik heb nog nooit eerder meegemaakt dat jij zo hard van stapel loopt.' Toen hij dichter bij haar kwam, keerde ze zich van hem af en zei: 'Ted, blijf uit mijn buurt. Blijf van me af.'

Sullivans twee dochters sloegen het voorval met open mond gade. Jed had geen idee aan wiens kant ze stonden.

'Dit loopt de spuigaten uit,' zei Walt Franck, met zijn handen op zijn dijen kletsend en zijn handen gebruikend om zichzelf van het rotsblok waarop hij zat overeind te duwen. 'Hier wordt niemand wijzer van.' Hij maakte een gebaar in de richting van Jed en zei tegen Rachel: 'Deze man heeft zich het grootste deel van de tijd ingespannen om een paar klanten van hem op te sporen die in het holst van de nacht uit eigen vrije wil zijn weggelopen.'

Als hem al iets te verwijten valt, dan is het dat hij Drey en Tony vanochtend op eigen houtje heeft laten vertrekken om het een en ander goed te maken. Maar onder de gegeven omstandigheden,' Walt knikte in de richting van Donna Glode, die hem onthutst aankeek, 'zou ik waarschijnlijk hetzelfde hebben gedaan. Maar niemand heeft ze weggestuurd of heeft hen ertoe aangezet om te vertrekken. Om hem te beschuldigen van...'

Hij kon het woord niet over zijn lippen krijgen. Hij schudde zijn hoofd alsof hij zich daarmee van die onaangename woorden zou kunnen ontdoen. 'Dat is gewoon krankzinnig,' zei hij.

'Hij heeft gelijk, Rachel,' zei Sullivan tegen haar. 'Met zo'n negatieve houding help je niemand. Laten we allemaal even diep ademhalen en tot rust komen.' Hij pakte haar bij haar arm en probeerde haar naar zich toe te draaien, maar ze rukte zich los.

'Misschien heeft ze wel gelijk,' zei Gracie, terwijl ze haar vader recht aankeek. Gelukkig deed Ted Sullivan die opmerking van zijn dochter af met een boos wegwuivend gebaar. Het meisje werd vuurrood.

Jed zei botweg tegen Rachel: 'Ik zal me beheersen, dame. Ik weet dat de situatie nogal stressvol is. Maar aan beschuldigingen zonder het minste bewijs heeft niemand iets.'

Hij keek om zich heen op zoek naar bevestiging.

En iedereen was het met hem eens, meende hij. De enige twee die zijn blik ontweken waren Gracie en Rachel Mina. Dakota keek hem aan, maar deed dat met haar kin in de lucht en haar ogen halfgesloten. Alsof ze de een of andere beslissing over hem stond te nemen.

Een tel stilte, toen nog een. Rachel Mina werd weggeleid door Ted Sullivan. Jed keek ze na en zag dat Sullivan, zodra ze het kampterrein af waren en weer tussen de bomen liepen, probeerde zijn arm om haar heen te slaan en haar te kalmeren, maar ze duwde hem weg en liep in haar eentje stampvoetend weg. Toen ze eenmaal was vertrokken, stond Sullivan met gebogen hoofd en afhangende schouders tussen de bomen, als een treurig beeld van een zwakke, maar bruikbare man, dacht Jed. Een ogenblik later keerde Sullivan zich op zijn hielen om en liep weg in tegenovergestelde richting als Rachel Mina. Waarschijnlijk om zich te laten gaan en een potje te janken, veronderstelde Jed.

Jed richtte zijn aandacht op Dakota. 'Wil je deze vos alsjeblieft even naar de kraal brengen en het beste rijpaard voor me uitkiezen en zadelen zodat ik weer op zoek kan naar onze eigenzinnige jongens. Ik moet nog wat spullen pakken want het zou wel eens laat kunnen worden. Ik kom niet terug voor ik die twee verdoolden heb gevonden.'

'Dank je wel, Jed,' zei Knox.

Jed knikte zo beminnelijk mogelijk.

Hij bracht de vos naar Dakota, die hem nog steeds brutaal stond aan te kijken. Ze nam de teugels over, zoals haar was opgedragen. Meer verwachtte hij op dat moment niet van haar.

Gracie, Danielle en Justin liepen naast elkaar naar het groepje tenten dat op het gras was opgezet. Justin en Danielle liepen hand in hand, maar Danielle maakte een afwezige en wezenloze indruk.

'Ik word knettergek van die mensen,' zei Justin. 'Ze gaan tegen elkaar tekeer in plaats van de handen ineen te slaan. Ik wilde dat we nu meteen allemaal naar huis konden.'

Hij leek te wachten op instemming van Danielle, maar die bleef uit.

Danielle zei tegen Gracie: 'Ik kan niet geloven dat pap zich zo kon gedragen. Hij was je echt aan het dissen, hè?'

'Mmm,' zei Gracie. 'Rachel was hij ook aan het dissen.'

'Ik had ook gedacht dat hij de kant van Rachel en van jou zou kiezen,' zei Danielle. 'Ik bedoel maar, hij is onze *pa*. Je wilt toch niet dat je eigen pa partij kiest voor die andere gozer?'

'Mmm.'

'Daar zeg je zo wat,' zei Justin. 'Mijn pa zou waarschijnlijk achter mij zijn gaan staan. Zo is hij nu eenmaal. Ik geloof dat ik daar nooit eerder bij stil heb gestaan.'

'Bof jij even,' zei Gracie.

'Weet je wat?' zei Danielle, en ze liet Justins hand los en ging naast Gracie tegenover hem staan.

'Wat?' zei Gracie.

'Ik weet niet zeker of we hem wel kunnen vertrouwen.'

'Mmm.'

'Dat weet ik niet,' zei Danielle. 'Nu niet meer.'

Dakota bracht Jeds vos naar de tijdelijke, met schrikdraad omgeven kraal. Terwijl ze met het paard doorliep hoorde ze de stemmen in het kamp achter zich vervagen. Jed werd omringd door de anderen; hij legde aan Knox, Walt en Donna uit dat hij opnieuw het pad af zou lopen en op z'n minst met Drey en Tony zou terugkomen. Hij zei dat hij niet kon beloven ook Tristan mee te brengen en dat hij zich eerlijk gezegd niet al te zeer om Wilson bekommerde, hoewel hij wel graag al zijn paarden terug wilde hebben. Hij zei dat hij waarschijnlijk tot ver in de nacht of op zijn laatst tot de volgende ochtend weg zou blijven. En hij legde Knox opnieuw uit dat hij zijn hulp niet nodig had.

Toen Dakota de stroom uitschakelde en het schrikdraad opzijdeed, keek zij naar het kamp hoger tegen de heuvel. Knox,

Donna en Walt waren daar nog. Jed was blijkbaar naar zijn tent gegaan om spullen of kleding te pakken die hij nodig had voor een langere tocht. Rachel en Ted waren nog ergens aan het ruziën of bleven juist bij elkaar uit de buurt.

Haar ogen speurden de bomen en de tenten af. De drie tieners hadden elkaar gevonden en liepen met z'n drietjes weg. Vanuit het kamp lette niemand op haar.

Ze zette de pas erin en sleurde de vos bijna achter zich aan. Het paard liep zwaar mank, maar daar kon ze zich nu niet druk over maken. In het gras wemelde het van de sprinkhanen en die schoten als vonken voor haar voeten weg toen zij de weide overstak. Een dik exemplaar landde op haar linkerborst en ze sloeg hem van zich af. Midden in de geïmproviseerde kraal stond een dikke spar en ze positioneerde het paard daarachter, zodat de boomstam zich tussen haar en de mensen in het kamp bevond.

Voordat ze Jeds zadeltassen opende, keek ze nogmaals om zich heen. Ze kon haar gang gaan.

Ze frunnikte aan de riemen van de twee zadeltassen en maakte de klep los. Terwijl ze op haar tenen stond, trok ze de rand van de tassen omlaag en keek erin. Bovenop lag Jeds vuurwapen. Ze meende iets van kruitgeur op te vangen.

Ze duwde zijn regenpak opzij en vond op de bodem van de tas zijn koffertje. Ze pakte het versleten handvat en trok het koffertje eruit. Jeds opgerolde gele regenjas kwam mee naar buiten en viel voor haar voeten op de grond.

Ze gebruikte het achterste van de vos als bureaublad, legde het koffertje erop en maakte de sluitbeugels los. Met twee krachtige klikgeluidjes sprongen ze open.

De dossiermap, waarvan ze de vorige avond in hun tent een glimp had opgevangen, lag boven op zijn andere spullen en ze zag de hoekjes van de uitdraaien onder het dikke papier van de dossiermap uitsteken.

Ze haalde diep adem, legde de map in het midden en stak haar hand uit naar het bezoedelde klepje om hem open te maken.

De witte flits voor haar ogen was niet weer een sprinkhaan, maar het lemmet van een mes van iemand die zich tegen haar rug aandrukte en haar inklemde tussen hem en de zijkant van het paard. Het sneed zo diep door het vlees van haar keel dat ze het staal over haar beenderen voelde schrapen.

.

34

HET GELUID TUSSEN de bomen kwam dichterbij: takjes die afbraken, het geklikklak van hoeven op steen, het gekraak van leer op leer, het gesnuif van paarden. Hij voelde nog meer de aanwezigheid van zware levende wezens die gezamenlijk op hem af kwamen dan dat hij ze werkelijk zag. *Met z'n hoevelen zijn ze?* dacht Cody.

Hij wierp een blik op zijn geweer. Hoogstwaarschijnlijk te weinig kogels. En als zij gewapend waren? Misschien was hij genoodzaakt zijn Sig Sauer te trekken als hij zijn geweer had leeggeschoten.

Toen klonk luidkeels een zware stem: 'Cody?' De stem galmde door het woud.

Cody sloot even zijn ogen, haalde diep adem en stond op. 'Bull?'

'Waar zit je verdomme?' gromde Mitchell.

'Hier. Recht voor je, geloof ik. Op een open plek.'

'Gezien,' zei Mitchell, 'pas op dat je me niet neerknalt, hoor. Ik kom op je stem af.'

'Ik kijk wel uit,' zei Cody. 'Wie heb je meegebracht? Met z'n hoevelen zijn jullie daar?'

'Eentje maar,' zei Mitchell.

Cody wist niet of dat betekende dat Mitchell alleen was of dat er nog één iemand anders bij hem was. Niettemin had hij het gevoel dat er een loden last van zijn schouders viel. 'Ik moet zeggen dat ik blij ben dat je bent teruggekomen.'

'Het heeft me nogal wat tijd gekost,' bromde Mitchell, 'als je in aanmerking neemt dat ik over een afstand van vele kilometers loslopende paarden moest verzamelen.'

Cody liet zijn geweer zakken en wachtte. Hij hoorde Mitchell en de paarden zich voorzichtig een weg tussen de bomen door zoekend naderbij komen, maar hij kon ze nog niet zien.

Uiteindelijk zag hij een paardenhoofd met een witte bles op de neus uit het struikgewas opduiken. Mitchells paard.

'Ach, daar ben je,' zei Mitchell en Cody kon hem zien. Hij was een forse kerel, maar hij bereed het paard alsof ze een twee-een-heid vormden en Cody had moeite te onderscheiden waar het paard ophield en waar Mitchell begon.

'Verdomme, wat ben ik blij jou te zien,' zei Cody. 'Waarom ben je teruggekomen?'

'Al sla je me dood,' zei Mitchell. 'Zoals Hank de Drijfhond altijd zegt: 'De scheidslijn tussen heldendom en dwaasheid is maar heel dun.'

Cody moest grinniken om dat antwoord. 'Dan wil je zeker je vuurwapen terug.'

'Klopt.'

Mitchell trok Gipper en het pakpaard, die allebei waren weg-gelopen, achter zich aan. En daarachter, met een serie leidsels aan elkaar gebonden, liepen nog vier paarden. Van de eerste drie waren de zadels leeg.

Maar op het laatste paard, een schimmel, zat een ruiter. Cody was verbaasd en hief instinctief zijn geweer weer op. Een don-kere man, zonder hoed, keek hem woedend aan. Er was dus tóch een ander. De man reed eigenaardig en verschoof steeds een beetje in het zadel alsof hij probeerde zijn evenwicht te bewaren, alsof hij niet meer dan ballast was. Toen zag Cody dat zijn handen op zijn rug waren gebonden en dat hij aan het zadel was vastgebonden met een touw dat hij voor het laatst aan Mitchells zadel had zien hangen.

'Hij beweert dat hij Wilson heet,' zei Mitchell. 'Wat mij betreft mag je hem neerknallen want het is één groot brok ellende. Maar ik vroeg me af of jij misschien eerst met hem zou willen praten.'

'K.W. Wilson,' zei Cody, 'achtenvijftig jaar oud, Salt Lake City. Of, zoals ik hem bij voorkeur noem: Verdachte Nummer Eén.'

Wilson gaf geen sjoege. Cody merkte de kneuzing op onder Wilsons linkeroog en zijn bloederige en opgezwollen onderlip.

'Houdt niet van kaas,' zei Cody, terugdenkend aan Wilsons inschrijfformulier.

'Ik was genoodzaakt hem een paar klappen te verkopen,' zei Mitchell, terwijl hij op zijn holster klopte. 'Hij had weinig zin om mee te werken.'

Cody vond dat Wilson geen enkele blijk gaf van angst – of onschuld. Zoals veel criminelen die hij in de loop der jaren in de bak had ontmoet, was Wilsons houding een minachtende mengeling van arrogantie en spijt.

Cody knikte. Hij vroeg zich af of hij nu oog in oog stond met de moordenaar van Hank Winters en de anderen.

'Ik heb een paar dingen in zijn bezit aangetroffen die jij misschien wel interessant zult vinden,' zei Mitchell en hij ging achteroverzitten en tastte in zijn zadeltas. Hij haalde een jachtmes met een lemmet van vijftien centimeter in een schede en een stompe revolver tevoorschijn en overhandigde ze met het heft en de kolf naar voren aan Cody.

Cody inspecteerde de revolver, een .38 Special met een extra korte loop. Het was een double-action Taurus zesschots revolver, gemaakt van roestvrijstaal en een met rubber beklede kolf. De loop was vijf centimeter lang. Hij rook aan de vuuropening en opende de cilinder.

'Er zijn recentelijk twee kogels mee afgevuurd,' zei Cody tegen Mitchell, die knikte.

Cody drukte de cilinder terug op zijn plaats, draaide hem rond en richtte het wapen op Wilson. Wilson gaf geen krimp. 'Dit is een merkwaardig wapen om hier mee naartoe te nemen. Het is te licht om beren mee te schieten en lastig om op afstand iets mee te raken vanwege de korte loop en de vaste richtpunten. Vroeger had ik er zo eentje in Denver als reservewapen in een enkelholster, maar ik wist dat dit soort revolver uitsluitend dient om jezelf te verdedigen en alleen effectief is op de korte afstand. Waaruit we kunnen opmaken,' zei hij tegen Mitchell, terwijl zijn blik op Wilson gericht bleef, 'dat hij vlak bij D'Amato en Russell stond toen hij ze neerschoot. Hooguit van een meter afstand. Ze kenden hem goed genoeg om hem zo dichtbij te laten komen. Ik denk niet dat het een hinderlaag was. Hij heeft ze waarschijnlijk recht in de ogen gekeken toen hij de trekker overhaalde.'

Hij stak de revolver onder zijn riem en trok het mes uit de schede. Het lemmet was schoongeveegd, maar er zat nog iets donker plakkerigs op de verbinding tussen het vaste lemmet en de koperen beschermrand. Cody pulkte er met zijn vingernagel iets uit en proefde het. 'Bloed,' zei Cody en hij spuugde het uit. 'Dit heb je dus gebruikt tegen Tristan Glode,' zei hij tegen Wilson. 'Ook van dichtbij.'

Hij liep om Wilson heen en benaderde hem van achteren. Hij merkte dat de man verstijfde en zich waarschijnlijk voorbereidde op een messteek in zijn rug. Cody stak zijn hand omhoog en drukte, uitsluitend om hem schrik aan te jagen, de punt van het mes tegen Wilsons ruggengraat. Maar wat hij eigenlijk wilde was een kijkje van dichtbij naar Wilsons gebonden handen.

'Er zit bloed onder de nagels van je rechterhand,' zei Cody. 'Net als het bloed op dit mes. Zo te zien zitten er ook bloed-spatten op je manchet.'

'O,' zei Mitchell, terwijl hij iets vierkants van zilver uit het borstzakje van zijn shirt haalde en naar Cody toe wierp. 'En dan nog wat. Moet je *dit* zien.'

Cody ving mis en boog zich naar voren om het voorwerp uit het gras op te rapen. 'Ik had gehoopt dat het een pakje sigaretten was,' zei Cody.

'Niks, hoor,' zei Mitchell, 'het is Wilsons camera. Misschien wil je wel een paar fotootjes erop bekijken om te zien of je iemand herkent. Terwijl jij dat doet, bind ik de paarden even vast en trek Wilson van zijn knol.'

'Ik help je wel,' zei Cody, in gedachten een berekening makend. Hij nam aan dat de drie paarden zonder berijder hadden toe-behoord aan Tristan Glode, D'Amato en Russell.

Mitchell steeg af en hief zijn hand op naar Cody. 'Blijf daar, alsjeblieft, maat. Het enige wat jij van paarden lijkt te weten is hoe je ze kwijt moet raken.'

Cody haalde zijn schouders op. 'Daar heb je een punt.' Hij drukte op knopjes en bediende schakelaartjes op de camera tot het scherm tot leven kwam. De eerste twaalf opnamen waren duidelijk van het vertrekpunt. Mensen die rondscharrelden en de paarden monsterden, hun gezichten een mengeling van op-winding en verwachting, terwijl ze zich klaarmaakten om op weg te gaan. Er stonden voertuigen op de achtergrond en een glimp van een lange paardentrailer met op de zijkant de tekst JED MCCARTHY'S WILDERNESS ADVENTURES.

Toen hij de voorraad foto's bekeek, probeerde hij erachter te komen welke gezichten pasten bij de signalementen die hij zich herinnerde uit het dossier dat hij had geleend.

De cowboy met de snor was ongetwijfeld Jed zelf, met schuin

achter hem een jongere vrouw met een slappe hoed met zweetplekken erop. Hij herinnerde zich haar naam: Dakota Hill.

Het oudere stugge echtpaar waren de Glodes. Cody herkende Tristan en huiverde. Hij was een man met een rijzige gestalte en opvallend zilvergrijs haar, koude blauwe ogen en een vooruitstekende kin.

De vader met de twee tienerdochters waren de Sullivans: Ted, Danielle en Gracie. Het jongste meisje leek zich veel meer op haar gemak te voelen dan het oudere meisje, dat zich leek te vervelen.

Een vrouw alleen, met een open gezicht, aantrekkelijk, die haar blik afwendde van de camera, alsof ze het vreselijk vond om door hem te worden gefotografeerd. Rachel Mina. Haar gezicht deed hem denken aan de woedende blik die Jenny hem had toegeworpen toen hij haar fotografeerde toen ze net onder de douche uit kwam. Dat was de laatste keer dat hij *zoiets* flikte. Cody vroeg zich af waarom Verdachte Nummer Twee zo kwaad was op Wilson.

Drie mannen poseerden zittend op hun paarden als de hoofdpersonen uit de film *Three Amigos*. Het zou een leuke foto zijn geweest, dacht Cody, als hij niet een paar uur tevoren de verminkte lijken van D'Amato en Russell had gezien.

En daar waren ook Walt en Justin, naast elkaar en allebei te paard. Cody's hart klopte in zijn keel. Justin zag er ouder en volwassener uit dan de laatste keer dat hij hem had gezien. Hij had een vermoeide blik in zijn ogen en een ontspannen glimlach toen hij op de foto naar Walt keek.

'*Yes,*' fluisterde Cody. Tot op dat moment had hij niet absoluut zeker geweten dat Justin deel uitmaakte van het gezelschap.

De laatste drie opnamen waren diep in het woud gemaakt. Hoewel ze niet erg scherp waren, kon Cody zien dat de twee meisjes Sullivan erop stonden. Een van hen zat op een kampeertoilet.

Hij keek op toen Mitchell Wilson losmaakte van het zadel. Wilson staarde recht voor zich uit.

Mitchell zei: 'Ik heb deze gozer op ongeveer anderhalve kilometer afstand van waar ik jou had achtergelaten, aangetroffen. Blijkbaar was hij van zijn paard gestapt om te pissen en was het paard ervandoor gegaan. Ik lijk te worden omringd door amateurs. Ik hoorde hem scheldwoorden schreeuwen en ben tussen de bomen naar hem toe geslopen. Uiteindelijk zag ik hem met een pistool in zijn hand op een open plek achter zijn paard aan jagen, alsof hij het paard wilde bedreigen. Hij is al net zo'n goede ruiter als jij.'

Cody bestudeerde de uitdrukking op Wilsons gezicht terwijl Mitchell aan het woord was. Die was ondoorgrondelijk.

'Ik heb hem een poosje gadegeslagen. Zijn paard bleef uiteindelijk stilstaan aan de rand van de open plek en Wilson benaderde het dier pal van achteren. Hij wist niet dat je, als een paard zijn oren in zijn nek legt en zijn kont jouw kant op manoeuvreert, kunt rekenen op een trap,' zei Mitchell grinnikend.

'Het beest heeft Wilson finaal gevloerd,' vervolgde hij. 'Raakte hem vol op zijn borst. Ik reed ernaartoe om te zien of hem iets scheelde en toen hij bij zijn positieven kwam, greep hij naar zijn blaffer. Dus moest ik hem wel een paar opdonders verkopen. Ik ben zo vrij geweest een setje handboeien uit jouw gereedschapskistje te lenen. Ik hoop dat je ergens nóg een sleuteltje hebt.'

'Zou kunnen,' zei Cody.

Wilson reageerde met een bittere grimas toen hij dat hoorde. Mitchell steeg af en maakte met de hoofdleidsels zijn paard vast aan een boomstam. Toen hij eenmaal was afgestegen, leek hij oud en bewoog hij zich voort als een stramme, oude man, dacht Cody. Mitchell trekkebeende langs de rij paarden die hij had verzameld naar de schimmel. Toen Mitchell de touwen had losgemaakt, liet hij Wilson afdalen door de achterkant van zijn riem te pakken en daar een ruk aan te geven. Wilsons laarzen landden op vaste grond.

'Hierbij draag ik hem officieel aan je over, terwijl ik die beesten wat haver geef en ze laat drinken.'

Mitchell legde zijn grote hand in het midden van Wilsons rug en gaf een zet. Wilson strompelde in Cody's richting maar slaagde erin op de been te blijven.

'Maakt mijn zoon het goed?' vroeg Cody hem. 'Hij heet Justin. Hij is zeventien.'

Wilson keek hem onbewogen aan.

Cody bestudeerde Wilsons gezicht op zoek naar een indicatie, maar de ogen van de man waren zwart, star en bikkelhard. Dat beschouwde hij als een bemoedigend teken, in de veronderstelling dat er op z'n minst een zweem van een reactie zou zijn geweest als Justin iets zou zijn overkomen.

'Zo wil jij het dus spelen,' zei Cody. Hij zag de twee hoefijzerafdrukken op de voorkant van Wilsons shirt, waar hij die trap had gekregen. Toen Cody naar hem toeliep, stelde hij zich voor dat Wilsons borst onder de bloeduitstortingen moest zitten. Hoewel de man vijf centimeter langer was, was Cody breder gebouwd. 'Ik heb de schoten gehoord en Russell en D'Amato gevonden,' zei Cody. 'We hadden het lijk van Tristan Glode al eerder gevonden. Je hebt er een flinke smeerboel van gemaakt.'

Wilson keek hem van onder zwaar geloken oogleden aan.

Cody wees op een voetstukachtige rots die uit het gras omhoogstak. 'Zitten.'

Wilson verroerde geen vin totdat Cody hem een por gaf met de loop van het geweer en deed toen onwillig wat hem was opgedragen. Wilson gromde, ging op het rotsblok zitten en keek Cody met verveelde minachting aan.

Voordat hij iets zei, verzekerde Cody zich ervan dat Mitchell buiten gehoorsafstand was. Hij vroeg aan Wilson: 'Weet jij wie ik ben?'

Geen antwoord.

Cody voelde dat er een glimlach om zijn mond speelde toen zijn demonen de overhand kregen. 'Weet jij wie ik ben?' vroeg hij.

Wilson knipperde niet eens met zijn ogen.

'Dan zal ik je zeggen wie ik ben. Ik ben Cody en ik ben een alcoholist.'

Er trilde een spiertje in Wilsons gezicht. Eindelijk had hij een gevoelige snaar geraakt.

'Dat dacht ik al,' zei Cody en hij sloeg Wilson hard met de kolf van het geweer in zijn gezicht. Hij hoorde het zachte gekraak toen 's mans neus brak en hij voelde het verbrijzelen van het kraakbeen via de geweerlade. Wilson schreeuwde het uit en tuimelde achterover van de rots in het gras.

Cody sprong op hem af, ging schrijlings op het rotsblok zitten en drukte de loop van zijn AR-15 in het vlees tussen Wilsons ogen, die wazig waren geworden van de pijn. Het bloed stroomde uit zijn beide neusgaten langs de zijkanten van zijn gezicht. 'Ik zal je eens vertellen wie ik ben,' beet Cody hem toe. 'Ik ben de rottigste kutsmeris die je ooit zult tegenkomen. Mijn zoon doet mee aan die tocht en jij hebt de beste man die ik ooit heb ontmoet vermoord. De hele ochtend vinden we al lijken die jij in je kielzog hebt achtergelaten, verdomme. Ik heb al dagenlang geen druppel gedronken en mijn laatste sigaret heb ik twee uur geleden opgerookt. Het enige waarop ik nog zit te wachten is een excuus om je vijf keer achter elkaar af te maken en dan op je lijk te pissen. Heb je me begrepen?'

Wilsons ogen stonden wijd open. Hij maakte een bloederige en bange indruk.

Cody zei: 'Wat, dacht je dat ik je op je rechten ga wijzen?'

Hij bewoog de loop een paar centimeter naar rechts en schoot in de grond, maar zo dicht bij Wilsons hoofd dat de kogel zijn schedel schampte en door het haar boven zijn slaap sneed. De klap was oorverdovend in het stille woud en toen Cody's oren ophielden met suizen, hoorde hij niets anders dan Wilsons doodsbange gevloek.

'Jezus Christus, je hebt me aangeschoten. Vuile, smerige klootzak. Dit kun je niet maken. *Jij bent een smeris.*'

'Bla-bla-bla-bla,' zei Cody. 'Vertel me eens iets wat ik nog niet wist.'

'Cody,' riep Mitchell van ergens tussen de bomen, 'alles in orde?'

Cody keek niet op. 'Alles oké,' zei hij.

Hij verplaatste de loop terug naar het plekje tussen Wilsons ogen en zei: 'Vertel op. Is alles in orde met mijn zoon?'

'Toen ik hem voor het laatst zag, maakte hij het prima,' zei Wilson. Toen: 'Je hebt mijn neus gebroken.' Hij sprak het woord uit als *deus*. 'En ik ben doof aan mijn rechteroor.' *Aad mijd.*

'Ik begin nog maar net,' zei Cody op gedempte toon. 'Ik ga je zo dadelijk een aantal vragen stellen. Het is jouw taak die allemaal geheel naar waarheid en volstrekt helder te beantwoorden. Ik heb in mijn leven honderden schoften zoals jij verhoord en ik weet wanneer iemand liegt. Als ik er eentje hoor, dan is dat meteen het laatste wat je ooit hebt gezegd. Is dát duidelijk?'

Wilson knikte.

'Mooi zo. Vertel me dan eerst maar eens waarom je Hank Winters hebt vermoord.'

'Die heb ik niet vermoord, ik zweer het.'

'Je bent knettergek,' zei Cody, terwijl hij voelde dat zijn gezicht rood aanliep. 'Overal in Yellowstone Park hebben we lijken gevonden. Ik heb het vuurwapen en het mes dat je hebt gebruikt. En nu wil jij me vertellen dat je onschuldig bent?'

'Ik zei dat ik *Winters* niet heb vermoord, wie dat verdomme ook wezen mag,' siste Wilson. 'Ik heb nog nooit van die vent gehoord. Dat heb ik niet op mijn geweten. Dat was ik niet, ik zweer het.'

Cody was even stil. 'Wilde je me wijsmaken dat je D'Amato, Russell en Glode ook niet hebt vermoord?'

'Nee, dat wilde ik je niet wijsmaken.'

'Maar jij weet wie Hank Winters wel heeft vermoord?'

Wilsons knikje was zo licht dat Cody het bijna aanzag voor een rilling.

'En weet je ook waarom?'

Opnieuw een nauwelijks waarneembaar knikje.

'Wat is er dan aan de hand, verdomme?' vroeg Cody, terwijl hij de loop zo hard tegen Wilsons voorhoofd drukte dat het begon te bloeden.

35

'IS HIJ VERTROKKEN?' vroeg Danielle aan Gracie.
'Ik geloof van wel.'

Ze zaten in hun tent te wachten tot Jed McCarthy het kamp
had verlaten. Gracie had de klep van de tent wijd genoeg open
geritst om naar buiten te kunnen kijken. Ze zag de aluminium
kookeenheid en James Knox, die liep te ijsberen, maar verder
kon ze niet veel zien. Het pad liep aan de achterkant van het
kamp, voorbij een verhoging. Als Jed inderdaad al weg was, dan
had ze hem niet zien wegrijden. Maar de geluiden die de volwassenen voortbrachten waren gedempt en ongestructureerd,
zenuwachtig gebabbel. Als Jed er nog was geweest, dan zou ze
zijn stem, die als een zaag door de lucht leek te snijden, hebben
gehoord.

De middagzon bescheen de tentdoek. Het was warm binnen
en Gracie rook de geur van vuil en zweet op haar lichaam en
dat van Danielle. Voor zover ze kon nagaan, was het nog
nooit voorgekomen dat ze twee dagen achtereen niet had ge-
doucht, laat staan na twee dagen in de buitenlucht te zijn
blootgesteld aan stof, rook, paarden, zweet en een nieuwe geur:
angst.

'We zijn het dus eens?' zei Gracie, die achterover op haar

382

slaapzak leunde. 'We halen Dakota en Rachel op en gaan ervandoor.'

'Vergeet Justin niet,' zei Danielle.

'Die zal Walt mee willen nemen,' zei Gracie, op licht klaaglijke toon. 'Walt zal de goede diplomaat willen uithangen en waarschijnlijk iedereen vertellen wat we van plan zijn en willen dat zij ook meegaan. Dan zitten we weer met de hele kliek opgescheept en zijn we net zover als toen we begonnen.'

'Met dit stelletje klunzen,' zei Danielle. 'Maar als we toch naar huis gaan, zal me dat een zorg zijn. En ik kan Justin niet achterlaten.' Ze had een nagelvijltje en rode nagellak meegenomen en was systematisch bezig haar handen vinger voor vinger te verzorgen. 'Tussen haakjes, ik heb gezien waar pap de sleuteltjes van de huurauto heeft verborgen. Hij heeft ze achter het sluitklepje van de benzinedop verstopt. Dus als we terug zijn kunnen we meteen wegrijden.' Vervolgens zei ze: 'Allemachtig, wat verlang ik naar een douche om deze hele reis van me af te spoelen. Behalve Justin dan.'

Gracie sloeg haar handen voor haar gezicht.

'Jij begrijpt niets van de liefde,' zei Danielle ernstig.

'Je kent hem *twee dagen*,' zei Gracie.

'Zoals ik al zei. Jij begrijpt niets van de liefde. Ik hoop dat dat ooit nog eens verandert,' zei Danielle, terwijl ze haar nagels bestudeerde. 'Maar dan moet je eerst iets aan je gedrag doen.'

Gracie liet zich achterover op haar slaapzak terugvallen en hield een hand voor haar ogen.

Er viel en stilte, waarin Danielle haar nagels verzorgde en Gracie het benauwd had en zich belabberd voelde. Ten slotte zei Gracie: 'En hoe moet het met pap?'

'Ik dacht dat jij had gezegd dat je je niet meer om hem bekommerde, nadat hij zo lullig tegen je had gedaan.'

'Dat heb ik ook gezegd,' zei Gracie, 'maar toen was ik kwaad op hem. We kunnen hem hier niet zomaar achterlaten.'

'Waarom niet?' Ze klonk deels verontwaardigd, deels verveeld. Danielle leek ten volle bereid alle ingrijpende beslissingen aan Gracie over te laten en leek het niet prettig te vinden als ze maar wat zei, want dat betekende dat zij opnieuw in die discussie betrokken zou worden.

'Omdat hij voor deze reis heeft betaald en alles in het honderd is gelopen,' zei Gracie. 'Ik heb medelijden met hem, weet je? Ik weet niet eens of Rachel hem nog wel aardig vindt, en daar ging het toch allemaal om. Ik bedoel, behalve de versterking van de onderlinge band in de rimboe en dat soort dingen.'

'Ik vind Rachel aardig,' zei Danielle. 'Ze is cool. Ze behandelt ons als volwassenen. Alsof we ertoe doen.'

'Ja.'

'In tegenstelling tot pa, bedoel ik.'

'Ja.'

'Ik geloof dat hij niet weet of wij kleine meisjes of jonge volwassenen zijn, dus gaat hij maar uit van wat hem het gemakkelijkste lijkt – en dat is ons als kleine meisjes behandelen. Hij kan ons niet zien als echte mensen. Daarom gelooft hij mij niet als ik hem zeg dat iemand ons begluurt en jou niet als je zegt dat je 's nachts iets buiten onze tent hebt gehoord.'

Gracie spreidde haar vingers voor haar gezicht, zodat ze met verwondering naar haar zus kon kijken. Het kwam niet vaak voor dat Danielle iets zei wat haar aan het denken zette.

'Wat?' vroeg Danielle afwerend.

'Niks.'

'Trouwens, is het niet raar dat Rachel zelfs nadat ze pa de bons heeft gegeven onze vriendin blijkt te zijn?'

'Daar had ik niet aan gedacht.'

'Dat is nou iets waar ik de hele tijd aan denk,' zei Danielle. Je weet toch dat heel veel van onze vriendinnen zeggen dat ze wilden dat hun ouders weer bij elkaar zouden komen? Nou, dat denk ik nooit. Ik denk dat mam beter af is zonder hem. Ik vind hem nogal gênant, om eerlijk te zijn. Hij komt liever in het gevlij bij zo'n mafketel als Jed dan dat hij het opneemt voor zijn eigen dochters.'

Gracie ging rechtop zitten en keek haar zus hoofdschuddend aan. 'Je hebt het wel over onze vader.'

Danielle haalde haar schouders op. 'Nou, voor mij is hij gewoon een vent als alle anderen. En als hij wil dat ik daar anders over ga denken dan zal hij me daar een reden voor moeten geven, en dat heeft hij tot nu toe niet gedaan.'

'Danielle!'

'Hé,' zei ze, terwijl ze haar nagelvijl terugschoof in het plastic hoesje als een zwaard in de schede, 'zo voel ik dat nu eenmaal. Dus waarom zou ik het niet gewoon zeggen?'

'Misschien zou je ook eens moeten nadenken, in plaats van alleen maar op je gevoel afgaan,' zei Gracie. 'Dat zou je kunnen doen, weet je.'

Danielle haalde haar schouders op. 'Ja, als je een meelijwekkende sukkel bent, misschien.'

Gracie liet zich weer terugvallen op haar rug. 'Dit is de ergste reis van mijn leven.'

'Welkom in Hell-o-stone Park, zus,' zei Danielle. 'Misschien zien we op de terugweg nog wat wolven en beren en vogels en andere stomme beesten.'

Gracie kreunde.

Danielle boog zich naar haar toe en bracht haar mond vlak bij Gracies oor. 'Laten we nu eerst Dakota en Rachel en mijn liefje ophalen en maken dat we hier als de sodemieter wegkomen.'

Ze meden het kamp en liepen dicht langs de rand van het bos naar de plek waar de paarden waren vastgezet.

'We vragen Dakota of ze wil zorgen dat de paarden klaarstaan,' zei Gracie. 'Ik kan haar helpen. Daarna zoeken we Rachel op.'

Danielle knikte.

Toen de zon langzaam wegzakte achter de boomtoppen, werden de schaduwen op de open plek langer. In de schaduw werd het snel een aantal graden kouder.

'Vertrekken in het donker zou nog wel eens een probleem voor ons kunnen zijn,' zei Gracie.

'Het kan me niet schelen wanneer we gaan, zolang we maar gaan,' zei Danielle.

'Daar is Rachel,' zei Gracie toen ze haar aan zag komen lopen uit de richting waar de paarden zich bevonden. Hun vader was niet bij haar. En er was iets vreemds aan haar manier van lopen: ze had haar armen om zich heen geslagen alsof ze zichzelf omhelsde en haar hoofd gebogen. Ze leek diep in gedachten verzonken.

'Rachel,' riep Gracie.

Rachels hoofd schoot omhoog. Haar gezicht was vertrokken en bleek.

'Wat is er aan de hand?'

Rachel zuchtte diep, alsof ze probeerde zich te herstellen. Ze zei: 'O, meisjes, het is verschrikkelijk. Ik heb zojuist Dakota daar gevonden. Iemand heeft haar keel doorgesneden en haar vermoord. Het is net gebeurd. Haar lichaam…'

Gracies adem stokte in haar keel en Danielle bleef van schrik stokstijf naast haar stilstaan.

'Je maakt toch geen grapje, hè?' vroeg Danielle.

Rachel schudde haar hoofd en gebaarde achter haar. Haar ogen waren rooddoorlopen en ze leek elk moment in te kunnen storten. 'Er is zoveel bloed,' zei ze, en ze spreidde haar armen zodat ze het bloed aan de voorkant van haar blouse konden zien. Rachel zei: 'Ik heb haar omgedraaid om te zien of ze nog leefde, maar...' Ze kon haar zin niet afmaken. Ze beefde.

Gracie hapte naar adem en sloeg haar hand voor haar mond.

'Zou het ook een ongeluk kunnen zijn geweest?' vroeg Gracie met een bibberend stemmetje.

'Nee.'

'Heb je iemand gezien?'

Rachel wendde zich af en ontweek de vraag.

'Rachel,' zei Gracie, 'wie heb je daar gezien?'

'Ze heeft Jed gezien,' zei Danielle. 'Jed heeft het gedaan.'

Rachel knikte en de tranen die over haar wangen stroomden glinsterden in een straal zonlicht.

'O mijn God,' zei Gracie, steun zoekend bij Danielle om te voorkomen dat haar knieën het zouden begeven. 'Ze heeft gezien hoe Jed Dakota vermoordde.'

Rachel knikte, blijkbaar niet in staat een woord uit te brengen.

'We moeten maken dat we hier wegkomen,' zei Danielle. *'Nu meteen.'*

Gracie keek toe hoe Rachels ontsteltenis veranderde in woede. Ze stak haar armen uit, greep beide zusjes en boog zich naar hen toe.

'Jullie vader en ik waren bij de paarden. We hoorden ze bekvechten en verscholen ons. Toen heeft Jed toegeslagen. En hij heeft haar daar gewoon achtergelaten en zijn paard gepakt. Hij heeft haar gewoon in het gras laten liggen.'

Danielle sloeg haar hand voor haar mond.

'Jullie vader heeft me gevraagd jullie hier weg te halen. Hij zei dat hij in het kamp bij de anderen bleef en zou proberen Jed in toom te houden tot wij weg waren. Pak jullie paarden,' zei ze. 'Ik haal jullie hieruit.'

Gracie voelde een golf van opluchting door zich heen gaan. 'Maar hoe moet het dan met de anderen?' vroeg ze toen.

Rachels ogen schoten vuur. 'Dat kan me niet schelen en ik weet niet wie we behalve onszelf verder nog kunnen vertrouwen. Het wordt hoog tijd dat we eerst om ons eigen hachje denken. De rest zoekt het zelf maar uit.'

Gracie slikte. 'Zelfs papa?'

'Ik weet het,' zei Rachel, nog harder in haar arm knijpend, 'maar hij heeft het me zelf gevraagd. Hij gaat de anderen heel voorzichtig vertellen wat we hebben gezien en hun vragen te helpen Jed te overmeesteren en vast te binden totdat we hulp hebben gehaald. Hij wil niet dat jullie tweeën in het kamp zijn, voor het geval er iets misgaat.'

'Justin gaat met ons mee,' zei Danielle, terwijl ze zich bevrijdde uit de greep van Rachel en haar armen over elkaar sloeg. 'Ik laat hem hier niet achter.'

Rachel trok een grimas, maar scheen zich te realiseren dat aan dit besluit van Danielle niet te tornen viel.

'Ga hem dan maar halen,' zei ze. 'We vertrekken over vijf minuten.'

Gracie en Danielle liepen tegen de heuvel op en het kamp binnen. Ze probeerden niets te laten merken van de ongerustheid over hun plan. Gracie merkte dat Danielle beter in misleiding was dan zijzelf en ze had geen idee wat voor indruk ze maakte, dus deed ze haar capuchon ver over haar hoofd en richtte haar ogen op de grond voor haar. Jed was er niet, en haar vader al evenmin.

Wat was er gaande?

Ze liep achter haar zus aan naar de plek waar Justin op een rots zat. Danielle liep naar hem toe, stak haar hand uit en Justin pakte die met een verbaasde maar geamuseerde uitdrukking op zijn gezicht. Ze trok hem mee.

Walt zei geen woord.

Toen ze met Justin terugliepen naar de paarden, waagde Gracie een vluchtige blik achterom. Donna Glode, Knox en Walt staarden in het vuur, ieder in zijn eigen gedachten verzonken.

36

VAN DE RAND van de open plek waar hij de paarden liet
rusten, riep Mitchell: 'Hé, Hoyt. Als je tijd hebt, dan wil je
misschien wel even komen kijken wat deze gozer in zijn zadeltassen heeft zitten.'

Cody verminderde de druk op de loop van het geweer niet.
'Ogenblikje geduld, Bull,' zei hij.

Maar hij zag dat er iets veranderde in de uitdrukking op Wilsons bebloede gezicht.

'Jezus,' zei Wilson. 'Ben jij Cody *Hoyt*?'

'Dat klopt.'

'Shit, ik had het kunnen weten. Ik heb jouw oom Jeter nog
gekend. Vroeger waren wij zuipmaatjes in de Commercial Bar
in Townsend.'

Cody verminderde de druk iets, uitsluitend omdat hij probeerde te verwerken wat Wilson zojuist had gezegd.

'Jij bent een vervloekte Hoyt,' zei de man. 'Een vervloekte
Hoyt.' Alsof dat iets betekende.

'Maar wie ben jij dan, verdomme?' vroeg Cody. 'Ik heb nog
nooit gehoord van ene K.W. Wilson.'

Wilson klapte dicht en Cody deed een stap achteruit en schop-
te hard tegen zijn ribbenkast. Toen de man kreunde en zich weg-

draaide, stortte Cody zich met een knie vooruit op zijn rug en griste zijn portefeuille uit de achterzak van zijn spijkerbroek.

Voorin vond hij zijn rijbewijs voor de staat Montana. 'Jim Gannon,' zei Cody. 'Shit, die naam ken ik.'

Gannon was, net als zijn oom Jeter, een woudloper die vanuit Lincoln opereerde. Cody had hem nooit ontmoet, maar hij had over hem gehoord. Gannon was een overmatig drinkende, ambitieuze, vierdegeneratie-inwoner van Montana. Hij had een reputatie als stroper en jager en Cody herinnerde zich te hebben gehoord dat hij veroordeeld was, zijn woudlopervergunning was kwijtgeraakt en zijn jachthut had moeten sluiten.

'Bull, weet je wie we hier hebben?' vroeg Cody aan Mitchell.

'Jim Gannon,' zei Mitchell, die kwam aankuieren. 'Dat was wat ik je wilde vertellen. Hij heeft een heleboel persoonlijke troep in zijn zadeltas met zijn naam erop: "Eigendom van Jim Gannon". Ik zei je toch al dat we met een woudloper te maken hadden. Jezus, ik dacht al dat hij me bekend voorkwam. Ik denk dat ik zijn foto wel eens in de krant heb zien staan, toen hij in zijn kraag was gegrepen.'

Cody bracht zijn geweer weer terug in positie. 'Waarom heb je je voor deze tocht ingeschreven als Wilson?'

Wilson/Gannon zei met krassende stem: 'Waarom dacht je?'

Cody zei: 'Om te voorkomen dat Jed of iemand anders op zijn kantoortje de naam zou herkennen. Het zou een beetje verdacht overkomen als een corrupte reisgids zoals jij al dat geld zou neertellen om een reisje te maken met stadsmensen.'

Gannon knikte, nog steeds naar adem happend na die trap.

'Ik vind dat je hem maar beter nu meteen kunt neerknallen,' zei Mitchell, tegen een boom leunend. 'Hij bezorgt woudlopers een slechte naam. Ik heb hem nooit gekend omdat hij geen lid was van de Bond van Woudlopers en Reisgidsen van Montana. Jezus, hij weet niet eens hoe je fatsoenlijk met een paard moet omgaan.'

'Dus vraag ik het nog eens,' zei Cody, 'Wat voor spelletje wordt hier gespeeld?'

Gannon vermande zich en richtte zich kreunend op. 'Elke vierkante centimeter van mijn lichaam doet pijn,' zei hij.

'En dat wordt nog veel erger,' zei Cody en hij schoot hem pardoes in zijn knie.

'Jezus!' zei Mitchell terwijl hij achteruitsprong. 'Waarom doe je dat?' De lege huls landde tussen zijn laarzen.

Cody zei tegen Mitchell: 'Deze bijzondere verhoormethode is in eerdere gevallen heel effectief gebleken.' En daarbij dacht hij terug aan het vorige jaar in Denver. Daar had het, in zekere mate, absoluut geholpen.

Gannon brulde het uit en greep met beide handen naar zijn verminkte been. Cody hoopte dat hij van de shock niet buiten bewustzijn zou raken, voordat hij zijn zegje had gedaan. Niettemin richtte hij zijn geweer zorgvuldig op Gannons andere knie.

'Alsjeblieft, nee, nee...' smeekte Gannon.

'Hoyt, ik heb hier zo mijn twijfels over, hoor,' zei Mitchell hoofdschuddend.

'Vertel op, waarom doe je mee aan deze tocht,' zei Cody tegen Gannon.

'We proberen dat vliegtuig te vinden,' schreeuwde Gannon, de pijn verbijtend. 'Dat klotevliegtuig dat is neergestort.'

'Welk vliegtuig?' vroeg Cody, maar terwijl hij dat zei, dacht hij terug aan iets wat Larry had gezegd. Iets over een vliegtuigje dat in zuidelijke richting naar Yellowstone was gevlogen, motorstoring had gekregen en door inwoners van Bozeman was opgemerkt, maar dat door niemand als vermist was opgegeven. Het incident had het onderzoeks- en reddingsteam van de Binnenlandse Veiligheidsdienst gealarmeerd en zo had Larry naar zijn zeggen Rick Doerring van Staatsbosbeheer ontmoet.

'Dat klotevliegtuig dat afgelopen winter is neergestort,' zei Gannon met op elkaar geklemde kaken. Zwart bloed sijpelde tussen zijn vingers door, die zijn verbrijzelde knieschijf omklemden.

'Wat zit er in dat vliegtuig?'

'Jezus. Geld. Jezus. Drugsgeld.'

'Maar waarom ga je dan met Jed mee? Waarom ben je er niet gewoon in je eentje op uit getrokken om dat te pakken te krijgen? Waarom betrek je al die andere mensen erbij?'

Gannon begon te beven. Hij klapperde met zijn tanden. 'Dat was verdomme niet mijn idee. Jezus, ik lig hier langzaam dood te bloeden.'

'Laten we het hopen,' zei Cody. 'Wiens idee was het dan? Je had het over "wij"?'

'Mijn partner. Het was helemaal mijn partners idee. Het hele plan.'

Cody haalde diep adem en onderdrukte de neiging om opnieuw te vuren. Mitchell stond naast hem en schudde zijn hoofd.

'Het was dus jouw idee om wat te doen? Samen met Jeds klanten hiernaartoe komen en dan de groep te verlaten om dat kutvliegtuig te vinden? Hem gebruiken om je hierheen te leiden?'

Gannon knikte. 'Ja, dat was het. We wilden eerst in ons eentje gaan, maar met al die sneeuw en regen was dit de eerste keer dat we konden komen op de plek waar we denken dat het vliegtuig is neergestort. Toen we erachter kwamen dat Jed zijn klanten mee wilde nemen naar waar wij naartoe wilden – en in ieder geval de eerste was die daar in de buurt zou komen – hebben we ons opgegeven voor de tocht. Geloof me, al die ellende hadden we niet ingecalculeerd.'

Cody maakte een gebaar met het geweer om Gannon duidelijk te maken dat hij door moest praten.

'Niets van al die andere dingen – die drie stommelingen verder terug – had hoeven te gebeuren. Maar die idioot van een Jed besloot van de vaste route af te wijken en één van de deelnemers – Glode – maakte zich daar kwaad over. En over het feit dat zijn vrouw het met D'Amato had gedaan. Dus zei hij dat hij in zijn eentje terugging. We konden niet riskeren dat hij terug zou komen bij de voertuigen en Staatsbosbeheer zou laten weten waar we naartoe gingen. Stel dat ze de boswachters achter ons aan stuurden? Die zouden het vliegtuig wel eens kunnen vinden voordat wij het hadden opgespoord.'

Cody bedacht dat de kans dat Staatsbosbeheer er boswachters op uit zou sturen om Jed McCarthy op te dragen zich aan de vastgestelde route te houden absurd en onwaarschijnlijk was, maar hij wilde Gannon niet onderbreken, dus spoorde hij hem aan zijn verhaal te vervolgen.

'Dus ben ik met Glode meegegaan. Ik heb geprobeerd hem over te halen terug te gaan naar de anderen, maar hij was eigenwijs en had de smoor in en wilde niet omkeren. En je weet wat er toen is gebeurd. Ik moest hem wel tegenhouden.'

Cody deed een stap dichter naar Gannon toe, nog steeds met de loop van zijn geweer op Gannons andere knie gericht. Maar waarom heb je D'Amato en Russell dan gedood?'

Gannon deed zijn ogen dicht. Zijn kin beefde. 'Zij zouden Glode of mij nooit hebben gevonden en zouden op zoek naar ons wel eens helemaal terug kunnen zijn gereden naar het parkeerterrein. De kans was niet gering dat ze Staatsbosbeheer zouden bellen en zouden rapporteren dat er een paar mannen werden vermist. Dat was nog erger dan die situatie met Glode, want die kreeg tenminste nog zijn verdiende loon.'

'Dus je hebt ze stomweg voor hun donder geschoten toen ze je vonden,' zei Cody. 'En ze badend in bloed achtergelaten totdat de wilde dieren ze zouden vinden. Ervan uitgaande dat ze, als hun lijken ooit zouden worden gevonden, zozeer toegetakeld zouden zijn dat ze onherkenbaar waren en waarschijnlijk niets meer naar jou zou verwijzen.'

Gannon wiegde op zijn hurken heen en weer, terwijl hij zijn knie omklemde. Hij zei: 'Deze hele onderneming is één grote catastrofe. Alles loopt in het honderd.'

'Waarom koos Jed eigenlijk voor een andere route?' vroeg Cody.

'Dat weet ik niet, dat weet ik niet... dat dit gebeurd is, is allemaal zijn schuld.'

'Hij heeft niet drie mensen vermoord,' zei Cody, 'of mijn zoon in gevaar gebracht.'

Gannon kromp ineen van de pijn. 'Erger,' zei Cody. *'Erger.'* Alsof dat hem op de een of andere manier minder schuldig maakte.

'Dus jouw partner is nog steeds met de anderen mee op die trektocht?' vroeg Cody.

Gannon knikte, met zijn ogen dicht en zijn mond verwrongen.

'Wie is het? Jed?'

Gannon was niet tot spreken in staat of wilde het niet zeggen. 'Ik zei...'

'Krijg de kolere!' brulde Gannon en zijn ogen sprongen open. Hij keek Cody met onverbloemde haat aan. 'Jij bent een smeris. Ik weet dat jij het hard speelt en wel een of andere smoes zult verzinnen om jezelf later in te dekken. Ik weet dat jij me niet zult vermoorden. Maar ik weet verdomd zeker dat zij dat wel zal doen.'

Cody voelde hoe de haren in zijn nek rechtovereind gingen staan. *'Wat* zei je daar?'

37

JED McCARTHY WAS boos en ongedurig en miste bijna het wildspoor dat hij zocht om de berg op te komen. Dat Dakota kwaad op hem was, was één ding. Maar om botweg zijn opdracht hem een ander paard te brengen te negeren en hem met zijn zadel op een boomstronk in de steek te laten, was iets anders. En waarom nam ze dat kreupele paard mee? Waar ging ze in hemelsnaam heen nu ze het eten moest klaarmaken voor zijn klanten?

Dus had hij uit arren moede zelf maar een paard uit de kudde gehaald en gezadeld en was daarop weggereden.

'Vrouwen,' zei hij, alsof het een verwensing was.

Hij vroeg zich af of zij er zou zijn als hij terugkeerde in het kamp. Hij vroeg zich af – en hoopte – dat Tristan Glode, Tony D'Amato en Drey Russell dan ook zouden zijn teruggekeerd. Om Wilson bekommerde hij zich niet, die had hem nooit iets kunnen schelen.

Als ze allemaal terug waren, zou zijn wereld weer op orde zijn, zelfs als Dakota hem voorgoed was gesmeerd. Hij kon de rest van de reis wel af zonder een nukkige Dakota die hem alleen maar voor de voeten liep.

Hij zou er wel voor zorgen dat er in zijn toekomst geen

plaats was voor vrouwen als Dakota, dacht hij met een valse grijns.

Terwijl hij over het slingerpad de berg op reed, ving hij pal westelijk tussen de bomen een glimp op van een J-vormige gletsjer tegen de zijkant van de berg. Hij herkende het terrein, knikte in zichzelf, stak zijn hand achter zich en opende zijn zadeltas om het uitzicht te vergelijken met de uitdraaien van Google Maps in zijn dossier. De map was weg en hij schreeuwde: 'Dakota! *Kutwijf!*'

Hij dankte God dat ze niet dieper had gegraven en zijn satelliettelefoon had gevonden. Hij had haar nooit verteld dat hij die bezat of dat hij die op elke tocht met zich meenam voor het geval ze in de problemen zouden raken. Hij was bang dat ze er een terloopse toespeling op zou maken, en dat een deelnemer haar zou horen en hem zou willen gebruiken. Het zou niet lang duren voordat zijn klanten voor hem in de rij stonden om naar huis op te bellen, even te vragen hoe het met de kinderen ging, kantoor te bellen enzovoort. Hij was een purist als het om de vrije natuur ging en om de ervaring die hij met deze tochten wilde overbrengen, en die ervaring had alles te maken met afzondering en ervoor zorgen dat zijn gasten geen enkel contact hadden met het thuisfront.

Maar dit was andere koek. Nu ging het om *hemzelf*. Hij toetste het nummer in dat hij onder geen beding mocht bellen tot na de tocht en de telefoon ging drie keer over voor er werd opgenomen.

'Hallo?'

'Met Jed. Ik zit met een probleem.'

'Ik weet verdomme heus wel met wie ik spreek. Het komt nu niet gelegen.'

'Ik zei dat ik met een probleem zit. Ik heb je hulp nodig.'

'Jij hebt meer problemen dan jij je kunt voorstellen, Jed. Ik doe verdomme al twee dagen verwoede pogingen om je te pakken te krijgen. Zet je dat kreng ooit wel eens aan?'

'Nee,' zei Jed. 'Dat heb ik je gezegd. Ik vertel zelfs niemand dat ik hem heb. Als iemand me hier zou horen telefoneren…'

'Ik weet het, ik weet het, dat had je me al gezegd, verdomme. Maar onder de gegeven omstandigheden had ik ten minste verwacht dat je hem even zou *controleren* op ingekomen berichten.'

'Iemand heeft de kaart gepikt,' zei Jed.

Stilte.

'Ik zei…'

'Ik heb je wel verstaan! Hoe is dat in jezusnaam mogelijk? Wie heeft hem gepikt?'

'Maak je geen zorgen,' zei Jed. 'Ik weet wie het heeft gedaan en ik reken later wel met haar af. Ze is bij mij in dienst. Herstel: ze *was* bij mij in dienst. Ik denk niet dat ze uitgekookt genoeg is om er zelfs maar achter te komen waar we naar op zoek zijn. Maar nu ben ik er bijna. Ik kan de gletsjer zien. Ik wil dat je me die kaart nogmaals als bijlage toestuurt. Dat lukt je toch wel, hè?'

'Als zij de kaart heeft dan zou ze het kunnen uitvogelen.'

Jed zuchtte diep en sloeg zijn ogen ten hemel. 'Ze vogelt het niet uit. Daar zorg ik wel voor. Ik verzin wel een of ander verhaal – maak je daar maar geen zorgen om. Maar nu heb ik een exemplaar van die kaart nodig. Kun je me dat toesturen of niet?'

Een langgerekte zucht. 'Ik zei toch al dat het niet gelegen kwam. Ik ben nu ergens naar op weg. Ik heb zo mijn eigen probleem.'

'Heb je dienst?'

'Ja. Maar waar ik mee bezig ben heeft daar niets mee te maken.'

'Kun je hem me toesturen zodra je terug bent op het bureau?'

'Ja.' Hij was er niet met zijn gedachten bij. 'Ja, dat kan ik doen.'

'Hoelang duurt het nog voordat ik hem kan verwachten?'

'Dat weet ik niet. Hoogstens drie kwartier. Als er tenminste geen pottenkijkers zijn.'

Jed knikte. 'Goed dan. Wat is dat andere probleem waar je naar verwees?'

'Er zit een smeris achter je aan.'

Jed kreeg een wee gevoel in zijn maag. '*Wat?*'

'Er zit een smeris achter je aan. Hij heet Cody Hoyt en hij is zo dol als een draaideur. Zijn zoon is met je mee op de tocht, vermoed ik. Jed, hij denkt om de een of andere reden dat er een verband is tussen een stel moorden en iemand die met jou mee-reist. Daarom zit hij achter je aan.'

Jed schudde zijn hoofd. 'Ik begrijp het niet. Wat voor moorden?'

'De laatste is hier een week geleden gepleegd. Hij denkt dat de-gene die die gozer – hij heette Hank Winters – heeft vermoord met jou mee is op trektocht. Hij wil hem opsporen.'

'Wat probeer je me duidelijk te maken?'

'Dat je op je tellen moet passen. Ik ben hem twee avonden ge-leden in Bozeman uit het oog verloren, maar hij ging in ieder geval jouw kant op.'

'Wil je beweren dat hij in het park is?'

'Ik weet het niet. Daar kom ik nog wel achter. Daar ben ik nu mee bezig. Ik ben op weg naar een vent die waarschijnlijk wel weet waar hij uithangt.'

'Is hij in het park?' vroeg Jed nogmaals.

'Ik zei je toch al: dat weet ik niet.'

'En wat bedoel je met "hij denkt dat er een moordenaar mee op trektocht is"? Wie zou dat dan in godsnaam moeten zijn?' Maar ondertussen dacht hij: *Als het iemand is, dan is het Wilson.*

'Zijn naam ken ik niet. En een signalement heb ik al evenmin. Ik weet niet eens of hij het *zelf* wel weet.'

'Die jongen moet Justin zijn, want hij is de enige jongen van het gezelschap.'

'Oké.'

'Waarom neemt een moordenaar in hemelsnaam de moeite zich aan te melden voor een trektocht? Dat slaat nergens op.'

'Ik weet het, ik weet het. Ik vertel je alleen maar wat ik weet.'

'Luister,' zei Jed, terwijl hij probeerde zich te beheersen. 'Jij hebt me gezegd dat jij de boel aan jouw kant zou regelen. Jij hebt me gezegd dat ik alleen maar hoefde te zorgen dat ik dat wrak zou vinden en dan zou jij er aan jouw kant voor zorgen dat niemand iets in de gaten kreeg. Je hebt me verdomme gezegd dat je al je... invloed... zou gebruiken om ervoor te zorgen dat ik de enige was die op zoek ging naar dat vliegtuig.'

'Dat weet ik allemaal. Dacht je dat ik dat niet wist?'

'Ik weet helemaal niks!' schreeuwde Jed in zijn telefoontje, 'behalve dat jij me hebt verzekerd dat je aan jouw kant alles zou regelen. Wat is er verdomme aan de hand hier? Kun je één enkele smeris nog niet eens onder de duim houden?'

Een langgerekte zucht. 'Hij is op hol geslagen. Niemand kan die vent beteugelen. Geloof me, ik dacht dat ik hem had uitgeschakeld, maar op de een of andere manier is hij me te slim af geweest.'

'Wat wil je dan dat ik eraan doe? Wil je dat ik gewoon rechtsomkeert maak en de hele boel verder maar vergeet? Wil je dat ik het afblaas? Nou, dat gaat niet, want ik ben al hier. Ik zie de gletsjer. De hele reis is in duigen gevallen en er zijn deelnemers weggelopen en kwaad en ik kan de tent waarschijnlijk wel sluiten als een van hen Staatsbosbeheer op de hoogte stelt.'

'Rustig aan een beetje, Jed. Ik zorg hier wel dat het in orde komt.'

'Als je het mij vraagt heb je er aan jouw kant een behoorlijke puinhoop van gemaakt.'

'Luister, ik ben hier. Ik bevind me op tien minuten afstand van zijn huis. Ik moet daar naar binnen om hem aan de tand te voelen. Ik bel je terug zodra ik weet waar Hoyt uithangt. En ik stuur je de kaart en de GPS-coördinaten zodra ik terug ben op het bureau. Als jij je gemak maar houdt.'

'Je zorgt maar dat het in orde komt, hoor je,' zei Jed. 'De rest van mijn leven hangt er verdomme van af.'

'Het komt wel goed. Maak je geen zorgen. En laat je telefoon aan staan.'

38

OP HETZELFDE MOMENT hesen Cody en Bull Mitchell Jim Gannon op aan een hoge tak. Afgaande op wat Gannon hun had verteld, moesten ze zo snel mogelijk de trektocht zien in te halen en een gewonde Gannon meevoeren met vier extra paarden zou hen ernstig vertragen. Ze gebruikten plakband en verband uit Mitchells EHBO-doos, verbonden Gannons knie zo goed en zo kwaad als het ging en boeiden hem aan handen en voeten. Mitchell had van touw een zitje gemaakt waarin ze hem konden ophijsen.

'Geef me een paar minuten,' zei Mitchell, hijgend van inspanning nadat hij samen met Cody aan het touw had zitten sjorren. 'Ik moet de reservepaarden vastzetten zodat ze niets kan overkomen.'

Cody knikte, pakte zijn satelliettelefoon en zette hem aan. Hij had een goede ontvangst en er waren geen nieuwe boodschappen. Hij begon het nummer van Larry's geheime mobieltje in te toetsen, bedacht zich toen en belde in plaats daarvan het mobieltje van Larry's ex-vrouw. Ze was makelaar in onroerend goed en had het ding dag en nacht bij zich.

'Met Cindy Olson.'

'Cindy, je spreekt met Cody Hoyt. Ik ben de stad uit en moet Larry dringend spreken.'

'O, ben jij het. De man die onze lijkschouwer heeft neerge-schoten.'

Het leek eeuwen geleden, dacht Cody. 'Ja, nou ja, daar is nog een heel goed verhaal aan verbonden maar dat vertel ik je wel een andere keer. Maar nu moet ik echt heel dringend Larry spreken.'

'Aha,' zei ze, 'je hebt waarschijnlijk zijn bureau en zijn mo-bieltje gebeld en er werd niet opgenomen.'

'Zoiets.'

'Dan heb je het waarschijnlijk nog niet gehoord. Dat verbaast me, want jullie zijn anders altijd zulke dikke maatjes. Larry is ge-schorst. Ik vermoed dat je hem thuis wel kunt bereiken. Stel hem voor vast uit te kijken naar een ander baantje, want hij heeft een kind voor wie hij binnenkort weer alimentatie moet dokken.'

'Waarom is hij geschorst?'

'Drie keer raden, Cody.' En ze verbrak de verbinding.

Hij belde Larry's huis. Hij woonde even buiten Helena, vlak bij Marysville aan de U.S. Highway 279.

'Larry,' zei Cody.

Even was het stil. Toen: 'Ben jij dat, vuile klootzak. Waar *ben* je? Heb je mijn berichten ontvangen?'

'Ja.'

'Waarom heb je dan niet teruggebeld, godverdomme?'

'Ik heb geen tijd om het allemaal uit te leggen,' zei Cody, 'maar in een notendop komt het erop neer dat ik last van paranoia kreeg. Na die brand in Bozeman wilde ik niet dat jij zou weten waar ik was.'

'Wat krijgen we nou?' Larry klonk gekwetst. 'Dacht je dat ik daar iets mee te maken had? Is dat wat je probeert te zeggen?'

'Ik weet niet wat me bezielde,' loog Cody. 'Het zullen de af-kickverschijnselen wel zijn. Ik voel me ellendig, maar we heb-ben de dader te pakken. Of in ieder geval een van de daders.'

'Wie is het? En wie bedoel je in godsnaam met "we"?'

Cody vertelde hoe hij Mitchells hulp had ingeroepen en van de lijken die hen naar Gannon hadden geleid. 'We hebben hem hier,' zei Cody. 'We hebben hem opgehangen aan een boom, zodat de beren en de wolven hem niet opvreten. Staatsbosbeheer kan hem komen losmaken en naar een ziekenhuis brengen. Niet dat het me veel kan schelen, maar we zullen zijn getuigenis nodig hebben om zijn partner aan de paal te nagelen, die ook meedoet aan die trektocht.'

'Zijn partner?' Larry klonk oprecht verbijsterd. Dat maakte dat Cody zich iets minder schuldig tegenover hem voelde.

'Een vrouw.'

'Aha, Rachel Mina,' zei Larry. Cody hield zijn oor nog dichter bij de telefoon, verbluft dat Larry die naam kende. 'Hoewel dat na haar huwelijk niet haar naam was, want sindsdien heette ze Rachel Chavez.'

'Hoe weet jij dat?' vroeg Cody.

'Achterlijke gladiool, dat probeerde ik je te vertellen toen ik je opbelde. Van Gannon wist ik niets, maar van Rachel Mina Chavez wist ik het wel. Rechercheren noemen ze dat en ik denk dat ik alle stukjes van de puzzel bij elkaar had. Dat was natuurlijk wel voordat ik werd geschorst omdat ik dingen die ik over *jou* wist had achtergehouden.'

Het begon Cody te duizelen. 'Vertel me wat je weet,' zei hij.

Larry zuchtte. Uit dat geluid kon Cody opmaken dat Larry verslag ging uitbrengen op de enige manier die hij kende. Hij keek op om te zien of Mitchell nog bezig was met de verzorging van de paarden en zag dat dat het geval was. En Jim Gannon hing, buiten bewustzijn, langzaam rondjes te draaien boven zijn hoofd. De late namiddagzon wierp een lange schaduw van Gannon over het veld en in silhouet zag het eruit alsof de woudloper aan zijn nek was opgehangen.

'We hebben die moorden van de verkeerde kant benaderd,' zei Larry. 'Ik in ieder geval. Ik dacht alleen maar aan alcoholisten. Dus hoe vind je een verband tussen al die zuipschuiten in vier verschillende delen van het land? Ik probeerde uit te vissen of de mogelijkheid bestond dat ze alle vier op hetzelfde moment op dezelfde plek waren geweest, zoals we hadden besproken. Een soort bijeenkomst van voormalige alcoholisten of zoiets. En zo niet, of het dan misschien iets met hun werk te maken had. Maar de aard van hun beroepen maakte dat meteen al uiterst onwaarschijnlijk. Ze kunnen allemaal wel eens gereisd hebben, maar niet naar dezelfde plek of om dezelfde reden. Ik kon geen reden vinden waarom ze allemaal tegelijkertijd op eenzelfde plek kunnen zijn geweest en behalve dat ze dronken, kon ik niets gemeenschappelijks tussen hen ontdekken. Iets waaraan ze allemaal waren blootgesteld wat een motief kon zijn waarom ze later werden vermoord.'

'Je moet ter zake komen, Larry. We moeten ervandoor.'

'Ik weet het, ik weet het. Maar weet je nog dat je me hebt verteld dat Winters had gezegd dat je altijd wel een AA-bijeenkomst kunt vinden, ongeacht waar je bent?'

'Ja.'

Dus heb ik die jongens van VICAP benaderd en zij waren in staat zijn reisgegevens na te trekken. Winters vloog uitsluitend met Delta Airlines vanuit Helena, dus dat was geen heksentoer. Man, die kerel reisde het hele westen af, maar verder was er niets wat er echt uitsprong. Maar een van die lui van de FBI kwam op het idee om ook de reisgegevens van Shulze na te trekken, met de gedachte dat we, als we nu maar één gemeenschappelijke vlucht of bestemming konden vinden – als we ze allebei op dezelfde tijd op dezelfde plaats konden vastpinnen – iets zouden hebben om op voort te borduren.'

Cody begon door het gras te ijsberen. De adrenaline pompte door zijn lijf.

'27 Oktober, vorig jaar,' zei Larry, 'zaten zowel Winters als Shulze op dezelfde vlucht naar Los Angeles. De een wist waarschijnlijk niet eens dat de ander ook aan boord was. Shulze ging naar het een of andere symposium op de Universiteit van Californië en Winters was via het vliegveld van Los Angeles op doorreis naar Sacramento. Maar het interessante is dit: die vlucht kwam pas twee dagen later in Los Angeles aan omdat hij was uitgeweken naar San Diego.'

'Uitgeweken?' vroeg Cody. 'Waarom?'

'Bosbranden,' zei Larry. '27 Oktober vorig jaar waren die bosbranden op hun hoogtepunt. Vanwege de rook hebben ze het vliegveld van Los Angeles twee dagen gesloten en alle inkomende vluchten werden omgeleid naar andere vliegvelden. Winters en Shulze zaten op 27 en 28 oktober vast in San Diego en konden geen kant op.

Toen zijn we dieper gaan graven. Het vliegtuig waarin William Geraghty zat moest ook uitwijken naar San Diego en stond diezelfde twee dagen ook aan de grond en Karen Anthony was daar om een bezoek te brengen aan haar zuster.'

'Stel je die situatie voor,' zei Larry. 'Vier zuipschuiten ver van huis. Drie ervan doden de tijd op het vliegveld in afwachting van nadere berichten en een mogelijkheid om hun reis te vervolgen, omgeven door luchthavenrestaurants en bars en stress alom. Karen Anthony is bij haar familie, maar vecht ook tegen haar drankzucht. Waar gaan zij onder dergelijke omstandigheden dus naartoe?'

'Naar een bijeenkomst van de AA,' zei Cody.

'Bingo,' zei Larry. 'Dus neem ik contact op met een rechercheur in San Diego, leg hem mijn theorie voor en hij ziet er wel wat in. Hij stelt een onderzoek in en belt me binnen een uur terug. Een uur! En hij vertelt me welke AA-bijeenkomst ze alle vier hebben bezocht, in een kerk. Hij vertelt erbij dat hij zelfs foto's van hen heeft als ze daar naar binnen gaan en de bijeen-komst weer verlaten. Ik heb foto's van de aankomst en het ver-trek van Hank Winters, William Geraghty, Gary Shulze en Karen Anthony.'

'Wacht eens even,' zei Cody. 'Sinds wanneer gaat de politie de gangen na van deelnemers aan een AA-bijeenkomst?'

'Dat doen ze nooit,' zei Larry. 'Tenzij ze bezig zijn met een diepgaand onderzoek naar iemand anders die toevallig dezelfde bijeenkomst bezoekt. Iemand als Luis Chavez, het inmiddels overleden hoofd van het Chavez-drugskartel uit Tijuana. Het schijnt dat hij, net als al die andere knakkers, het licht had ge-zien en één keer per week de grens overstak om een bijeenkomst van de AA bij te wonen.'

'Chavez,' herhaalde Cody.

'De ex van Rachel Mina.'

'Ik begin de draad kwijt te raken,' zei Cody, sneller ijsberend.

'Dat de kartels met elkaar in oorlog zijn, is geen geheim,' zei Larry. 'Dat weten we allemaal. Maar wat die politieman uit San Diego me vertelde, maakt alles opeens een stuk duidelijker. Het schijnt dat Chavez een dochter had die Gabriella heette en die derdejaars was op de Universiteit van Colorado in Boulder. Klaarblijkelijk was Gabriella zijn oogappel. Ze was uit zijn eer-ste huwelijk, voordat hij met Rachel Mina trouwde. Het kartel dat in oorlog is met Chavez heeft een paar jongens noordwaarts gestuurd om Gabriella te ontvoeren uit het huis dat Chavez voor haar heeft gekocht, en haar in gijzeling gehouden. Ze wil-den dat Chavez in ruil voor haar leven Tijuana afstond en mil-joenen aan losgeld betaalde. Ze wisten dat hij iets zou onder-nemen – *wat dan ook* – om haar terug te krijgen. Blijkbaar konden Rachel en dit meisje elkaar niet uitstaan, maar daar had Chavez lak aan. Dus kwam hij zogezegd over de brug. We hebben het hier over *tientallen miljoenen*, Cody. Ze kwamen overeen dat de uitwisseling in ons land op neutraal terrein zou plaatsvinden. Het vermoeden is dat ze Gabriella naar Jackson Hole hebben gebracht, maar er is niemand die dat kan bevestigen. Maar daar was Chavez' vliegtuig naar op weg toen het blijkbaar problemen kreeg met de motor en er nooit is aangekomen. De boeven gingen er dus van uit dat ze waren bedonderd. Ze geloofden Chavez' bewering dat het vliegtuig met geld en al was neergestort niet en bovendien deed dat er niet toe, want ze zouden het geld sowieso nooit hebben gekregen. Dus namen die klootzakken Gabriella met zich mee naar Laredo, Texas.'

Cody voelde hoe de haartjes in zijn nek rechtovereind gingen staan. Hij zei: 'Nu herinner ik me weer wat er met haar is gebeurd.'

'Inderdaad,' zei Larry. 'Ze hebben haar vermoord en onthoofd. Daarna, zo heb ik begrepen van die vent uit San Diego, duurde het maar een paar dagen of de boeven waren Chavez' landgoed binnengevallen en hadden de macht overgenomen. Er vond een bloedbad plaats dat zich ook uitstrekte over zijn geheime schuilplaatsen en Rachel wilde de strijd met ze aanbinden, maar Chavez was een gebroken man en liet het op zijn beloop. Toen hij begon op te duiken op bijeenkomsten in San Diego dacht de politie dat hij bezig was een wraakactie voor te bereiden of zoiets, maar ze wisten toen nog niet dat hij zijn vechtlust en levenslust was kwijtgeraakt. Maar daarom hielden ze die bijeenkomsten in de gaten. En kort na die bewuste bijeenkomst,' zei Larry, 'werd Chavez ergens in Mexico gevonden met een kogel door zijn kop.'

Het duizelde Cody van al die gegevens, toen opeens het kwartje viel. 'Chavez heeft dat verhaal tijdens een bijeenkomst van de AA opgebiecht,' zei Cody. 'Hij heeft het verteld aan Geraghty, Shulze, Anthony en Hank. Hij heeft zijn zonden opgebiecht en was bereid zelfmoord te plegen of zich te laten ombrengen. Maar omdat alles wat tijdens die bijeenkomsten wordt gezegd vertrouwelijk en voor een groot deel klinkklare nonsens is, heeft niemand het doorverteld.'

'Maar Rachel wist dat,' zei Larry, 'en zij wilde haar geld terug en wilde niet dat iemand anders zou proberen slim te zijn. De rechercheur in San Diego zei dat Chavez genoeg Mexicaanse agenten op de loonlijst had die zo precies wisten waar de politie van San Diego mee bezig was dat ze zo ongeveer kopieën van de foto's hadden. Rachel wist dus wie er tijdens die bijeenkomst aanwezig waren en wie ze de mond moest snoeren. Tussen haakjes: Rachel werd ervan verdacht betrokken te zijn bij de dood van haar man, maar ze was al verdwenen voordat de Mexicaanse politie haar kon arresteren. Nu weten we waar ze mee bezig was.'

'Jezus,' zei Cody en hij keek omhoog naar Gannon die langzaam ronddraaide in zijn tuig van touw. 'Ze is dus het land door gereisd om iedereen op te zoeken die bij die bijeenkomst aanwezig was. Ze wilde ze uitschakelen voordat ze hierheen kwam. Ze moet contact hebben opgenomen met Gannon met de gedachte: hij is een woudloper uit Montana, dus hij weet de weg in het park waar het vliegtuigje is neergestort.'

'Gannon vroeg waarschijnlijk niet veel geld,' zei Larry.

Cody zei: 'Maar hoe is het mogelijk dat een vliegtuig in een nationaal park is neergestort en dat niemand er iets van afweet?'

'Het is eenvoudiger dan je denkt,' zei Larry. 'Je weet toch van al die rapporten die we krijgen over vliegtuigen die opstijgen en landen van privélandingsbanen. Die drugsjongens vernielen de bakens en leveren nooit een vluchtplan in. Misschien was het vliegtuig zelfs niet geregistreerd. Als het vanuit het noorden naar Jackson in het zuiden was gevlogen, in plaats van de andere kant op, dan zou het nauwelijks zijn opgevallen. En het opzienbarendste is dat niemand het vliegtuig als vermist heeft opgegeven. Onze taakeenheid werd bijeengeroepen omdat een paar oudjes meenden een vliegtuig te hebben gezien dat met een haperende motor in de richting van Yellowstone vloog. Als het ergens vlak bij waar jij nu bent is neergestort, dan was er vast en zeker niemand in de buurt die het heeft zien neerkomen.'

Cody knikte. 'De enige mensen die wisten wat er in dat vliegtuig zat en waar het ongeveer moest zijn neergestort, waren dus de intimi van Chavez. Zelfs de boeven wisten niet waar het vliegtuig vandaan kwam. Rachel kreeg haar informatie van een vertrouweling van haar man, maar zag geen enkele mogelijkheid om in haar eentje hierheen te komen. Jed McCarthy's trektocht was de enige mogelijkheid.'

Bull Mitchell besteeg zijn paard en gaf Cody een teken. Hij was klaar om te vertrekken. Cody gebaarde naar hem dat hij bijna klaar was met het gesprek.

'Die Rachel,' zei Cody, 'dat moet wel een bloedmooie meid of een geraffineerde intrigante zijn.'

'Allebei,' zei Larry. 'Een meedogenloze manipulator met een ijsblokje waar haar hart hoort te zitten.'

'Ze is erin geslaagd op vertrouwde voet te komen met alle slachtoffers,' zei Cody. 'Ik vraag me af of Rachel haar connectie met Chavez als troef heeft ingezet? Misschien heeft ze Hank opgebeld en gezegd: "Jij hebt mijn man in San Diego ontmoet. Hij vond je een buitengewoon sympathieke man en hij heeft me gevraagd je iets te geven omdat je zijn vertrouwen niet hebt beschaamd." Hank kennende en wetende hoeveel waarde hij hechtte aan het mentorschap en onderling vertrouwen, zal daar zeker zijn ingetrapt. Vooral als het van een vrouw kwam.'

'Dat vermoeden heb ik ook,' zei Larry. 'Ze heeft hun vertrouwensband tegen hen gebruikt. Shulze en Geraghty, bijvoorbeeld, hadden zelfs hun echtgenotes nooit verteld wie ze op die bijeenkomsten aantroffen. En ze wiste haar sporen uit door de huizen plat te branden waarin ze hen vermoordde en ze nam voorwerpen als de AA-munten mee en deed al het mogelijke om te voorkomen dat wij de puzzelstukjes in elkaar zouden passen.'

Cody was even stil. Gannons schaduw strekte zich nu helemaal over het veldje uit tot aan de rij bomen. 'Je zei dat je de FBI hebt gebeld. Dus die zijn in aantocht?'

'Als het goed is wel. Ik heb ze sinds vanochtend, toen ik op non-actief werd gezet, niet meer gesproken. Ik heb ze niets over jou verteld omdat ik geen flauw idee had waar jij uithing. Ik dacht dat je misschien wel in de een of andere dronkenmanscel zou zitten, dus zij weten niet waar jij bent.'

'Ik zal uitkijken naar helikopters,' zei Cody. 'Ik heb de hele dag niets anders gezien dan moordenaars en lijken.'

'Het zou me verbazen als ze vandaag al komen opdagen,' zei Larry. 'Ik kan me niet voorstellen dat ze in het donker op zoek gaan naar jullie of naar die trektocht.'

'Kut.'

'Ja.'

'Ik ga haar vermoorden, Larry.'

'Dat moet je mij niet aan mijn neus hangen.'

'Ze kan het wel schudden,' zei Cody. 'Ze weet het alleen nog niet. Want om wat zij Hank en de anderen heeft aangedaan en omdat ze Justin in zo'n situatie heeft gebracht, gaat ze voor de bijl.'

'Ach, man...'

Hij keek op. 'We hebben Gannons getuigenverklaring. We hebben haar niet nodig om de zaak rond te krijgen.'

'Sla haar in de boeien,' zei Larry. 'Arresteer haar. Jezus, ik wil dat mens ontmoeten en haar in de ogen kijken. Ik wil met eigen ogen zien wat daarin smeult.'

Cody liep naar zijn paard toe. Mitchell begon duidelijk zijn geduld te verliezen. Cody zei: 'Larry, nog één ding. Ik heb het mobiele nummer gebeld dat jij me eerder had gegeven. Iemand nam op, maar wilde niets zeggen. Wat had dat te betekenen?'

Een lange stilte. 'Godver, Cody, ik heb geen idee. Wanneer heb je gebeld?'

'Om een uur of tien.'

'Toen was ik in Tubmans kantoor, waar ik de volle laag kreeg, omdat ik ze niet had verteld dat jij uit Helena was vertrokken.'

'Waar was die telefoon toen?'

'In mijn koffertje. Naast mijn bureau. O shit,' zei Larry.

'Iemand heeft je telefoon opgenomen,' zei Cody. 'Iemand heeft mijn stem gehoord. Op de een of andere manier weten ze dat ik hier ben.'

'Ik kan me niet voorstellen wie...' zei Larry. Toen: 'Wacht eens even. Er bonst iemand op mijn deur. Ik ben zo terug.'

Cody zei: 'Iemand is mijn gangen nagegaan, Larry. Iemand heeft me op weg hierheen levend proberen te verbranden.'

Hij realiseerde zich dat Larry weg was van de telefoon.

Cody hoorde hoe Larry de hoorn op zijn keukentafel legde. Hij hoorde een begroeting, een schreeuw en een schot. Toen pakte iemand de hoorn op. Cody hoorde iemand ademhalen. Net als de vorige keer.

'Larry?' zei Cody op vragende toon.

De verbinding werd verbroken.

39

'HOE HEBBEN JIJ en mijn vader elkaar ontmoet?' vroeg Gracie aan Rachel. Ze kon hem en wat Rachel hun had verteld maar niet uit haar hoofd zetten.

Ze reden over het pad dat Jed had gekozen en volgden de hoefafdrukken. Rachel, Gracie, Danielle en Justin. Ze hadden, aangevoerd door Rachel, het kamp verlaten en ze reden snel en stil. Rachel was eerst nog even haastig naar haar tent gegaan om haar rugzak op te halen die nu tegen de zijkant van haar zadel sloeg en laag hing alsof er iets zwaars in zat.

De laatste ogenblikken van de avondzon doorschoten de bomen en verlichtten de besneeuwde toppen van de bergen in het oosten en versmolten ze met een afscheidsknipoog in fluorescerend oranje en roze. Gracie had voor ze vertrokken nauwelijks de tijd gehad om haar sweater met capuchon op te halen en ze was blij dat ze dat had gedaan. Het leek kouder dan de vorige nacht en ze was blij met de warmte van Strawberry tussen haar dijen.

'Ik zei...'

'Ik heb je wel verstaan,' antwoordde Rachel. Haar stem had een kille, zakelijke ondertoon en Gracie werd erdoor afgeschrikt.

'Waarschijnlijk geen geschikt moment om te vragen,' zei Gracie. 'Neem me niet kwalijk.'

Rachel reed voorop, haar gezicht het masker dat Gracie al eens eerder had gezien. Gracie dacht: *Ze heeft wel wat anders aan haar hoofd. Ze leidt drie tieners door het Grote Onbekende en weet niet zeker of ze het er wel goed zal afbrengen. Ze wordt door andere dingen in beslag genomen.*

'Toch vind ik het vreselijk om hem daar zo achter te laten,' zei Gracie, zowel tegen zichzelf als tegen Rachel.

'Hij wilde het zelf. Wil je liever omkeren?' zei Rachel op dezelfde snijdende toon als voorheen. 'Je kunt zo omkeren als je wilt, hoor. Ik heb je verteld wat er is gebeurd.'

'Nee,' zei Gracie op gedempte toon.

'Er is zojuist een menselijk wezen in mijn armen gestorven,' zei Rachel zonder haar hoofd om te draaien en Gracie aan te kijken of te proberen een mildere toon aan te slaan. 'En ik heb gezien wie dat op zijn geweten heeft.'

Gracie voelde zich misselijk.

'We moeten hulp zien te vinden,' zei Rachel. 'We moeten maken dat we hier wegkomen.'

Van achter aan het rijtje zei Justin: 'Neem me niet kwalijk, mevrouw Mina?'

Rachel draaide zich met een ruk om in haar zadel en keek voorbij Gracie Justin aan. 'Ja?'

'Ik vraag me af waarom we dit spoor volgen? Als we terugkeren naar ons vertrekpunt, dan weet ik bijna zeker dat we de verkeerde kant op rijden.'

'Dit is de weg die we nemen,' zei Rachel.

'Ik begrijp het niet,' zei Justin, onverschrokken. 'Volgens mij gaan we toch echt de verkeerde kant op.'

Gracie keek voor het eerst goed naar het pad zelf. Op een enkel paar hoefafdrukken na was het onbezoedeld. Ze wist niet hoe ze het had.

'Wat is er?' vroeg Danielle, die helemaal achteraan reed.

'Niets,' zei Rachel op snijdende toon. 'En houden jullie nou allemaal je mond, alsjeblieft.'

Danielle ging naast Gracie rijden en boog zich naar haar toe. 'Ik heb eens zitten denken,' zei ze.

Gracie onderdrukte de neiging om verbaasd op te kijken.

'Weet je nog dat we aankwamen op het vliegveld in Bozeman? Dat pap er toen niet was.'

'Ja, dat herinner ik me nog.'

'Waar denk je dat hij toen uithing?'

Gracie haalde haar schouders op. 'Ik zou het niet weten.'

'Ik ook niet. Maar hij is degene die zoveel ophef maakte over deze reis. Hem kennende had hij daar eigenlijk drie uur te vroeg moeten lopen ijsberen en over ons in moeten zitten.'

Gracie knikte. 'Dat zou inderdaad meer iets voor hem zijn.'

'Van het begin af aan is er al iets vreemds gaande,' zei Danielle. 'Hij heeft iets bekokstoofd. En waarom was hij niet in het kamp zoals hij zou moeten zijn?'

'Daar moet toch een verklaring voor zijn,' zei Gracie, die zelf aan haar woorden twijfelde.

'Als je die hebt gevonden, wil ik het graag horen,' zei Danielle en ze ging weer achteraan rijden.

Tien minuten later zei Rachel: 'Daar gaat-ie dan,' en ze stuurde haar paard van het pad af naar een wildspoor dat westwaarts het bos in voerde. Ze keek achterom om zich ervan te verzekeren dat iedereen haar volgde. Gracie weigerde haar aan te kijken en hield haar hoofd gebogen. Ze moest voortdurend denken aan wat Rachel beweerde te hebben gezien en Danielles opmerking had dat vuurtje nog eens extra hoog opgestookt.

'Deze kant op,' zei Rachel, terwijl ze haar paard op het nieuwe pad de sporen gaf.

'Nu weet ik zeker dat we de verkeerde kant op gaan,' zei Justin.

Gracie hield Rachel nauwlettend in het oog. Hoe haar borst opzwol toen ze diep inademde, de grimmige trek om haar mond, haar ogen die wel spleetjes leken omdat de huid van haar gezicht strak naar achteren getrokken was. Ze draaide haar hoofd om, keek Justin woedend aan en leek zich te verbijten.

'Blijf in de rij,' zei Rachel tegen Justin. 'En hou je mond. Ik probeer ons allemaal in veiligheid te brengen.'

'Maar het slaat gewoon nergens op,' zei Justin. 'Ik bedoel, we willen terug naar de voertuigen en we rijden nu het bos in aan de zijkant van een berg. Ik begrijp het gewoon niet.'

'Nee,' zei Rachel, 'jij begrijpt het inderdaad niet.'

'Danielle?' zei Justin.

'Mij moet je niks vragen,' zei Danielle.

Gracie vroeg zich af wie nu precies de leiding had en wie Rachel was geworden. Ze had een wee gevoel in haar maag en wilde dat ze nog even met haar vader had gesproken, al was het maar om afscheid te nemen.

En toen ze Rachel vooraan zag rijden, zag ze opeens ook de bobbel op haar rechterkuit, waar de bovenkant van haar laars zich bevond. Iets drukte tegen de stof van haar spijkerbroek. Gracie boog zich naar links om te controleren of Rachels linker-kuit zo'n bobbel niet vertoonde. Het was net alsof er iets boven uit haar laars stak. Een stok of zoiets.

Of, begon het Gracie plotseling te dagen, het heft van een mes.

'Ik heb je vader in Minneapolis ontmoet,' zei Rachel tegen Gracie. Ze zei het op hartelijke toon, zoals die tot voor kort was geweest. Alsof ze probeerde hun vriendschap nieuw leven in te blazen. 'Ik was daar op zakenreis en logeerde in het Grand Hotel. Mijn laptop vertoonde kuren en ik had de pest in dat ik het ding niet aan de gang kreeg, dus ging ik naar de bar. Hij was in het hotel omdat hij een afspraak had met een cliënt, zei hij. Ik vertelde hem van mijn computer en hij frunnikte er wat aan en had het ding in een mum van tijd weer aan de praat. Toen raakten we in gesprek.'

Gracie zei niets. Ze vond het niet prettig om aan haar vader te denken nu hij niet bij hen was. Ze wist dat hij een man was, en waarschijnlijk ook zijn behoeften en verlangens had. Maar ze had er spijt van dat ze Rachel überhaupt die vraag had gesteld en ze wist niet zeker of ze het antwoord wel wilde horen. En ze wilde haar niet nog eens aansporen.

Rachel zei: 'Ik vertelde hem dat ik kort geleden zowel mijn man als mijn stiefdochter had verloren. Hij zei dat hij gescheiden was, maar twee dochters had op wie hij dol was. Toen hoorde ik voor het eerst over jou en Danielle en hoeveel jullie voor hem betekenen. Ik was geroerd.'

'Dat is leuk,' mompelde Gracie.

'Toen vertelde hij me over de reis die hij met jullie zou gaan maken. Hij was zo opgewonden en enthousiast, dat ik als een blok voor hem viel. We hielden contact en hij stelde mij voor om mee te gaan zodat ik met jullie tweeën kennis kon maken. Zodat hij ons aan elkaar kon voorstellen. Ik had Yellowstone Park altijd al eens willen bezoeken en hij leek het helemaal in kannen en kruiken te hebben, dus stemde ik erin toe om mee te gaan. Ik had geen flauw idee...' Ze maakte haar zin niet af.

'Rachel,' zei Gracie, 'hij was daarstraks niet in het kamp. Jed was weg en pap was er ook niet.'

Rachel knikte meelevend. 'Het moet moeilijk voor je zijn om je vader als een lafaard te zien,' zei Rachel. 'Ik heb geen flauw idee wat er op dit moment door je heen gaat, dus vertel het me maar. Misschien kan ik helpen.'

Gracie wilde geen antwoord geven. Iets in de manier waarop

Rachel het vroeg, op de vertrouwelijke toon, stond haar tegen. De stemmingswisselingen van hartelijk naar afstandelijk en weer terug, brachten Gracie uit haar evenwicht, alsof de grond onder haar voeten wankelde. Ten slotte zei Gracie: 'Ik weet niet wat ik denk.'

'Dat kan ik me voorstellen,' zei Rachel. 'Er is niets erger dan als iemand van wie je houdt dingen doet die je verstand te boven gaan. Het is net alsof je die persoon nooit echt hebt gekend. Alsof jullie hele leven samen gebaseerd was op een serie onjuiste veronderstellingen. Als dat gebeurt, is het net alsof alles wat je dacht of wist op lucht en leugens gebaseerd was. Je begint je af te vragen of je zelf niet goed wijs bent. Ben ik die goedgelovige dwaas die zich door een *man* kapot heeft laten maken omdat hij zwak en onbetrouwbaar was? Het is zo vreselijk als dat je overkomt en het blijft aan je vreten, totdat je eraan toegeeft of besluit hem te verlaten en verder je eigen weg te gaan. Je moet terughalen waar jij recht op hebt, wat aan jou toebehoort.'

Gracie zei: 'Ik weet niet waarover je het hebt.'

Rachel wierp Gracie achterom een schichtige, onzekere blik toe, schudde toen haar hoofd en haalde haar schouders op. Gracie kreeg de indruk dat Rachel dingen had gezegd die ze niet bedoeld had te zeggen.

'Ach, luister maar niet naar mij,' zei Rachel. 'Soms laat ik me wel eens gaan. Je weet hoe dat gaat.'

Nee, dacht Gracie. Ze keek nog een keer naar die rugzak die Rachel aan haar zadel had vastgebonden. Er zat iets zwaars in. En Gracie bedacht vervolgens dat ze het lijk van Dakota nooit had gezien. Dat had niemand, behalve Rachel. Net zoals ze haar vader niet had gezien. Ze had van Rachel aangenomen dat hij bij haar was toen ze zagen hoe Jed Dakota vermoordde.

Onder het rijden werd zij zich ervan bewust dat ze Rachel in een heel ander licht begon te zien. Iedereen kon wel iets goeds in zich hebben, maar dat gold ook voor iets slechts.

Gracie bleef haar met een krampachtig gevoel in haar maag aanstaren. Er bevond zich een bobbel naast Rachels kuit die het heft van een lang mes kon zijn. Rachel had gezegd dat Dakota's keel was doorgesneden.

Gracie kon het niet voorkomen. Ze boog zich naar links en braakte haar maag leeg op het gras.

Rachel keek argwanend, met gespeelde bezorgdheid, achterom en vroeg: 'Gaat het een beetje, schat? Wordt die hele toestand je een beetje te veel, arm schaap?'

De schemering maakte plaats voor duisternis.

40

Jed McCarthy haalde zijn hoofdlamp uit de zak van zijn jack en plaatste die op zijn cowboyhoed. Hij wilde hem nog niet aan doen, want er was nog voldoende licht om te kunnen zien, maar dat zou niet lang meer duren.

Zelfs na jaren tochten door de wildernis, was hij nog steeds een beetje onder de indruk van de schemering in de bergen, wanneer zich in een korte tijd een verandering voltrok waarbij de wind ging liggen en de verborgen dieren zich stil en koest hielden en de nachtelijke roofdieren wakker begonnen te worden. Het was immens stil en hij kon elke stap van zijn paard en zijn eigen nerveuze ademhaling horen.

Voor hem zag hij, als de bomen enigszins uiteenweken, de massieve J-vormige gletsjer aan de onbegroeide kant van de berg. De gletsjer gloeide lichtblauw in de avondschemering, zag er schoon en zuiver uit en leek hem naar zich toe te lokken.

Zijn paard sjokte met een schommelgangetje tegen het pad op. Jed zat voorover in het zadel en gaf het dier de sporen. Ze namen haarspeldbochten en kwamen alsmaar hoger en hoger. De hellingshoek was soms zo scherp dat hij, als hij zijn hand zou uitsteken, de bergwand kon aanraken. Toen het donkerder werd hoopte hij vurig dat het pad begaanbaar zou zijn en in de winter niet versperd zou zijn door lawines of dood hout.

Uiteindelijk klaarde de lucht op en hoewel de duisternis nog niet volledig was ingetreden, kon hij vaag de sterren aan de wolkeloze hemel zien. De volle maan kwam op en zou spoedig het firmament beheersen en de berg verlichten.

Zijn zintuigen draaiden op volle toeren. Hij was op zijn hoede voor anomalieën. Hij onderscheidde een lichte kleurveeg tussen de donkere takken van een dennenboom en die viel hem op omdat die daar niet thuishoorde. Hij reed ernaartoe, boog zich voorover en reikte diep tussen de naalden om het te pakken. Het woog nog best wat, maar was buigzaam en hij haalde het tevoorschijn. Een volmaakt vogelnestje. Leeg. De materialen die waren gebruikt om het te bouwen maakten een onnatuurlijke indruk, een mengeling van papier en stof. Hij kneep erin en merkte hoe sponsachtig het was.

Vogels en muizen maakten nestjes van alles wat beschikbaar was. Het leek Jed hier veel te afgelegen voor de vogels om door mensen vervaardigd materiaal te gebruiken, maar toch was dat gebeurd. Waar hadden ze dat vandaan?

Hij liet het nest op de grond vallen en reed door.

Aanvankelijk drong het niet goed tot hem door, het dunne laagje neergedwarrelde sneeuw aan de rand van zijn gezichtsveld. Het lag verspreid en was vermengd met het laagje dennennaalden.

Toen dacht hij: *Sneeuw? In juli?*

Hij keek omhoog. Het sneeuwde niet en het was bij lange na niet koud genoeg. Zou het eerder die dag gesneeuwd kunnen hebben?

'Dit slaat nergens op,' zei hij binnensmonds, terwijl hij zijn paard zijn weg liet vervolgen over het pad dat uitkwam op een langwerpig rotsplateau. Hij bleef stilstaan om het allemaal in zich op te nemen. De gletsjer torende als een schaars verlicht reclamebord boven hem uit. Het plateau was van massief gesteente, maar met hier en daar een rimpeling waarin zich water van recente regenbuien had verzameld. Recht voor hem, in de richting van de berg, waren volgroeide dennen, die wortel hadden geschoten in de plooien tussen het gesteente, afgekapt. Hij kon zien waar ze waren geraakt want de kartelige boomstronken stonden als hekpalen in een rij.

Overal op de grond lag de sneeuw, maar het was niet koud. Hij steeg af. Zijn laarzen bonsden op het massieve gesteente en hij leidde zijn paard naar de zijkant waar de sneeuwlaag het dikst was, waar die door het korte gras werd vastgehouden.

Hij deed zijn hoofdlamp aan en ging op zijn hurken zitten. De hoofdlamp scheen waar hij maar keek en hij stak zijn hand uit om de sneeuw aan te raken.

Papiersnippers. Duizenden ervan. Geen enkele groter dan een paar vierkante centimeter. Het was hetzelfde spul dat was gebruikt om het vogelnest mee te bouwen. Hij pakte de grootste snipper die hij kon vinden en hield die in de lichtbundel. Een paar geloken en verstandige ogen staarden hem van het stukje papier aan. Hij herkende de ogen en zei: 'Benjamin Franklin.'

Hij stond stokstijf stil met de snipper tussen zijn duim en zijn wijsvinger. Zijn andere hand stak hij omhoog om de lichtbundel van zijn hoofdlamp scherper te stellen.

Aan de andere kant van het plateau zag hij, voorbij de gevelde bomen, als een laatste glimp van een walvis die zee kiest, de V-vormige staart van een vliegtuig recht omhoogsteken uit een kloof waarin het, na de vorige winter te zijn neergestort, terecht was gekomen.

41

'WAT IS DAT daar verderop in het veld?' gromde Mitchell. 'Een eland? Het is bijna te donker om nog iets te kunnen zien.'

Cody keek op en tuurde. Vóór hem, links van het pad op een in maanlicht badende open plek, bevond zich boven het gras een donkere vorm. De gedaante had aanvankelijk niet bewogen, maar toen ze dichterbij kwamen, bewoog hij een kleine meter naar rechts. De gedaante was moeilijk te onderscheiden, omdat hij donker was tegen een groenzwarte achtergrond van dennenbomen.

'Verdraaid als dat niet alweer een verdwaald paard is,' zei Mitchell. Het touw hing achter hem aan. 'Maar zo te zien zit er iets op.'

Cody hield zijn satelliettelefoon tegen zijn oor en sprak met Edna van de meldkamer in Helena. Hij was blij dat zij dienst had en hij had haar smeekbeden om haar te vertellen waar hij zich bevond genegeerd en wat er was gebeurd sinds zij hem voor het laatst had gezien. Toen ze even op adem kwam, zei hij: 'Edna, stuur een wagen naar Larry's huis in Marysville. Ik had hem tien minuten geleden aan de telefoon en opeens werd de verbinding verbroken. Ik denk dat hem iets is overkomen.'

'Hem iets overkomen?' herhaalde ze. 'Wat dan?'

'Dat weet ik niet. Maar ik heb een paar keer geprobeerd om terug te bellen en hij neemt niet op. Edna, stuur zo snel mogelijk wie je maar kunt optrommelen en waarschuw ze dat er nog iemand in Larry's huis zou kunnen zijn. Zeg dat ze die vent in zijn kraag grijpen en vasthouden. Nu dadelijk!'

'Cody...'

'*Nu!*' brulde Cody en verbrak de verbinding.

Mitchell en Cody reden naar het verdwaalde paard toe. Mitchell zei: 'Hou je gemak, Hoyt. Breng het niet aan het schrikken, anders slaat het op hol en gaat ervandoor. Hou op met dat *Nu!*-geschreeuw.'

Cody bleef enigszins achter en liet Mitchell op zijn ruin naar het paard toe rijden.

Het dier had *inderdaad* iets op zijn rug. Cody dacht eerst dat het een opgerold kleed of een set smalle draagtassen was, zoals het aan beide kanten over de rug van het paard hing. Hij kon zien dat het paard geen halster of een hoofdtuig had.

'Rustig aan, maar,' mompelde Mitchell op zachte toon tegen het paard.

Het was een vos en het dier deed een paar onzekere stapjes voorwaarts toen Mitchell naderbij kwam. 'Hij is kreupel,' zei Cody.

'Ja,' zei Mitchell, die zich van zijn paard liet glijden en kalm op de vos af liep. Met een gebaar dat even snel was als voorzichtig schoof hij een touw om de hals van de vos om hem op zijn plaats te houden. Het paard leek mak, maar Cody kon het wit aan de randen van zijn ogen zien. Er was weinig voor nodig om het op stang te jagen.

'O, nee,' zei Mitchell op een toon die oprecht verdrietig klonk. 'Dit keer is het een vrouw.'

Hij liet de vos draaien en een paar stappen doen tot die in het maanlicht stond.

Haar lichaam was met het hoofd omlaag over de rug van het paard gedrapeerd. Lang bruin haar hing futloos omlaag en verborg haar gezicht en oren. Haar handen waren onder de buik van de vos vastgebonden aan haar laarzen om het lichaam op zijn plaats te houden.

Cody zei knarsetandend: 'Shit.'

'Kijk nou toch eens,' zei Mitchell en hij wees op een dunne snee op de bil van het paard die glinsterde van vers bloed. 'Ze hebben het lichaam erop gebonden en het paard een messteek gegeven om te zorgen dat het wegrende.'

Mitchell keek op. 'Weet je wie ze is?'

'Ik vermoed van wel.'

'Wil je even kijken of je vermoeden klopt?'

Cody probeerde te slikken, maar slaagde er niet in. Hij knikte.

Mitchell pakte met een hand voorzichtig haar haar, legde zijn andere hand onder haar kin en tilde haar hoofd op tot het licht op haar gezicht viel.

Cody zag de gapende wond in haar keel en proefde de smaak van gal in zijn mond.

'Ze heet Dakota Hill,' zei Cody met krakende stem. 'En voor er niemand meer over is, zullen we degene vinden die dit op zijn geweten heeft.'

Ze naderden omzichtig het kamp, ook al had Cody de neiging het als Vikings te bestormen. Hij zag dat er een kampvuur brandde, maar er zaten maar vier mensen omheen. Justin was er niet bij. Rachel Mina en Jed ontbraken ook.

Er zaten vier volwassenen bijeen rond het vuur. De gloed van de vlammen op hun gezichten maakte dat ze er grimmig en geschrokken uitzagen.

Ze hadden afgesproken dat Mitchell tussen de bomen en uit het zicht zou blijven om Cody, terwijl hij op zijn paard naar hen toe reed, met zijn jachtgeweer dekking te geven. Hij bleef om zich heen kijken of hij nog anderen in het kamp zag. Per slot van rekening stonden er negen tenten keurig opgesteld op een veldje ten noorden van het kampvuur. Die leken allemaal leeg te zijn.

Voordat ze zelfs maar in de gaten hadden dat hij er was, voordat iemand opkeek en een vreemde ruiter uit de duisternis zag naderen, ervoer Cody een tastbaar gevoel van verdoemenis dat de mensen rond het vuur uitstraalden. Alsof ze zich gewonnen gaven, verslagen waren.

Hij herkende Walt onmiddellijk. Zijne Rijkheid zat daar met zijn handen hangend tussen zijn knieën en zijn hoofd op zijn borst. De broodmagere vrouw moest Donna Glode zijn. De jongere, slanke man die hier niet op zijn plaats leek moest James Knox zijn. En de zenuwachtige man, die bij de anderen zat maar er niet bij leek te horen, moest Ted Sullivan zijn.

'Iedereen blijft zitten waar hij zit, ik ben van de politie.'

'Cody,' zei Walt. 'Ben jij het?'

'Ja, Walt. Waar is mijn zoon, verdomme?'

Walt krabbelde overeind en slikte. 'Hij is weg, Cody. Ik weet niet waarheen.'

'Jezus,' siste Cody, 'wat bedoel je met dat je dat niet weet?'

Donna Glode keek op van het vuur. 'Er ontbreken nog vier paarden. We denken dat Justin is vertrokken met de meisjes Sullivan en Rachel Mina. Ze zijn hem gesmeerd zonder tegen iemand iets te zeggen.'

Cody wendde zich tot Ted Sullivan: 'Waar zijn jouw dochters?'

'Ik weet het niet,' zei Sullivan, die met gebalde vuisten opstond, 'maar ik wil ze vinden. Ik ga met je mee.'

Cody snoof. 'Kun je goed paardrijden?'

'Niet echt.'

'Cody,' zei Mitchell terwijl hij uit het duister naar voren kwam, 'ik vind het lullig om dit te zeggen waar iedereen bij is, maar jij bent ook een ruiter van niks.'

'Blijf jij hier bij deze drie?' vroeg Cody aan Mitchell.

Mitchell knikte.

'Wil jij ook mee?' vroeg Cody aan Walt.

Walt zuchtte en keek een andere kant op. 'Ik blijf hier,' zei hij op zachte toon.

Cody schudde vol afkeer zijn hoofd. Tegen Ted Sullivan zei Cody: 'Kom maar mee dan.'

42

GRACIE ZAG DAT Rachel Mina's schouders gespannen waren toen ze haar paard van het pad naar de open plek stuurde. Toen hinnikte Strawberry, en een paard verderop hinnikte bij wijze van antwoord. Rachel draaide zich niet om in het zadel, maar Gracie zag de hand van de vrouw naar achteren bewegen en de knoop boven aan het pak dat ze uit haar tent had meegenomen losmaken.

Gracie was buiten zichzelf. Ze had uitsluitend haar intuïtie om op af te gaan, maar bij elke stap die ze vooruitzetten op het pad raakte ze er meer van overtuigd dat niets van wat ze een uur tevoren in Kamp Twee hadden geloofd op waarheid berustte. Ze voelde zich lamlendig en kon wel janken vanwege haar vader en vanwege zichzelf.

Maar ze kon weinig beginnen. Rachel reed vooraan over het pad en zowel Danielle als Justin reden achter Gracie. De steile bergwand beperkte haar bewegingsvrijheid aan de rechterkant en links bevond zich een afgrond. Ze kon niet omkeren en wegvluchten of zelfs met haar zus praten en haar vrees kenbaar maken. Het werd donker en koud. Ze had geen wapen.

Rachels paard stapte over een massieve rand graniet en Gracie hoorde het hoefgekletter op het gesteente. Een ogenblik later was ook Strawberry boven aangekomen. Danielle en Justin kwamen vlak na haar.

Rachel was stilgehouden naast een ruiterloos paard dat aan een boom vastgebonden was. Ze draaide zich om in het zadel en fluisterde: 'Ik zal jullie beschermen. Begrepen?'

'Hoezo, ons beschermen?' vroeg Justin. 'Ik zie alleen maar Jeds paard.'

Rachel negeerde hem. 'Iedereen afstijgen. De rest doen we lopend. Ik wil dat jullie je allemaal volkomen stilhouden, en ik meen het.'

Gracie keek de anderen aan. Danielle leek zich te ergeren. Ze had altijd de smoor in als iemand haar zei wat ze moest doen, vooral als het inhield dat ze stil moest zijn. Justin stond perplex en keek de oudere vrouw kwaad aan.

Toen Rachel dezelfde reactie opmerkte die Gracie had gezien, stak ze haar hand in de achterzak van het open pak en haalde een grote revolver tevoorschijn. Ze zwaaide ermee in hun richting.

'Afstijgen,' zei ze. 'Nu meteen.'

'Hoe kom je daaraan?' vroeg Justin, terwijl hij van zijn paard sprong. 'Ik dacht dat het niemand was toegestaan om...'

'Justin,' zei Danielle op gebiedende toon om hem de mond te snoeren. Ook zij liet zich van haar paard glijden.

Gracie verkrampte van angst en leek haar benen om Strawberry heen te klemmen. Ze wist niet zeker of ze wel kon bewegen.

'Jij ook,' zei Rachel tegen haar. 'Jij *vooral*.'

Gracie haalde ergens de wilskracht vandaan en steeg houterig af.

'Luister,' zei Rachel tegen hen, terwijl ze zelf ook afsteeg. 'Ik wil jullie niet aan het schrikken maken. Ik heb dit ding gekocht om mezelf te kunnen verdedigen en ik ben blij dat ik het gedaan heb.'

Al pratende liep ze dichter naar hen toe zodat ze haar stem

niet hoefde te verheffen. Gracie zag dat Rachel de revolver langs haar zij hield, maar toch nog enigszins op hen gericht hield. En ze zag ook dat Rachels broekspijp, toen ze van haar paard stapte, omhoog was geschoven en dat het stompe achtereind van het mes in haar laars nu duidelijk te zien was. Gracie wierp een snelle blik in de richting van Justin en haar zus om te zien of zij hetzelfde hadden opgemerkt. Dat hadden ze niet.

'Kijk,' zei Rachel, terwijl ze zich naar hen toe boog. 'Dat is Jeds paard, maar het is duidelijk dat hij er zelf niet is. Ik weet niet waar hij uithangt maar we kunnen niet voorzichtig genoeg zijn. We moeten hier langslopen tot we hem hebben gevonden. Ik hoop niet dat hem iets is overkomen of dat hier nog iemand anders is. Maar,' zei ze, wijzend op de revolver, 'ik wil op elke mogelijkheid voorbereid zijn.'

Justin en Danielle knikten. Ze begrepen waarschijnlijk niet helemaal wat Rachel zei, dacht Gracie, want wat Rachel zei sloeg nergens op. Maar ze had het dringend en nadrukkelijk gezegd en daar waren ze ingetrapt.

Gracie zei: 'Het gaat helemaal niet om een veilig heenkomen zoeken, hè?'

Rachel keek haar met ijskoude verachting aan. Ze zei: 'Daar kunnen we het later over hebben, Gracie. Op dit moment wil ik dat je bij me blijft en je mond houdt. Begrepen?'

'Ze heeft het begrepen,' zei Danielle en ze gaf Gracie een por in haar rug.

'Mooi zo,' zei Rachel, voor alle zekerheid Gracie nogmaals aankijkend. 'Kom mee.'

Gracie had bijna geen gevoel in haar benen, hoewel ze normaal leken te functioneren. Ze trok Strawberry door het duister achter Rachel aan, gevolgd door de anderen. *Waartegen wilde ze hen eigenlijk beschermen?* dacht ze.

Ze merkte het sneeuwachtige spul dat overal waar een plukje gras was lag opgestapeld nauwelijks op.

Maar toen ze opkeek over Rachels schouder, zag ze een gele lichtbundel boven de boomtoppen, eerst aan de rechterkant en vervolgens links. Het effect deed haar denken aan Hollywood, aan schijnwerpers die vanaf de grond de lucht doorkliefden. Toen hoorde ze verderop een gedempte dreun en gekletter.

Ze stond op het punt iets te zeggen, toen Rachel snel haar hoofdlamp aandeed en de witmetalen staart van een vliegtuig bescheen.

Een vliegtuig?

'Wat is *dat* in hemelsnaam?' zei Justin.

'Sssssst,' waarschuwde Rachel hem, met een vinger tegen haar lippen. Toen fluisterde ze: 'Allemaal naast me komen. Neem jullie paarden mee. Ga aan weerskanten van mij staan.'

Gracie aarzelde. Waar waren ze mee bezig?

'Schiet op,' zei Rachel op giftige toon. Ze richtte zich rechtstreeks tot Gracie.

Onwillig liep Gracie naar Rachel toe en ging rechts van haar staan. Danielle en Justin gingen zij aan zij links van Rachel staan. Hun paarden sjokten snuivend achter hen aan. Het gebonk en geratel dat uit het zicht uit het gat in het vliegtuig opklonk, ging door.

Rachel richtte haar revolver op de staart van het vliegtuig en riep: 'Jed, je kunt nu wel tevoorschijn komen.'

Het geluid hield op.

'Jed,' zei Rachel, 'we zijn er. We weten wat je hebt gevonden. Je moet nu tevoorschijn komen.'

Gracie hield haar adem in. De avond was stil, afgezien van het zachte geschuifel van de paarden achter hen, die het rotsoppervlak afspeurden naar een paar grassprietjes.

Plotseling verscheen de rand van Jed McCarthy's hoed boven

de rand van het gat, gevolgd door zijn gezicht. Rachels hoofdlamp belichtte zijn gelaatstrekken. Zijn voorhoofd was gefronst van verwarring en zijn mond ging, zoals altijd, schuil achter zijn dikke snor. Hij had ook een hoofdlamp op en de lichtbundel hupte van Justin naar Gracie. Dat had ze gezien, dacht Gracie, de lichtbundel van Jeds hoofdlamp die als hij daar heen en weer liep door het gat in het vliegtuig naar buiten scheen.

'Je hebt het gevonden,' zei Rachel, 'maar het is nog steeds mijn geld. Laat me nu je handen zien, Jed. Steek je handen omhoog en leg ze voor je op de rots.'

Toen besefte Gracie waar Rachel al die tijd mee bezig was geweest. Ze had hen om zich heen verzameld voor het geval Jed schietend tevoorschijn was gekomen. Jed zou niet alleen denken dat hij in de minderheid was, maar ook dat een slecht gemikt schot een kind kon doden. Ze waren gijzelaars, zonder dat ze het zelf doorhadden, dacht ze. En op dat moment wist ze dat elke verdenking die ze jegens Rachel koesterde terecht was.

'Van jou?' zei Jed. Maar hij stak zijn handen omhoog en legde ze op de rots. Ze waren leeg, maar zijn knokkels zaten onder het vuil en het roet.

'Van mij,' zei Rachel. 'Misschien zou ik verbaasd moeten zijn dat er nog iemand anders achteraan zit, maar dat ben ik niet.'

Jed stak één hand op om zijn ogen af te schermen van het schijnsel uit Rachels hoofdlamp. 'Ik zie dat je Justin en Danielle hebt meegebracht. En Gracie ook. Wat zijn zij, leden van je *bende*?' Toen hij dat woord uitsprak, grinnikte hij. Hij schudde zijn hoofd en zei: 'Die vermaledijde Dakota, ze kan haar mond maar niet houden, hè?'

Gracie dacht dat hij niet goed bij zijn hoofd was. Rachel hield een revolver op hem gericht en hij stond grapjes te verkopen? Toen drong het tot haar door dat Jed niet alleen veronderstelde dat Dakota hun had verteld van de kaarten die ze had gevonden, maar dat hij dacht dat ze nog in leven was.

En dat betekende dat...

'Luister,' zei Jed, met zijn kin wijzend op de verborgen vliegtuigromp achter zich. 'Ik ben daarbinnen geweest en het ziet er niet fraai uit. De piloot en de copiloot zijn allang dood. Ze hangen in hun veiligheidsriemen en de aaseters hebben zich maandenlang aan hen tegoed gedaan. Wat nog erger is,' zei hij, terwijl hij recht in de loop van het vuurwapen of in Rachels ogen of in allebei tegelijk keek, 'de vogels en de muizen hebben al het geld dat er over was versnipperd. Er is geen enkel bankbiljet dat niet is aangevreten. Dat wil niet zeggen dat ik, als ik maar lang genoeg zoek, niet ergens nog een bundeltje bankbiljetten opdiep waar het ongedierte overheen heeft gekeken, maar ik ben al twintig minuten bezig en ik geloof er al helemaal niet meer in.'

Gracie keek Rachel aan. Haar gezicht was verstard tot een porseleinen masker van woede. Haar lippen leken bijna blauw. Haar stem klonk gespannen en dreigend toen ze zei: *Ik geloof je niet.*

43

CODY GAF ZIJN paard stevig de sporen en reed over het plat-
getreden pad in het donker tegen de berg op. Hij voelde
zich stuurloos omdat hij dat was; hij had zijn evenwicht al een
keer verloren en was van Gippers rug gegleden en bijna op de
grond getuimeld en onder zijn hoeven terechtgekomen, maar
had nog net kans gezien overeind te komen. Een paar minuten
later was hij uit het zadel gemept toen hij tegen een laaghan-
gende tak aan reed die hij in het donker niet had gezien. Cody's
schouders en rug deden pijn van de smak tegen de grond en de
tak had een snijwond in zijn neus achtergelaten die bloedde.
Zijn oor leek te branden waar hij was geraakt en hij vermoedde
dat het korstje aan de tak was blijven haken. Ted Sullivan had
het er niet beter afgebracht en was pardoes van de rug van zijn
paard gedonderd en beweerde dat hij bijna zeker wist dat zijn
stuitje gebroken was.

Cody rekende erop dat zijn paard uit zichzelf de rest van de
kudde verderop zou kunnen vinden. Daarbij kwam dat je maar
één kant op kon.

Het was inmiddels aardedonker tussen de bomen, met uitzondering van de volmaakt blauwwitte volle maan die door
openingen in het gebladerte schitterde. Cody was verbaasd over

hoe licht het was op de open plekken nu de maan was opgekomen en ook de sterren de grond verlichtten, als een omgekeerde stad die van bovenaf door de wolken werd beschenen. Zonder elektrisch licht in de wijde omtrek, was het woud in staat voor zijn eigen verlichting te zorgen, dacht hij. *Wie zou het zeggen?*

Hij begon zich net af te vragen of ze wel op de goede weg waren toen hij een gouden streep licht voor zich langs een boom zag strijken. De top van de J-vormige gletsjer kwam in zicht en Cody hoorde een doordringende stem en toen nog een.

Cody liet Gipper stilstaan waardoor Sullivans paard tegen hem opbotste en beide paarden stoven met een sprongetje uit elkaar. Hij hield zich vast aan zijn zadelknop en hield zijn hoofd omlaag, maar hoorde achter zich Sullivan kreunend van zijn paard vallen. Gipper kalmeerde en hij keek achterom om zich ervan te verzekeren dat Sullivans paard op zijn plaats stond en niet opnieuw tegen hem opdrong. 'Paarden, Jezus,' zei Cody binnensmonds. 'Ze zijn nog erger dan kinderen.'

Toen hij, na zijn geweer uit het foedraal te hebben gehaald, afsteeg, hoorde hij meer dan dat hij het zag, Sullivans paard de berg af rennen. Sullivan lag ineengedoken op de grond te creperen. Cody bond Gipper vast aan een boom en liep de laatste zes meter op handen en voeten tot waar het pad vervlakte. Toen hij de top naderde werden de stemmen luider.

Moeizaam strekte hij zijn benen en richtte zich op tot hij over de rand van het rotsplateau kon kijken. Paarden benamen hem het uitzicht, maar tussen hun benen door zag hij vier mensen naast elkaar met hun rug naar hem toe staan. Voorbij hen zag hij de staart van een vliegtuig en Jed McCarthy's handen dansten terwijl hij praatte in een lichtbundel. Hij leek zich grotendeels ondergronds te bevinden en alleen zijn hoofd en schouders waren zichtbaar. Het gedeukte witte metaal van de staart tekende zich in een bizar contrast af tegen de rotsen en de bomen die het gebied overheersten, maar Cody zag direct waarom het vanuit de lucht niet was opgemerkt.

Justin was erbij. Hij herkende hem, omdat zijn zoon boven de anderen uittorende. Justin stond hand in hand met een meisje met lang donker haar. Hij kon aan de wijze waarop ze elkaars hand omklemden zien dat de situatie gespannen was. Een vrouw die hij nog niet kon identificeren maar naar hij vermoedde Rachel Mina was, hield een handvuurwapen op het vliegtuig gericht. Rechts van Mina/Chavez stond een slank jonger meisje zenuwachtig haar gewicht van het ene been op het andere over te brengen.

Cody keerde zich om, dook en rende terug het pad af naar de plek waar Sullivan zich bevond. De man was erin geslaagd rechtop te gaan zitten en leunde met zijn rug tegen een boomstam. Zijn gezicht was vertrokken van pijn.

Cody boog zich naar hem toe en fluisterde: 'Ze zijn daarboven. Allemaal. Ik weet nog niet goed wat er aan de hand is, maar ik wil dat jij hier blijft en muisstil bent.'

'Zijn mijn dochters daar?'

'Daar ben ik vrij zeker van. Er staan twee meisjes, maar ik kan hun gezichten niet zien. Maar het lijkt in orde. Mijn zoon is er ook.'

'Zorg dat niemand ze kwaad doet.'

Cody stak zijn hand uit en kneep in Sullivans schouder. Hij zag dat de man in feite zijn billen omhooghield door op de hakken van zijn laarzen te steunen en zijn benen te buigen om te voorkomen dat zijn stuitje de grond zou raken.

'Het doet zeker flink pijn?' zei Cody.

Sullivan knikte heftig.

'Niet schreeuwen,' zei Cody en hij liet hem daar zitten. 'Laat mij mijn gang maar gaan.'

436

Jed probeerde de grijns om zijn mond te onderdrukken. Rachel Mina reageerde niet. Maar de glinstering in haar ogen en de starheid van haar gezicht deden het *ergste* vermoeden.

Hij negeerde de tieners ook, al wist hij niet goed waarom ze daar waren. Afgaande op de manier waarop hun ogen heen en weer schoten tussen hem en Rachel, alsof ze naar een tenniswedstrijd stonden te kijken, schenen ze niet te begrijpen wat er aan de hand was. Evengoed voelde hij zich voor hen verantwoordelijk. Zij waren zijn klanten.

'Rachel,' zei Jed, 'er is duidelijk sprake van een geweldig misverstand. We kunnen er wel uitkomen. Een paar nachten geleden gaf Dakota me een paar kaarten die ze volgens haar zeggen in Wilsons tent had gevonden, maar ze moet zich in de verkeerde klotetent hebben vergist. Ze moet in *jouw* tent zijn geweest.

'Die kaarten maakten me hartstikke nieuwsgierig en ik wilde voor mezelf zien waar hij naar op zoek was, dus ben ik vanavond hierheen gereden. Hoe kon ik weten dat het een neergestort vliegtuig betrof, of wat de lading was? Doe me een lol.'

Hij liegt, dacht Gracie.

Dakota had gezegd dat Jed iets in zijn schild voerde. Dat sloeg hierop.

Jed had hun een verhaaltje op de mouw gespeld toen hij zei dat hij voor een alternatieve route had gekozen die hem dichter bij deze locatie bracht.

Hij was vertrokken uit Kamp Twee om naar vermiste deelnemers te zoeken, had hij gezegd. Wat deed hij dan hier op die bergwand, op minstens anderhalve kilometer afstand van het pad?

Ze wierp een heimelijke blik op Rachel Mina. Zij trapte er ook niet in.

Maar waarom grijnsde hij dan nog steeds?

Cody's uitzicht werd beperkt door de paarden en hij kreeg **Mina** niet in het vizier. Hij kon haar onderarm en de hand die de revolver vasthield duidelijk zien, maar de zware schoften van een paard blokkeerden zijn uitzicht op de rest van haar gestalte. Revolvers uit handen schieten was meer iets voor oude wild-westfilms. Hij had een groter en beter doelwit nodig.

Op de tast klauterde hij over de rand naar rechts. Terwijl hij dat deed ving hij tussen de benen van de paarden door glimpen op van Justin, Mina en de meisjes, alsof hij een tableau vivant bekeek door de bladen van een langzaam draaiende ventilator. Toen kon hij Jed, in het licht van Mina's hoofdlamp, duidelijk zien. Jed leek verbazingwekkend ontspannen, hij glimlachte zelfs. Cody kreeg een ingeving: hoorden Jed en Mina bij elkaar? Was dit een ruzie tussen samenzweerders?

Maar toen hij nogmaals een glimp opving van Rachel Mina's gezicht en houding, besloot hij dat het niet uitmaakte. Die vrouw was meedogenloos en vastberaden.

Jed zei: 'Je moet me de kans geven hieruit te kruipen, Rachel. Ik sta met een voet op een rand van de kloof en met de andere op een stuk metaal. Zoals ik erop balanceer zouden ze het alle-bei elk moment kunnen begeven. Als je wilt dan kun je hierheen komen en met je lantaarn in dit gat schijnen. Dan zie je hetzelfde wat ik heb gezien: dode kerels en een hele berg versnipperde bankbiljetten. Daaronder is een helse diepte. Ik kon de bodem van de kloof al niet meer zien toen het nog niet eens helemaal donker was.'

Mina gaf geen krimp. Jed had geen flauw idee wat er in haar omging. Hij begon het beu te worden om voortdurend in de opengesperde muil van de loop van haar revolver te kijken.

Ten slotte zei hij: 'Rachel, er is iets wat je moet weten, want dit begint knap vermoeiend te worden. Toen Dakota de verkeerde tent doorzocht, heeft ze die revolver gevonden. Hier, ik zal je eens iets laten zien. Maak je geen zorgen, ik ben niet gewapend.'

Hij schoof met zijn hand over de rots en liet hem voorzichtig uit het zicht verdwijnen, waarbij hij haar voortdurend aan bleef kijken, terwijl hij zich afvroeg of ze de trekker over zou halen voordat hij het haar kon laten zien.

Gracie bereidde zich voor op een knal toen Jeds beide handen niet meer te zien waren. Die man was of ontzettend dapper of ontzettend stom, dacht ze. Of hij wist iets wat niemand anders wist.

Toen meende ze iets te horen – een zacht gekreun of gejammer – van ergens ver achter de paarden en de geknakte boomstammen, waar het pad de rand van de rotspartij bereikte. Had iemand hen gevolgd?

Ze keek vanuit haar ooghoeken naar Rachel om te zien of zij het ook had gehoord. Als dat zo was, dan liet ze het niet merken, concludeerde Gracie. Ze vermoedde dat Rachel zo geconcentreerd was op Jed en wat hij uitvoerde, dat ze nergens anders oog voor had.

Cody wilde Ted Sullivan toeschreeuwen dat hij terug moest gaan. De man was tegen het pad op gekropen, bij de rand aangekomen en tuurde nu boven de rotsen uit naar het tafereel. Hij had gekreund van pijn toen hij zich oprichtte om iets te kunnen zien.

Cody probeerde Sullivans aandacht te trekken door naar hem te wuiven. Maar Sullivan kon of wilde zijn kant niet op kijken.

In plaats daarvan richtte hij zijn aandacht op het vliegtuig. Eén van de paarden was enigszins naar links verschoven en hij kon nu de zijkant van Mina's gezicht duidelijk zien. De achtergrond was gunstig; de tieners stonden opzij van haar en zouden niet worden geraakt door een kogel die het lichaam verliet of een eventuele misser.

Cody liet zich op de rots zakken, zette de kolf van het geweer tegen zijn schouder en boog zich naar het vizier toe. Veertig meter. Een gemakkelijk schot als zijn uitzicht niet werd beperkt.

De zijkant van Rachel Mina's gezicht vulde het piepkleine metalen ringetje van het kijkgaatje aan het uiteinde. Hij zag de hoge jukbeenderen en het aantrekkelijke profiel, haar zachte huid, de glinstering in haar ogen.

Zijn maag kwam in opstand. Hij had nooit eerder een vuurwapen op een vrouw gericht, laat staan haar in haar gezicht geschoten. Het besef daarvan en de weerzin ertegen overvielen hem.

Jed bracht zijn hand even langzaam weer omhoog als hij hem had laten zakken. Zijn wenkbrauwen waren opgetrokken alsof hij op het punt stond een goocheltruc te vertonen. Hij voelde Mina's ongerustheid, meende hij, en ook die van de anderen. Niet dat hem dat zorgen baarde.

Hij legde zijn hand met de knokkels omlaag op het rotsoppervlak en opende hem. Zes bronskleurige .357 Magnum kogels flonkerden in het licht van hun twee hoofdlampen. 'Deze heeft Dakota ook meegenomen,' zei Jed.

Gracie keek naar Rachels reactie in de hoop dat het nu voorbij zou zijn.

Rachel keek Jed hoofdschuddend aan. Ze zei: 'Jij denkt zeker dat ik achterlijk ben. Je hebt geen idee wat ik allemaal heb moeten ondernemen om hier te komen. Dacht je nou echt dat ik maar zes kogels had meegenomen?'

Jeds mond zakte open en Rachel schoot een kogel dwars tussen zijn ogen. Het blaffen van de revolver was doordringend en Gracie zag de grote vuurtong. Jeds hoofd klapte achterover, zijn hoed vloog af en hij verdween uit het zicht.

Ondanks het gesuis in haar oren, kon ze Jeds lichaam in de kloof horen vallen en tegen de zijkanten van de rotswand horen smakken, tot hij een aantal seconden later met een doffe dreun op de bodem plofte.

'Rennen, meiden!' brulde Ted Sullivan.

Cody uitte een verwensing en probeerde door zijn vizier in de gaten te houden wat er opeens allemaal gebeurde.

Justin en Danielle lieten hun paarden los en renden naar de verre bosrand. Mina keerde zich, met haar rokende revolver in de aanslag, op haar hielen om. De paarden, geschrokken van het schot en het geschreeuw, liepen achteruit weg van hen, kwamen weer bij elkaar en snelden in tegenovergestelde richting van Justin en Danielle, waarbij ze, toen ze langsrenden, Cody het uitzicht belemmerden en hem het vuren totaal onmogelijk maakten. De paarden sprongen over de rand van de rotsrichel op nauwelijks een meter afstand van Cody en draafden het bos in.

Toen ze verdwenen waren, zag hij dat Mina haar arm om de keel van het kleinste meisje had geslagen en haar als een schild voor zich hield. De revolver drukte ze met de loop tegen de slaap van het meisje.

Het meisje, Gracie, stond doodsangsten uit. Maar ze was groter dan Cody had gedacht en blokkeerde het zicht op haar belager grotendeels. Toen hij door zijn vizier keek, zag hij Mina's fonkelende ogen, maar nauwelijks boven Gracies hoofd. Hij kon haar niet neerschieten en had er spijt van dat hij het niet even eerder had gedaan.

'Dat is mijn vader,' zei Gracie tegen Rachel, met een andere stem omdat haar keel dichtzat. 'Doe hem alsjeblieft geen pijn.'

'Dat ligt helemaal aan hemzelf,' zei Rachel. En toen tegen Sullivan: 'Ted, keer om verdomme en loop dat pad weer af of ik dood je kinderen. Is dat wat je wilt?'

Uit de duisternis hoorde Gracie de stem van haar vader die met overslaande stem zei: 'Nee, Rachel.'

Rachel zei: 'Ben je hier alleen? Heb je iemand bij je?'

Die klootzak gaat het verkeerde antwoord geven, dacht Cody.

Hij hoopte vurig dat Mina zich enigszins zou verplaatsen, in beweging zou komen. Zelfs als ze zich een beetje naar rechts zou keren, kon hij misschien de achterkant van haar hoofd zien en daar een kogel doorheen jagen.

Had ik maar eerder geschoten, dacht hij.

Gracie zei nogmaals: 'Doe hem alsjeblieft geen pijn, Rachel. Hij doet zijn best.'

Rachel snoof verachtelijk. 'En we weten allebei dat dat weinig om het lijf heeft, nietwaar?' Toen dempte ze haar stem en zei tegen Gracie: 'Ik wil hem geen pijn doen. Ik wil zijn smoel nooit meer zien, maar ik wil hem geen pijn doen. En ik wil jou ook geen pijn doen. Maar ik wil terug waar ik recht op heb en ik wil maken dat ik hier wegkom. Mijn hele leven ligt in dat vliegtuig. Dat laat ik hier niet achter.'

Het leek Gracie niet verstandig om haar eraan te herinneren dat Jed had gezegd dat al het geld versnipperd was.

'Ted,' riep Rachel, 'je hebt me nog geen antwoord gegeven. Is er iemand bij je?'

Opeens drong het tot Gracie door, dat dat wel *degelijk* zo was. Want hoewel hij gebrekkig communiceerde, *loog* haar vader nooit. Hij kon het gewoon niet, zelfs nu niet. Hij is waarschijnlijk volkomen de kluts kwijt en probeert wanhopig te bedenken wat hij moet zeggen, dacht ze. En het feit dat hij niets had gezegd betekende een ja, er was nog iemand bij hem.

'Ted?'

Gracie keek omlaag. Rachel stond met haar benen iets uit elkaar achter haar. Ze kon de bovenkant van het heft van het mes uit haar rechterlaars zien steken.

De druk van de loop tegen haar slaap werd iets minder toen Rachel Ted toeriep dat hij antwoord moest geven. Gracie maakte van dat ogenblik gebruik om achteruit in elkaar te zakken. Ze deed alsof haar knieën knikten en de spanning haar te veel werd. Ze voelde hoe ze langs Rachels lichaam omlaaggleed. Rachel zette zich schrap en verstevigde haar greep op Gracies nek, maar op het moment dat ze dat deed, voelde Gracie dat de loop van de revolver niet langer tegen haar slaap drukte.

Ze raakte met haar vingertoppen het heft van het mes aan, sloot haar hand er vervolgens omheen en trok het er razendsnel uit. Voordat Rachel besefte wat er gebeurde, trok Gracie het mes achteruit en stak het toen met een hakkende beweging, zo hard als ze kon, bijna tot aan het heft in Rachels rechterdij.

De jammerkreet van Rachel kwam totaal onverwacht en het was een geluid dat Gracie haar leven lang bij zou blijven. Maar de druk op haar nek verslapte en ze was in staat zich los te rukken en zich tegen de rots te laten vallen.

Cody schoot Rachel Mina als een razende twee kogels snel achtereen door haar hart. De vrouw was waarschijnlijk al dood voordat ze de grond raakte.

Gracie zag de felrode wolk rode mist door het rugpand van Rachels jasje uiteenspatten en voelde hoe de zware revolver op haar been viel. Ze hoorde de droge klap waarmee Rachels hoofd tegen de grond sloeg.

Cody krabbelde overeind. Hij naderde Mina's lichaam met zijn blik strak gericht op haar hoofd, in de hoop dat hij niet nogmaals de trekker hoefde over te halen. Het verbaasde hem dat ze nu zo klein leek, als een kapotte pop. Straaltjes bloed stroomden over haar lichaam en vulden de barsten in de rots als een springvloed die de vlakten bereikt.

Gracie ging met haar handen voor haar mond geslagen rechtop zitten.

'Gaat het met je?' vroeg hij.

Ze knikte.

'Dat was verdomd dapper wat je deed,' zei hij. 'Jij bent een pittig ding, Grace.'

'Ik heet Gracie.'

'Verdomd veel pit, Gracie.'

Ze knikte en hij vond het leuk dat ze wist dat ze lef had getoond.

Gracie knikte in de richting van Mina's lijk. 'Ze is alleen zo... zo *dood.*'

'Dat komt ervan,' zei hij. Toen tegen de anderen: 'Jullie kunnen nu allemaal tevoorschijn komen.' Bijna zei hij erbij: *Zelfs jij, Ted, jij achterlijke, debiele klootzak die zowat verantwoordelijk was voor de dood van je dochter.* Maar dat zei hij niet.

Cody keek op en zag twee personen uit het bos op hem toe lopen. Een van hen had een zaklantaarn.

'Justin?'

'Ik ben het.'

Zijn zoon scheen met zijn zaklantaarn omhoog zodat zijn gezicht verlicht werd. Hoewel de grillige schaduwen hem iets monsterlijks zouden moeten geven, zag Cody de grijns van oor tot oor en een gezichtsuitdrukking die hij alleen maar als respectvol kon interpreteren.

En voor het eerst in minstens tien jaar liep Justin recht op hem af en sloeg zijn armen om hem heen. Justin zei: 'Mijn God, pap. Ik wist gewoon dat je zou komen. Zodra het mis begon te gaan wist ik dat je hierheen zou komen.'

'*Echt waar?*' zei Cody.

'Ik had vertrouwen in je,' zei Justin.

'Allemachtig, ik niet,' zei Cody verbouwereerd.

'Ik wel,' zei Justin en hij drukte hem nog steviger tegen zich aan. 'Ik kan het gewoon niet geloven. Je bent onbetaalbaar.'

Cody gromde maar drukte zijn zoon heel even tegen zich aan.

Gracie rende op haar vader af, Danielle liep achter haar aan. Hij huilde van vreugde, de tranen liepen over zijn wangen. Ze hielp hem over de rotsrand heen te komen en sloeg haar armen om zijn middel.

'Voorzichtig,' zei hij snikkend, 'ik geloof dat ik mijn stuitje heb gebroken.'

'Jezus, pap,' zei Danielle en Gracie zag bijna voor zich hoe haar zus in het donker haar ogen ten hemel sloeg.

'Kun jij een kampvuur aanleggen?' vroeg Cody aan Justin.

Justin deed een stap achteruit. Zijn gezicht straalde van verwondering en hij schudde zijn hoofd, alsof hij niet kon bevatten wat er zojuist was gebeurd. Cody voelde hetzelfde toen zijn adrenalinerush begon af te nemen. Hij merkte dat zijn handen beefden.

'Ja, hoor, ik kan wel een kampvuurtje maken. We hebben de laatste paar dagen flink geoefend.'

Cody knikte. 'Verzamel dan wat brandhout, alsjeblieft. Misschien kan je vriendinnetje je helpen.'

'Ze heet Danielle,' zei Justin. 'Ik weet niet of ze mijn vriendinnetje is.'

'Kan ze brandhout rapen?'

'Dat lijkt me wel.'

'Dan ben ik al tevreden,' zei Cody. 'Ik ga een paar telefoontjes plegen en zorgen dat we hier wegkomen.'

Een uur later tuurde Cody in de kloof. De lichtbundel uit zijn Maglite reikte niet tot de bodem waar Jeds lichaam terecht was gekomen. Hij kon flarden kleding en bloed tegen de wanden zien waar Jed omlaag was gestuiterd.

Voor zover hij kon nagaan had Jed de waarheid verteld. De romp van het vliegtuig was opengereten door de bomen en als het deksel van een soepblik losgetrokken. Een vleugel had losgelaten en was waarschijnlijk op de bodem van de kloof terechtgekomen en de andere was, evenwijdig aan de scheur in de opening, verwrongen.

Twee gedeeltelijk geklede skeletten hingen in de veiligheidsriemen in de cockpit. In het vliegtuig zag Cody stapels versnipperd geld en een paar rondscharrelende veldmuizen. Het was mogelijk, dacht hij, dat er nog een paar ongeschonden bundeltjes geld ergens diep begraven in het vliegtuig of zelfs op de bodem van de kloof lagen. Daar zouden de rechercheurs wel achter komen.

Hij hoorde een zwaar geronk aan de nachtelijke hemel en draaide zich om. Justin en Danielle hadden een reusachtig kampvuur aangelegd dat knisperde en de rotswanden en de bomen bescheen en zoveel licht verspreidde dat de sterren hun grootsteedse bleekheid hadden teruggekregen. Ted Sullivan lag op twee enigszins uit elkaar geschoven rotsblokken om zijn geblesseerde stuitje te ontzien.

'De helikopters komen eraan,' zei Cody.

In de verte zag hij de lichten hoog in de lucht dichterbij komen. Twee paar. Hij hoopte dat de piloot van één van de twee het kampvuur van Kamp Twee zou opmerken en zou dalen om de anderen op te pikken, zoals hij aan de meldkamer had opgedragen.

Hij had niet gemerkt dat Gracie bij hem kwam staan tot hij omlaagkeek. Ze was een klein onderdeurtje.

'Ik wilde je bedanken,' zei ze.

Hij knikte.

'Justin is echt ontzettend trots.'

'Dat betekent heel veel voor me. Jouw vader zou trots moeten zijn op *jou*.'

'Ach ja,' zei ze schouderophalend.

'Oordeel niet te hard over hem,' zei Cody. 'Hij is hiernaartoe gekomen ook al kon hij niet paardrijden. Het is duidelijk dat hij veel geeft om jou en je zus.'

Gracie knikte en keek naar haar vader tussen de omgehaalde bomen. 'Dat doet hij ook, op zijn manier,' zei ze. 'Ik vind het vreselijk dat Danielle en ik dachten dat hij was weggevlucht. Rachel had ons praktisch overtuigd. Weet je, hij heeft ons verteld waarom hij zo laat op het vliegveld kwam opdagen. Nu blijkt dat hij een weekend in een vakantiepark voor ons in Billings had geboekt als we deze tocht achter de rug hadden. Hij had al een dag eerder met Rachel afgesproken en hij wilde dat wij ons weer echte dametjes zouden voelen voordat we naar huis terugkeerden. En de reden dat we hem niet zagen in het kamp was dat hij zich niet lekker voelde en in zijn tent was gaan rusten. Hij had geen flauw idee dat Rachel ons dat verhaal had opgedist.'

Cody had daar niets op te zeggen.

'Rachel heeft me belazerd,' zei Gracie.

'Dat heeft ze een hoop mensen gedaan.'

'Zelfs nu ze dood is en ik wilde dat ze dood was, vind ik het toch erg. Ook van Jed.'

Cody gaf haar een kneepje in haar schouder. 'Dat hoor je ook te voelen,' zei hij. 'Dat is het verschil tussen jou en hen.'

Ze knikte weifelend.

'Ik hoop niet dat je het erg vindt als ik rook,' zei hij en hij viste D'Amato's laatste sigaret uit zijn borstzakje.

Ze keek op en zei: 'Justin zei dat je was gestopt.'

'Niks hoor,' zei hij en hij stak de sigaret aan en inhaleerde zo diep als hij kon zonder achterover in de kloof te vallen.

Epiloog

Montana

DRIE DAGEN LATER zat Cody onderuit op een ongemakkelijke stoel tegenover het bureau van sheriff Tub Tubman, maar de sheriff zelf was er nog niet. Hulpsheriff Cliff Bodean zat zoals gewoonlijk op de hoek van Tubmans bureau en keek op hem neer. Cody had een koffertje meegebracht vol met verklaringen en zijn dossiers en nog een voorwerp en had dat naast zich neergezet.

'Hij zei dat ik om elf uur hier moest zijn om mijn situatie te bespreken,' zei Cody. 'Hier ben ik dus.'

'Ik weet niet waar hij uithangt,' zei Bodean, zijn manchet omhoogschuivend om op zijn horloge te kijken. Hij wees op het dressoir achter de stoel van de sheriff. 'Zijn hoed ligt hier.'

'Verdomme,' zei Cody, terwijl hij met moeite opstond en om het bureau heen liep om de hoed met de rand naar boven neer te leggen, 'die man *luistert* niet.'

Cody ging weer op zijn stoel zitten en kreunde. Het leek nog steeds of elke vierkante centimeter van zijn lichaam pijn deed. De snee op zijn gezicht over zijn neus was gehecht en er zat een nieuw verband om zijn oor. Zijn lichaam was een opeenhoping van blauwe plekken. Zijn knieën deden nog pijn van het paardrijden.

'Om eerlijk te zijn,' zei Bodean, 'verbaast het me dat hij je heeft teruggenomen.'

Cody snoof bij wijze van reactie.

'De lijkschouwer zal het wel tegen hem gebruiken in zijn verkiezingscampagne,' zei Bodean hoofdschuddend. 'Je komt er verdomd genadig van af. Ik weet niet hoe je 'm dat flikt. Larry grapte vroeger dat jij compromitterende foto's van hem in je bezit had. Is dat waar?'

Cody keek op en trok een grimas. 'Dat ga ik jou niet aan je neus hangen.'

Bodean keek opnieuw op zijn horloge. 'Ik heb gehoord dat nog nooit zoveel agenten in Yellowstone hebben rondgesnuffeld als nu. Ze struikelen zowat over elkaar. Er zijn mensen van de FBI, de DEA, Staatsbosbeheer en van de Binnenlandse Veiligheidsdienst, om nog maar te zwijgen van rechercheurs uit Minnesota, Utah, Californië, Wyoming en uit onze staat. Je moet een massa verklaringen hebben afgelegd.'

Cody gromde.

Bodean zei: 'Ik heb je eerste verslag gelezen. Het viel me op dat je geen woord hebt gezegd over het feit dat je was geschorst toen je daar was.'

'Dat deed er niet toe.'

Bodean trok zijn wenkbrauwen op. 'O, meen je dat nou?'

'Ik had het waarschijnlijk ook wél kunnen vermelden,' zei Cody. 'Maar dan had ik erbij moeten vertellen dat ik op eigen houtje een moordonderzoek instelde dat door mijn superieuren werd belemmerd. Hoe denk je dat dat overkomt op de pers?'

Bodean gaf geen antwoord.

'Ik heb interviewverzoeken van USA Today, The New York Times, The Wall Street Journal, Associated Press en van vijf kabeljournaals. Ik heb nog niemand teruggebeld. Wil je dat ik mijn verklaring aanpas voordat ik hen bel, zodat ze weten dat ik op eigen houtje in het park was?'

'Wat ben jij af en toe toch een vreselijke klootzak,' zei Bodean.

Cody haalde zijn schouders op.

'Even los daarvan,' zei Bodean, 'zijn de andere overlevenden terug naar huis?'

'Voor zover ik weet. Bull Mitchell is terug bij zijn dochter en zijn vrouw in Bozeman. Ik geloof dat hij een echte plaatselijke beroemdheid is. Ik ben hem een smak geld verschuldigd, maar hij was zo vriendelijk om in te stemmen met een afbetaling in vele termijnen. Knox geeft een hoop interviews aan de pers in New York. Ik heb er een paar gelezen. Het is daar ingeslagen als een bom, dat kun je je wel voorstellen. Donna Glode zwijgt in alle talen. Walt is met de staart tussen de benen naar huis teruggekeerd.'

'En de Sullivans?'

Cody knikte. 'Die maken het goed. Mijn zoon Justin zit voortdurend te sms'en met de oudste dochter. Ze bekokstoven iets, maar ik weet niet wat. Ik ben van plan om contact te onderhouden met de jongste, Gracie. Dat is een bijdehante tante.' Toen hij haar naam uitsprak moest hij glimlachen. Hij kon het niet laten.

'Ze hebben Gannon gevonden waar we hem hadden opgehesen,' zei Cody. Voor zover ik heb gehoord, kletst hij ons de oren van het hoofd. Hij vertelt de FBI alles wat ze weten willen. De stukjes beginnen op hun plaats te vallen.'

'Nu we het daar toch over hebben,' zei Bodean, 'ik heb begrepen dat hij jou ervan beschuldigt hem te hebben gemarteld. Dat jij hem door zijn oor en in zijn knie hebt geschoten om hem aan het praten te krijgen.'

Cody schudde zijn hoofd. 'De lul. Ik heb hem neergeschoten uit zelfverdediging. Vraag het maar aan Bull Mitchell. Die zal mijn verhaal bevestigen.'

Bodean glimlachte wrang. 'Ik begrijp niet hoe jij er steeds weer tussendoor zwijnt.'

'Volgens mij komt dat omdat ik zo gezond leef,' zei Cody. 'Is het goed als ik rook?'

Bodean keek naar het plafond en zuchtte.

Cody haalde een pakje sigaretten uit zijn jasje, tikte er eentje uit en stak hem aan. Hij gooide de afgebrande lucifer op de kleine sticker op Tubmans bureau waarop VERBODEN TE ROKEN stond.

'Jij beweert dus dat de FBI het helemaal uitzoekt, dat alle puzzelstukjes in elkaar passen,' zei Bodean. Ik neem aan dat ze bewijzen vinden tegen Mina, Gannon, Jed en misschien nog tegen een handlanger die samenwerkte met Mina.'

Cody bestudeerde Bodeans gezicht en liet hem doorpraten maar zei zelf niets.

'Die Rachel Mina of Chavez of wat dan ook,' zei Bodean fluitend, 'dat moet er eentje geweest zijn. Ik heb al Larry's dossiers gelezen, het materiaal van de politie van San Diego en van de DEA. Hij heeft haar spoor door het hele land opgerakeld, naar alle moorden. Ze opereerde volkomen onder de radar. Ik heb foto's van haar gezien. Ze was een mooie meid, maar geen echte stoot. Dat moet er eentje geweest zijn,' zei hij nogmaals. 'Een meedogenloze moordenares met het uiterlijk van het liefallige buurmeisje.'

'Ze wist dat ze naar Yellowstone moest zien te komen,' zei Cody. 'Toen ze die arme sloeber van een Ted Sullivan ontmoette, zag ze haar kans schoon. Natuurlijk was hij een willige prooi. Ze wist dat een vrouw alleen op zo'n trektocht zou opvallen en dus gebruikte ze Ted als dekmantel.'

Bodean knikte. 'Dus wat jou betreft werkte ze samen met Wilson – Gannon, bedoel ik – en met niemand anders?'

Hij leek ergens naar te vissen, dacht Cody. Maar hij weigerde erop in te gaan.

'Wanneer is de begrafenis?' vroeg Cody.

'Van Larry?'

'Van wie anders, verdomme?'

'Morgen. Het verbaast me dat jij de e-mail niet hebt ontvangen. Je moet je galapakkie dragen.' Zo noemden ze bij de politie hun eerste tenue.

'Ik heb die e-mail niet ontvangen omdat ik in het park bezig was de ene verklaring na de andere af te leggen,' zei Cody geergerd, 'en officieel was ik nog steeds geschorst, weet je nog? Ik had verdomme niet eens toegang tot mijn e-mail.'

'O ja, dat is waar.'

Cody voelde de aandrang om op te staan en hem tegen de grond te slaan, maar hij slaagde erin zijn woede te beteugelen.

'Zodra we Larry hebben begraven,' zei Bodean, 'intensiveren we onze pogingen om zijn moordenaar te vinden. Alles moet daarvoor wijken. De opsporing van de klootzak die dat op zijn geweten heeft gaat voor alles.'

'Het zal tijd worden,' zei Cody, terwijl hij zo hard in de armleuning van zijn stoel kneep dat het hem verbaasde dat er geen deuken in het hout achterbleven.

'Jezus,' zei Bodean, nogmaals op zijn horloge kijkend. 'Waar blijft de sheriff nou toch, verdomme?'

Cody haalde zijn schouders op. Toen begon hij over iets anders. 'Larry legde me alles altijd heel methodisch uit. Daar werd ik gek van, maar hij liet zich niet opfokken door mij. Hij deed zijn verhaal op zijn manier en dat was verschrikkelijk weloverwogen en heel rechtlijnig. Ik smeekte hem vaak om eindelijk te zeggen waar het op stond, maar dat gebeurde pas als hij vond dat de tijd rijp was en geen seconde eerder.'

Bodean keek hem verwonderd aan. 'En?'

'Stel je dus voor dat ik Larry ben,' zei Cody, 'en luister. Misschien wil je wel even gaan zitten totdat de sheriff komt. Het zal niet zo langdradig zijn als wanneer Larry het zou hebben verteld, maar ik zal mijn best doen.'

Bodean wilde bezwaar maken, maar hield zich in. Hij keek bezorgd. Maar hij liep om het bureau heen, ging in Tubmans stoel zitten en leunde, de vingers losjes in elkaar gehaakt, voor-over.

'De FBI gaat er, zoals jij al eerder opmerkte,' zei Cody, 'van uit dat Mina, Gannon, Jed en misschien zelfs Dakota Hill allemaal verband met elkaar hielden. En als je daarvan uitgaat, dan moet je er ook van uitgaan dat Mina's netwerk groter was, dat ze een medeplichtige daarbuiten had. Dat was degene die heeft geprobeerd me levend te verbranden in de Gallatin Gateway Inn en met meer succes Larry heeft uitgeschakeld. En die ver-dachte loopt nog vrij rond.'

Bodean kwam ertussen: 'Ik vertrouw erop dat de FBI, met al die hulp die ze hebben, hem wel zal weten te vinden. Zij kunnen een landelijk onderzoek instellen. Wij moeten ons beperken tot deze streek…'

'Dat weet ik allemaal ook wel, Bodean,' zei Cody ongeduldig. 'Hou nu verder je mond en luister. We doen dit op Larry's manier.'

Bodean haalde diep adem, hield zijn adem in en boog zich naar voren. 'Ga verder,' zei hij.

'Oké. Vanaf het moment dat ik Townsend bereikte zat alles me tegen. Ik werd door de plaatselijke verkeersagent aangehou-den en moest daar de nacht doorbrengen, waardoor ik een dag heb verloren die ik nooit meer terug zal krijgen. Wie weet hoe-veel levens gered hadden kunnen worden als ik Yellowstone had bereikt en de trektocht had kunnen verijdelen voor die was ver-trokken? Die vraag zal me altijd blijven achtervolgen.

Ik vond het vreemd dat ik er zo werd uitgepikt,' zei hij. 'Ik dacht toentertijd dat de plaatselijke agent een tip moest hebben gekregen van iemand, waarschijnlijk anoniem, om mijn auto in de gaten te houden. Dat was de eerste keer dat het bij me op-kwam dat Larry wel eens dubbelspel zou kunnen spelen. Dat Larry me om de een of andere reden – misschien wel voor mijn eigen bestwil – wilde afremmen. Wilde voorkomen dat ik iets stoms zou doen.'

Bodean knikte dat hij door moest gaan.

'Na de brand in mijn hotelkamer was ik er nog zekerder van dat Larry erachter zat. Het had de volmaakte moord kunnen zijn. De dader moest mij goed kennen. Ongedisciplineerd, geschorst, zuipschuit, onklaar gemaakt rookalarm, roken in bed. Het zou een schitterende dood ten gevolge van een ongeluk zijn geweest. Maar om de een of andere reden zag ik het vuur en wist ik op tijd te ontsnappen. Niemand heeft de dader gezien en ik heb nooit echt gedacht dat het Larry zelf was, maar eerder iemand die hij opdracht had gegeven.'

Cody zag de kleine zweetdruppeltjes die zich op Bodeans bovenlip hadden gevormd. Het was niet warm in het kantoortje.

'Ik besefte dat iemand in Bozeman mijn telefoon had getraceerd, dus heb ik die kapotgeslagen. Uiteraard kan niet iedereen zomaar het telefoonbedrijf opdracht geven een mobieltje na te trekken. Alleen de politie kan dat en dus wees alles opnieuw op Larry – de enige die wist waar ik uithing of wat mijn bedoeling was. Ik heb inmiddels ontdekt dat het telefoonbedrijf inderdaad een verzoek tot opsporing heeft gekregen en dat verzoek kwam vanuit dit bureau.'

'De vuile klootzak,' zei Bodean met overslaande stem.

Cody trok ditmaal zijn wenkbrauwen op. 'Ja, dat is Larry zeker,' zei hij op sarcastische toon. Toen vervolgde hij: 'Later, in het park, heb ik mijn satelliettelefoon aan gezet. Er stonden vijf berichten op van Larry. Ik heb ze afgeluisterd. Ze staan er trouwens nog steeds op. Ik begreep uit zijn woorden en uit de toon waarop hij sprak dat hij op iets geweldig omvangrijks was gestuit. Als hij me weg had willen houden van de trektocht, waarom zou hij dan doorgaan met zijn onderzoek? Tenzij hij mij natuurlijk totaal wilde misleiden. Maar dat strookte niet met zijn toon. Hij was opgewonden en kwaad op mij. Hij wilde me helpen. Larry was mijn partner. Ik geloofde hem.

'Dus heb ik teruggebeld,' zei Cody. 'Iemand heeft het mobieltje uit zijn koffertje gepakt dat naast zijn bureau stond. Larry zei dat hij het niet was omdat hij op dat moment precies op de plek waar ik nu zit een uitbrander kreeg van de sheriff. Maar weet je wat? Hij vermeldde niet dat er iemand anders bij hem in de kamer was. En Larry kennende, wist ik dat hij geen detail onvermeld zou laten, omdat hij dat nu eenmaal nooit deed.

Iemand hoorde dus mijn stem en wist dat ik nog in leven en waarschijnlijk in het park was. Heb jij enig idee wie dat kan zijn geweest?'

Bodean staarde hem strak aan. 'Iedereen kan die telefoon hebben opgepakt. Je beweegt je op glad ijs, Hoyt.'

Dat moest Cody toegeven. 'Maar het was niet zomaar iemand, weet je, want wat had zomaar iemand van mijn telefoontje kunnen leren? Alleen dat ik Larry opbelde. Verder niets. Op dat moment kon immers nog niemand weten van mijn reis naar het zuiden en de brand.'

'Ik kan je niet meer volgen,' zei Bodean.

'Natuurlijk kun je dat wel,' zei Cody. 'Degene die Larry's telefoon heeft opgenomen wist dus dat ik probeerde hem te bereiken. En hij wist ook dat Larry me, als ik hem aan de lijn kreeg, zou vertellen wat hij had ontdekt. Dat hij met de politie van San Diego had gesproken enzovoort. Als iemand betrokken was bij die hele toestand in Yellowstone, dan zou dat een lelijke streep door de rekening zijn.

Ik vermoed dat sheriff Tubman niet in zijn eentje heeft besloten om Larry te schorsen. Ik denk dat zijn hulpsheriff hem ervan heeft overtuigd dat Larry een scheve schaats reed en informatie had achtergehouden over mij en over het feit dat ik met een officieus onderzoek bezig was. Het ging volledig aan me voorbij toen Larry me vertelde dat jij volkomen van de kaart raakte toen je hoorde dat mijn onderzoek me in Yellowstone Park en bij Jed McCarthy's organisatie bracht.'

Cody zag dat Bodeans handen op het bureau allebei tot vuisten gebald waren.

'Toen ik mijn verklaring aflegde tegenover Staatsbosbeheer, liep ik Larry's maatje Rick Doerring tegen het lijf. Rick bevestigde dat Jed McCarthy met een soort concessie in de weer was geweest toen het team bijeen werd gebracht in Mammoth in verband met het gerucht over een neergestort vliegtuig. Rick zei dat het papegaaiencircuit zoals gewoonlijk op volle toeren draaide. Toen herinnerde ik me iets wat Larry terloops had opgemerkt en wat ik bijna helemaal was vergeten.'

'Wat?' zei Bodean.

'Dat de sheriff *twee* mensen van ons bureau naar Yellowstone had gestuurd. Larry en jou.'

Bodean slikte moeilijk maar zei niets.

Cody zei: 'Dat is waar je Jed McCarthy voor het eerst hebt ontmoet en waar je hoorde van die trektochten. Ik weet zeker dat Jed je daar alles over heeft verteld, want hij was een echte babbelkous. Ik weet zeker dat hij je alles heeft verteld over zijn reisje naar Het Grote Onbekende, want dat was zijn lust en zijn leven, en bovendien zijn belangrijkste inkomstenbron.

Maar dat is niet de enige taakeenheid waar hulpsheriff Cliff Bodean deel van uitmaakt, is het wel?' vroeg Cody. 'Jij bent ook onze verbindingsman met de DEA. Dus toen je eenmaal terug was uit het park en iedereen dat verhaal over dat vliegtuig was vergeten omdat niemand het als vermist had opgegeven, hoorde jij geruchten over het Chavez-kartel en de ontvoering. Je zette de data van de ontvoering en de verdwijning van het vliegtuig naast elkaar en merkte dat daar maar een paar dagen tussen zaten. Het gerucht ging dat de uitwisseling in Jackson Hole had moeten zijn, maar dat nooit was gebeurd. Dus pakte jij de kaart en trok een lijn tussen Bozeman, waar het vliegtuig voor het laatst was gesignaleerd, en Jackson, waar het vliegtuig had moeten landen. Ik heb het gisteravond zelf gedaan. Die lijn loopt dwars door het Thorofare-gebied van Yellowstone. Bijna pal over Jeds reisroute.'

Bodean probeerde het weg te lachen, maar het klonk als geblaf, dacht Cody.

'Dus heb jij contact opgenomen met Jed,' zei hij. 'Ik vermoed dat jullie bij elkaar zijn gekomen om te overleggen. Jij vertelde wat je wist en maakte kaarten voor hem. Jij kwam overeen hem rugdekking te geven van de politionele kant – je zou ervoor zorgen dat niet opeens iemand op zoek zou gaan naar dat vliegtuig – als hij het geld daadwerkelijk zou bemachtigen.'

'Dit is krankzinnig,' zei Bodean.

'Nee, sorry, dat is het niet.'

Bodean zei: 'Je probeert een band aan te tonen tussen mij en Rachel Mina. Ik heb Hank Winters helemaal nooit gekend. Dat zweer ik.'

'En ik geloof je,' zei Cody. 'Leuk geprobeerd. Maar dat is waar ieder onderzoek ernaast zit. De kwestie is dat er geen verband bestaat tussen jou en Mina en Gannon, zo is het toch? De sleutel tot het mysterie is dat er *geen* verband was. Dat het twee volledig losstaande operaties waren, allebei met als doel het vliegtuig te vinden, maar zonder zich dat van elkaar bewust te zijn. Je had het team Mina en Gannon, en je had het team dat bestond uit Jed en jou. Twee operaties, één trektocht, één bestemming. Ik denk zelfs dat Jed en Mina dat pas op het allerlaatste moment in de gaten kregen.'

Bodean veegde het zweet van zijn lip. Hij was lijkbleek geworden. 'Je kunt niets bewijzen,' zei hij.

'Dat was inderdaad zo tot vanochtend,' zei Cody. Hij ging

vooroverzitten op zijn stoel. 'Tot onderzoekers van de FAA Jeds lijk uit die kloof opdiepten. Hij had ook een satelliettelefoon bij zich, Bodean. Hij heeft één telefoontje gepleegd en dat was naar jouw mobiele nummer.'

'Dat moet een vergissing zijn,' zei Bodean.

'En dan nog iets,' zei Cody, en hij pakte het koffertje dat hij had meegebracht. 'Ik heb Edna de roosters laten controleren van de avond dat Larry werd vermoord. Je weet wel, die GPS-apparaatjes die we allemaal onder onze auto's hebben? Nou, de mijne heb ik onklaar gemaakt, maar jij hebt dat nooit gedaan. Edna ontdekte dat jij twintig minuten *voordat* ik haar opbelde om te zeggen dat ze een wagen moesten sturen een ritje naar Marysville hebt gemaakt. Dus jij bent of helderziende, verdomme, of jij hebt Larry vermoord.'

'Weet je wel wat je daar zegt?' vroeg Bodean op gedempte toon.

'Ja, hoor,' zei Cody. 'Ik zeg je dat de gevangenen in Deer Lodge het *heeeeeeerlijk* zullen vinden dat je komt. En als je denkt dat de cipiers een politiemoordenaar in bescherming zullen nemen, dan zou ik daar maar niet te zeer op rekenen.'

Cody opende zijn koffertje en pakte het vogelnestje dat hij vlak bij de kloof had gevonden en wierp dat met een draaiende beweging op het bureau zodat het landde tussen Bodeans vuisten.

'Kijk,' zei Cody, 'het is gemaakt van geld. Een nestje van geld. Jij wilde altijd al zoiets hebben en nu heb je het. Cool eigenlijk hè, als je er goed over nadenkt.'

Toen stak hij zijn hand in zijn zak en haalde het microfoontje eruit. 'Hebben jullie genoeg gehoord?' zei hij. 'Als jullie nu niet binnen vijf seconden hier zijn, dan trek ik zijn kop van zijn romp omdat hij mijn beste vriend heeft vermoord.'

Cody deed een stap opzij toen de FBI-agenten, gevolgd door een schuldbewuste sheriff Tubman, de kamer binnenstormden.

Toen ze Bodean met zijn gezicht naar de muur zetten en de handboeien omdeden en voordat ze hem op zijn rechten konden wijzen, zei Cody: 'Het liefst had ik je zelf door je kop geschoten. Maar de sheriff wilde daar niets van weten omdat het schadelijk zou kunnen zijn voor zijn campagne, daarom was dit hele circus nodig.'

Eén van de FBI-agenten keek Cody even fronsend aan. Tubman deed dat ook.

'Ik zou bij zijn knieën beginnen,' zei Cody. 'Dat maakt zijn tong wel los, geloof me.'

Hij wendde zich tot Tubman. 'Je moet het zo zien, sheriff. Je hebt een rivaal uitgeschakeld.'

Cody liep over het gazon naar Jenny's busje. Justin zat achterin en was vast en zeker aan het sms'en met Danielle Sullivan. Justin keek op en knikte.

'Zeg dat ze Gracie de groeten van me moet doen,' zei Cody.

Hij stapte in naast Jenny en gaf haar een vluchtige kus. Ze leek weinig te lijden te hebben gehad onder de plotselinge verbreking van haar verloving met Walt. 'Ik hoop dat je een restaurant hebt uitgekozen waar mag worden gerookt,' zei hij.

'Ik dacht aan Chubby's in Clancy,' zei ze, terwijl ze optrok. 'Op het reclamebord buiten staat: "Het beste maal van de hele wereld."'

'Klinkt veelbelovend,' zei Cody.

'Cody,' zei ze, 'ze hebben ook een bar. Ik weet dat je waarschijnlijk wel een toost wilt uitbrengen op Larry's nagedachtenis...'

'Dat weet ik,' zei hij. 'Maar ik kan dat soort dingen niet meer doen. Ik heb Larry iets beloofd.'

Woord van dank

DE SCHRIJVER WIL graag zijn oprechte dank uitspreken aan de vele vrienden, familieleden en collega's die hem hebben geholpen bij de research, lezing, redactie en publicatie van deze roman, om te beginnen aan rechercheur Cory Olson van het Bureau van de Sheriff van Lewis and Clark County in Helena, Montana, en tevens aan rechercheur Larry Platts, sheriff Leo Dutton, mijn vriendin Pam Gosink en forensisch goeroe en dokter D.P. Lyle.

Mijn dank gaat ook uit naar mijn eerste lezers: Becky Box Reif, Molly Box en Laurie Box.

Daarnaast ben ik dank verschuldigd aan John R. Erickson voor het gebruik van de passage uit *The Original Adventures of Hank the Cowdog*, Puffin Books, 1983.

Het is een ware eer en een voorrecht om samen te werken met het uitmuntende en enthousiaste team van St. Martins Minotaur, onder wie Sally Richardson, Andy Martin, Matthew Shear, Matthew Baldacci, Hector DeJean en de absoluut ongeëvenaarde Jennifer Enderlin.

En tegen Ann Rittenberg zeg ik: Jij. Bent. De. Beste.